法人税法

理論と計算

[二十訂版]

成松洋一 [著]

税務経理協会

二十訂版はしがき

　本書は，2005（平成17）年7月に初版を刊行し，今回で二十訂版という節目での刊行です。読者の皆様方の，永い間のご愛読に感謝申し上げます。

　この二十訂版では，令和6年度の税制改正において次のような改正が行われていますので，その内容などを織り込みました。

①　賃上促進税制の新たな仕組みの導入
②　大企業の研究開発税制等の適用制限の強化
③　戦略分野国内生産促進税制の創設
④　イノベーションボックス税制の創設
⑤　市場暗号資産の期末評価方法の見直し
⑥　交際費課税の飲食費の金額基準の引き上げ
⑦　現物出資の範囲の見直し

　また，本書はもっぱら各事業年度の所得に対する法人税について述べるものですが，令和6年4月1日から対象会計年度の国際最低課税額に対する法人税，いわゆるグローバル・ミニマム課税が適用されますので，その概要も追加しました。

　この二十訂版が，読者の皆様方に，少しでもお役に立てれば幸いです。

　最後に，今回の改訂に当たりましても大変お世話になりました，税務経理協会編集部の方々に対し，厚く御礼を申し上げます。

令和6年4月

成松　洋一

はしがき

　租税法はむずかしいということは，もう言い古されて陳腐化したといえるかもしれません。ところが，特に最近の法人税法は複雑，難解の傾向を強めており，そのことが実感されます。

　昨今の経済状況を反映して，企業は経営の合理化や効率化を図り，体質強化や競争力の確保に努めています。これに伴い，商法や企業会計においては，次々に新しい制度の創設や旧来の制度の改廃が行われているところです。

　商法や企業会計と密接な関係を有する法人税法も例外ではありません。特に，経済取引の広域化，国際化，高度情報化に対応する必要性に迫られていることとあいまって，いきおい法人税も複雑，難解になってきたものと思われます。しかし，それだけに今後の企業経営にあたっては，法人税への的確な対処が従来以上に求められるともいえましょう。

　本書は，その法人税について要点を重点的に述べようとするものです。その説明にあたっては，できるだけ制度の趣旨や背景などの理論を述べるよう努めました。しかし，法人税は理論の重要性はもちろんですが，反面では計算技術的な実学の側面を否定することはできないでしょう。むしろ，実定法としての法人税法はすぐれて実学であるということからすれば，計算技術的な要素をおろそかにすることはできません。そこで，本書では理論や具体的な取扱いの理解を助けるため多くの計算例を入れています。

　法人税を勉強し，理解するためには商法や企業会計の知識は欠かせません。法人税の勉強にあたっては，これらの知識の習得にも努めることが肝要です。

　本書が，法人税を勉強する学生諸君や実務家の方々の理解の一助になれば幸いです。

　　平成17年4月

　　　　　　　　　　　　　　　　　　　　　　　　　　成松　洋一

目　　次

二十訂版はしがき
はしがき

第1章　総　　論

1. 法人税の意義 …………………………………………………… 2
2. 法人税の性格 …………………………………………………… 3
   1．二つの考え方 ……………………………………………… 3
   2．現行法人税の性格 ………………………………………… 3
3. 納税義務者 ……………………………………………………… 4
   1．法人の意義 ………………………………………………… 4
   2．法人の種類 ………………………………………………… 5
   3．納税義務の範囲 …………………………………………… 6
4. 課税所得等の範囲 ……………………………………………… 7
   1．課税所得等の種類 ………………………………………… 7
   2．法人ごとの課税所得等の範囲 …………………………… 8
5. 事業年度 ………………………………………………………… 9
   1．期間所得計算 ……………………………………………… 9
   2．事業年度の意義 …………………………………………… 9
   3．みなし事業年度 ……………………………………………10
6. 納　税　地 ………………………………………………………11
   1．納税地の意義 ………………………………………………11
   2．納税地の機能 ………………………………………………11

第2章　課税所得の計算原理

- 1　総　　説 ……………………………………………………………14
- 2　損益法による計算 …………………………………………………14
- 3　実　質　主　義 ……………………………………………………15
  - 1．実質所得者課税の原則 ………………………………………15
  - 2．同族会社の行為計算の否認等 ………………………………16
- 4　確定決算基準 ………………………………………………………17
- 5　公正妥当な会計処理の基準 ………………………………………17
- 6　資本等取引の課税除外 ……………………………………………18
  - 1．資本等取引の意義 ……………………………………………18
  - 2．資本金等の額 …………………………………………………19
  - 3．利益積立金額 …………………………………………………20
  - 4．利益分配等の損金不算入 ……………………………………20
- 7　税　務　調　整 ……………………………………………………21
  - 1．総　　説 ………………………………………………………21
  - 2．決算調整事項 …………………………………………………22
  - 3．申告調整事項 …………………………………………………24

第3章　益金の額の計算

- 1　総　　説 ……………………………………………………………30
- 2　益金の内容 …………………………………………………………30
  - 1．益金の意義 ……………………………………………………30
  - 2．益金の概念 ……………………………………………………31
  - 3．無償取引による収益 …………………………………………32
- 3　益金の認識基準等 …………………………………………………33
  - 1．総　　説 ………………………………………………………33
  - 2．基本的な考え方 ………………………………………………33

3．棚卸資産の販売による収益……………………………………35
　　4．固定資産の譲渡による収益……………………………………36
　　5．有価証券の譲渡による損益……………………………………36
　　6．役務の提供による収益…………………………………………37
　　7．利子，配当，使用料の収益……………………………………42
④　**受取配当等**……………………………………………………………43
　　1．概要と趣旨………………………………………………………43
　　2．益金不算入の対象となる配当等………………………………44
　　3．短期所有株式等の適用除外……………………………………46
　　4．益金不算入額の計算……………………………………………47
　　5．外国子会社からの配当等の益金不算入………………………49
⑤　**資産の評価益**…………………………………………………………52
　　1．概要と趣旨………………………………………………………52
　　2．評価益の計上事由………………………………………………53
⑥　**受　贈　益**……………………………………………………………54
　　1．概要と趣旨………………………………………………………54
　　2．完全支配関係法人からの受贈益………………………………55
　　3．広告宣伝用資産の受贈益………………………………………56
　　4．役務の無償譲受け………………………………………………57
⑦　**還　付　金　等**………………………………………………………58
　　1．概要と趣旨………………………………………………………58
　　2．益金不算入の還付金等…………………………………………58
　　3．益金算入の還付金等……………………………………………59
⑧　**その他の収益**…………………………………………………………60
　　1．売上値引き，値増し，割戻し等………………………………60
　　2．キャッシュバック等……………………………………………60
　　3．仕入割戻し………………………………………………………61
　　4．商品券等の発行収益……………………………………………61
　　5．営業補償金等……………………………………………………62

6．スポーツクラブの入会金等……………………………………63
　　7．資産賃貸の権利金等……………………………………………63
　　8．損害賠償金………………………………………………………64

第4章　損金の額の計算

- 1　総　　説…………………………………………………………66
- 2　損金の内容………………………………………………………66
  - 1．損金の意義………………………………………………………66
  - 2．損金の概念………………………………………………………67
  - 3．売上原価等の原価………………………………………………67
  - 4．販売費，一般管理費等の費用…………………………………68
  - 5．損　　失…………………………………………………………68
- 3　損金の認識基準…………………………………………………69
  - 1．基本的な考え方…………………………………………………69
  - 2．債務確定基準……………………………………………………70
  - 3．未確定の売上原価等の見積り…………………………………71
  - 4．短期前払費用の特例……………………………………………71
- 4　棚卸資産の売上原価等…………………………………………72
  - 1．概要と趣旨………………………………………………………72
  - 2．棚卸資産の範囲…………………………………………………72
  - 3．棚卸資産の取得価額……………………………………………73
  - 4．棚卸資産の評価方法……………………………………………74
- 5　減価償却資産の償却費…………………………………………78
  - 1．概要と趣旨………………………………………………………78
  - 2．減価償却資産の範囲……………………………………………79
  - 3．減価償却資産の取得価額………………………………………81
  - 4．耐 用 年 数………………………………………………………85
  - 5．残存価額と償却可能限度額……………………………………87

目　次

  6．償却の方法 …………………………………………………89
  7．償却限度額の計算 …………………………………………96
 6　**繰延資産の償却費** ……………………………………………103
  1．概要と趣旨 …………………………………………………103
  2．繰延資産の範囲 ……………………………………………104
  3．償 却 期 間 …………………………………………………106
  4．償却の方法 …………………………………………………107
  5．償却限度額の計算 …………………………………………108
 7　**資産の評価損** …………………………………………………110
  1．概要と趣旨 …………………………………………………110
  2．評価損の計上事由 …………………………………………111
  3．評価損計上の場合の時価 …………………………………115
  4．更生計画認可決定による特例 ……………………………116
  5．再生計画認可決定等による特例 …………………………117
 8　**役員の給与等** …………………………………………………117
  1．概要と趣旨 …………………………………………………117
  2．役員の範囲 …………………………………………………118
  3．役員に対する給与 …………………………………………120
  4．使用人に対する給与 ………………………………………124
 9　**寄　附　金** ……………………………………………………127
  1．概要と趣旨 …………………………………………………127
  2．寄附金の範囲 ………………………………………………128
  3．寄附金の計上時期 …………………………………………130
  4．全額損金不算入の寄附金 …………………………………130
  5．全額損金算入の寄附金 ……………………………………131
  6．一部損金不算入の寄附金 …………………………………132
 10　**交 際 費 等** ……………………………………………………138
  1．概要と趣旨 …………………………………………………138
  2．交際費等の範囲 ……………………………………………138

3．交際費等の損金不算入額 ··141
11　使途不明金 ···144
1．概要と趣旨 ···144
2．使途不明金課税 ···144
3．使途秘匿金課税 ···145
12　租税公課等 ···146
1．概要と趣旨 ···146
2．損金不算入の租税公課 ···146
3．損金算入の租税公課 ··149
4．消費税・地方消費税の処理 ································150
13　不正行為の費用等 ··154
1．概要と趣旨 ···154
2．脱税経費の損金不算入 ···154
3．簿外経費の損金不算入 ···155
4．加算税等の損金不算入 ···155
5．罰金，課徴金等の損金不算入 ····························156
6．賄賂等の損金不算入 ··156
14　貸倒損失 ···157
1．概要と趣旨 ···157
2．法律的な債権の消滅 ··157
3．経済的な債権の消滅 ··159
4．取引停止後弁済がない場合の特例 ····················159
5．災害による売掛債権の免除の特例 ····················160
15　圧縮記帳 ···161
1．概要と趣旨 ···161
2．課税上の効果 ···162
3．圧縮記帳の種類 ···162
4．国庫補助金等で取得した固定資産等の圧縮記帳 ·······164
5．保険金等で取得した固定資産等の圧縮記帳 ············169

| 6．資産の交換をした場合の圧縮記帳 …………………………………177
| 7．収用等に伴い資産を取得した場合の圧縮記帳 …………………181
| 8．特定資産の買換えをした場合の圧縮記帳 ………………………188
16 **引当金と準備金** ……………………………………………………………196
| 1．概要と趣旨 …………………………………………………………196
| 2．引当金と準備金の種類 ……………………………………………197
| 3．引当金と準備金の差異 ……………………………………………198
| 4．貸倒引当金 …………………………………………………………198
| 5．返品調整引当金 ……………………………………………………208
| 6．海外投資等損失準備金 ……………………………………………213
17 **繰越欠損金** …………………………………………………………………216
| 1．概要と趣旨 …………………………………………………………216
| 2．欠損金の繰越控除 …………………………………………………217
| 3．青色欠損金の繰戻し還付等 ………………………………………220
18 **その他の費用等** ……………………………………………………………221
| 1．譲渡制限付株式を対価とする費用 ………………………………221
| 2．生命保険料 …………………………………………………………222
| 3．損害保険料 …………………………………………………………224
| 4．海外渡航費 …………………………………………………………225
| 5．ゴルフクラブの入会金・会費 ……………………………………226
| 6．損害賠償金 …………………………………………………………227

第5章　利益・損失の額の計算

1　総　　説 ……………………………………………………………………230
2　**短期売買商品等の損益** ……………………………………………………230
| 1．概要と趣旨 …………………………………………………………230
| 2．短期売買商品等の意義 ……………………………………………231
| 3．短期売買商品等の譲渡損益 ………………………………………232

4．短期売買商品等の時価評価損益 ……………………………233
　3　有価証券の損益 ………………………………………………234
　　　1．概要と趣旨 ……………………………………………234
　　　2．有価証券の意義 ………………………………………235
　　　3．有価証券の譲渡損益 …………………………………235
　　　4．有価証券の時価評価損益 ……………………………240
　4　デリバティブ取引の損益 ……………………………………244
　　　1．概要と趣旨 ……………………………………………244
　　　2．デリバティブ取引の意義 ……………………………244
　　　3．みなし決済損益の益金または損金算入 ……………245
　5　ヘッジ処理による損益の計上時期 …………………………246
　　　1．概要と趣旨 ……………………………………………246
　　　2．繰延ヘッジ処理による損益の繰延べ ………………247
　　　3．時価ヘッジ処理による評価損益の計上 ……………248
　6　外貨建取引の換算等 …………………………………………249
　　　1．概要と趣旨 ……………………………………………249
　　　2．外貨建取引の換算 ……………………………………250
　　　3．外貨建資産等の期末換算 ……………………………251
　　　4．為替予約差額の配分 …………………………………253
　7　完全支配関係法人間の譲渡取引の損益 ……………………255
　　　1．概要と趣旨 ……………………………………………255
　　　2．適用対象法人 …………………………………………256
　　　3．適用対象取引 …………………………………………256
　　　4．譲受法人が資産の譲渡等をした場合の戻入れ ……257
　　　5．完全支配関係がなくなった場合の戻入れ …………257

第6章　特殊な損益の計算

　1　総　　　説 ……………………………………………………260

目　次

② 企業組織再編税制 ……………………………………………260
　1．概要と趣旨 …………………………………………………260
　2．用語の定義 …………………………………………………261
　3．基本的な考え方 ……………………………………………264
　4．適格合併と適格分割型分割による特例 …………………265
　5．適格分社型分割による特例 ………………………………269
　6．適格現物出資による特例 …………………………………270
　7．適格現物分配等による特例 ………………………………273
　8．特定資産の譲渡等損失額の損金不算入の特例 …………274
　9．非適格合併等による資産調整勘定等の設定の特例 ……274
　10．株式交換と株式移転による特例 …………………………275

③ リース取引 ……………………………………………………279
　1．概要と趣旨 …………………………………………………279
　2．リース料の処理の原則 ……………………………………280
　3．リース取引の意義 …………………………………………280
　4．売買取引とされるリース取引 ……………………………281
　5．金銭の貸借とされるリース取引 …………………………284

④ 借地権の設定 …………………………………………………285
　1．概要と趣旨 …………………………………………………285
　2．権利金方式による貸付け …………………………………286
　3．相当の地代方式による貸付け ……………………………287
　4．無償返還方式による貸付け ………………………………288
　5．更新料を支払った場合の損金算入 ………………………288
　6．借地権価額の評価 …………………………………………289

⑤ その他の損益 …………………………………………………290
　1．確定給付企業年金の掛金等 ………………………………290
　2．社債等の発行差損益 ………………………………………291
　3．前期損益修正損 ……………………………………………291
　4．所　得　控　除 ……………………………………………292

9

第7章　国際課税所得の計算

- ① 総　　説 ………………………………………………………………294
- ② 移転価格税制 …………………………………………………………294
  - 1．概要と趣旨 ………………………………………………………294
  - 2．国外関連者の範囲 ………………………………………………295
  - 3．独立企業間価格の算定方法 ……………………………………296
  - 4．取引価格と独立企業間価格との差額の処理 …………………299
  - 5．独立企業間価格の算定に関する文書化 ………………………299
  - 6．更正・決定等の特例 ……………………………………………300
  - 7．相互協議と対応的調整 …………………………………………300
- ③ 過少資本税制 …………………………………………………………301
  - 1．概要と趣旨 ………………………………………………………301
  - 2．国外支配株主等の範囲 …………………………………………302
  - 3．適用要件 …………………………………………………………303
  - 4．負債利子等の損金不算入額 ……………………………………305
- ④ 外国子会社合算税制 …………………………………………………306
  - 1．概要と趣旨 ………………………………………………………306
  - 2．適用対象親会社の範囲 …………………………………………307
  - 3．合算対象外国子会社の範囲 ……………………………………307
  - 4．課税対象金額の計算 ……………………………………………309
  - 5．部分課税対象金額の計算 ………………………………………311
  - 6．課税対象金額等の益金算入時期 ………………………………312
  - 7．剰余金の配当等の益金不算入 …………………………………312
  - 8．適用除外 …………………………………………………………313
- ⑤ 外国法人課税 …………………………………………………………315
  - 1．概要と趣旨 ………………………………………………………315
  - 2．国内源泉所得の範囲 ……………………………………………315
  - 3．外国法人の課税標準 ……………………………………………317

　　　　　　　　　　　　　　　　　　　　　　　　目　次

　　4．所得税の源泉徴収 …………………………………………318
　⑥　グローバル・ミニマム課税 …………………………………318
　　1．概要と趣旨 …………………………………………………318
　　2．納税義務者 …………………………………………………319
　　3．課　税　標　準 ……………………………………………319
　　4．税額の計算 …………………………………………………320
　　5．申告・納付 …………………………………………………320
　　6．情報提供義務 ………………………………………………321

第8章　法人税額の計算

　①　総　　　説 ……………………………………………………324
　②　法 人 税 率 ……………………………………………………324
　　1．概要と趣旨 …………………………………………………324
　　2．法人別の法人税率 …………………………………………325
　③　特定同族会社の留保金課税 …………………………………326
　　1．概要と趣旨 …………………………………………………326
　　2．適用対象法人 ………………………………………………327
　　3．留　保　金　額 ……………………………………………327
　　4．留保控除額 …………………………………………………328
　　5．特　別　税　率 ……………………………………………329
　④　使途秘匿金課税 ………………………………………………331
　　1．概要と趣旨 …………………………………………………331
　　2．使途秘匿金の支出 …………………………………………332
　　3．使途秘匿金課税の適用除外 ………………………………332
　　4．帳簿書類への記載 …………………………………………333
　⑤　土地譲渡益重課税 ……………………………………………334
　⑥　所得税額等の控除 ……………………………………………334
　　1．概要と趣旨 …………………………………………………334

11

2．控除対象となる所得税等の額 …………………335
　　3．控除所得税等の額の計算 ………………………335
　　4．控除所得税等の損金不算入 ……………………336
　7　外国税額控除 ………………………………………338
　　1．概要と趣旨 ………………………………………338
　　2．外国法人税の範囲 ………………………………339
　　3．外国税額控除の態様 ……………………………340
　　4．外国税額控除額の計算 …………………………342
　　5．控除限度超過額と控除余裕額の繰越 …………343
　　6．地方税の外国税額控除 …………………………344
　8　粉飾決算による過大申告の税額控除 ……………345
　　1．概要と趣旨 ………………………………………345
　　2．仮装経理の範囲 …………………………………346
　　3．修正経理の意義 …………………………………346
　　4．5年間の税額控除と還付 ………………………347
　9　特別税額控除 ………………………………………347
　　1．概要と趣旨 ………………………………………347
　　2．試験研究を行った場合の特別税額控除 ………348
　　3．中小企業者等が機械を取得した場合の特別税額控除 …………352

第9章　申告，納付および還付等

　1　総　　説 ……………………………………………356
　2　中間申告・納付 ……………………………………356
　　1．概要と趣旨 ………………………………………356
　　2．中間申告をすべき法人 …………………………357
　　3．予 定 申 告 ………………………………………357
　　4．仮決算による中間申告 …………………………358
　　5．中間申告による納付 ……………………………359

6．中間納付額の還付 …………………………………………………359
③　確定申告・納付 ……………………………………………………………359
　　　1．概要と趣旨 ……………………………………………………………359
　　　2．確定申告書の提出期限の延長 ………………………………………360
　　　3．期限後申告 ……………………………………………………………362
　　　4．確定申告による納付 …………………………………………………362
　　　5．所得税額等の還付 ……………………………………………………363
④　青　色　申　告 ……………………………………………………………363
　　　1．概要と趣旨 ……………………………………………………………363
　　　2．青色申告の承認申請 …………………………………………………364
　　　3．青色申告法人の帳簿書類 ……………………………………………364
　　　4．青色申告法人に対する特典 …………………………………………365
　　　5．青色申告の承認の取消し等 …………………………………………366
⑤　グループ通算制度 …………………………………………………………367
　　　1．概要と趣旨 ……………………………………………………………367
　　　2．適用対象法人 …………………………………………………………368
　　　3．納税義務者等 …………………………………………………………368
　　　4．所得金額の計算 ………………………………………………………369
　　　5．法人税額の計算等 ……………………………………………………372
　　　6．申告・納付 ……………………………………………………………373
　　　7．通算開始時等の時価評価 ……………………………………………374
⑥　修正申告と更正の請求 ……………………………………………………375
　　　1．概要と趣旨 ……………………………………………………………375
　　　2．修　正　申　告 ………………………………………………………376
　　　3．更正の請求 ……………………………………………………………376

第10章　更正決定と附帯税

1. 総　　説 …………………………………………380
2. 更正または決定 …………………………………380
    1. 概要と趣旨 …………………………………380
    2. 更　　正 ……………………………………381
    3. 決　　定 ……………………………………381
    4. 更正・決定の期間制限 ……………………382
3. 附　帯　税 ………………………………………383
    1. 概要と趣旨 …………………………………383
    2. 延　滞　税 …………………………………383
    3. 利　子　税 …………………………………384
    4. 過少申告加算税 ……………………………384
    5. 無申告加算税 ………………………………386
    6. 重加算税 ……………………………………387

事項索引 ………………………………………………389

目　次

― 凡　例 ―

法法	法人税法
法令	法人税法施行令
法規	法人税法施行規則
所法	所得税法
措法	租税特別措置法
措令	租税特別措置法施行令
消法	消費税法
相法	相続税法
通法	国税通則法
通令	国税通則法施行令
徴法	国税徴収法
耐令	減価償却資産の耐用年数等に関する省令
地法	地方税法
震災特例法	東日本大震災の被災者等に係る国税関係法律の臨時特例に関する法律
復興財源確保法	東日本大震災からの復興のための施策を実施するために必要な財源の確保に関する特別措置法
基通	法人税基本通達
所基通	所得税基本通達
措通	租税特別措置法関係通達（法人税編）
耐通	耐用年数の適用等に関する取扱通達
金商法	金融商品取引法
銀規	銀行法施行規則

（注）本書は，令和6年4月1日現在の適用法令・通達によっている。

第1章

総　　　　　論

1　この章では，法人税の基礎的な事柄である，法人税の意義と性格，法人ごとの課税所得の範囲，事業年度，納税地などを述べる。
2　法人税においては，法人の種類を納税義務の範囲という観点から5つに分けており，それぞれの法人ごとに課税所得の範囲が異なる。
3　事業年度は，課税所得を計算する期間を表す概念である。

1　法人税の意義

　わが国で初めて法人課税が行われたのは明治32年で，所得税法により第一種所得税が課された。その後，昭和15年に所得税から独立して法人税が創設され，昭和25年のシャウプ勧告による改正，昭和40年の法人税法の全文改正などを経て，今日に至っている。

　法人税とは，広義には法人が営業活動を行い稼得した所得に対して課される税をいう。その意味では，法人の所得に対する税であるかぎり，国または地方公共団体のいずれが課すかを問わない。たとえば現在，地方公共団体が所得を課税標準として課している事業税も，広い意味では法人税に含まれる。

　しかし現行の租税法上における法人税とは，国が法人を納税義務者として，その所得金額等を課税標準として課す税をいう。具体的には，次に掲げる三つの法人税から構成されている（法法5，6の2，7）。

①　各事業年度の所得に対する法人税
②　各対象会計年度の国際最低課税額に対する法人税
③　退職年金等積立金に対する法人税

　法人税といえば，この意味での法人税をいうのが普通である。もっとも，退職年金等積立金を課税標準とする法人税は，所得を課税標準とするのが法人税であるという点からすれば，異質であるといえよう。

　このうち基本的かつ重要なのが①の法人税である。本書ももっぱらこの法人税について述べる。

　法人税は，租税の種類における国税と地方税という観点からすれば国税であり，直接税と間接税との分類からすれば直接税である。また，人税と物税との区分からすれば，法人を納税義務者としてその所得に対して課される税であるから人税に属する。

　　（注）1　法人は，法人税のほか，各事業年度において，所得税額等の控除や外国税額控除等の適用をしないで計算した基準法人税額の10.3％相当額の地方法人税を

納付する義務がある（地方法人税法4，5，10）。
2　上記②の国際最低課税額に対する法人税の対象となる特定多国籍企業グループ等に属する内国法人は、国際最低課税額に対する法人税額の907分の93の税率による地方法人税を納付する義務がある（地方法人税法4〜7）。

2 法人税の性格

1．二つの考え方

　法人税の性格については、伝統的に法人個人一体課税説と法人独立課税説との二つの考え方がある。これをかつては、法人の性格論である法人擬制説と法人実在説と関連させての説明も行われてきた。

　法人個人一体課税説は、法人の稼得した所得に対して独自の租税を課すべきではなく、最終的に法人から利益の分配を受ける個人たる株主に課税すべきだという考え方をいう。この考え方によれば、法人税は個人たる株主に分配される利益に対して経過的に課される、いわば所得税の前取りであると観念される。そのため、同じ利益（所得）に対して法人税と所得税との二重の課税がされないような調整が必要になる。

　これに対して法人独立課税説は、法人の稼得した所得に独自の担税力を認めて課税できるという考え方である。この考え方によれば、法人の利益（所得）に対する法人税とその利益の分配を受けた株主に対する所得税とはそれぞれ別個の税であると観念される。したがって、法人税と所得税との二重課税の問題は生じないから、両者の調整はなんら要しない。

2．現行法人税の性格

　現行の法人税は、次のような諸点からみれば、基本的に法人個人一体課税説の立場に立つものといえよう。

① 法人が他の法人から受け取った剰余金の配当等は，法人税の課税所得の計算上，益金の額に算入しない（法法23）。
② 個人が法人から受け取った剰余金の配当等の一定額相当額は，その個人が納付すべき所得税額から控除する（所法92）。
③ 法人税の課税上，資本助成等を目的とする国庫補助金や工事負担金，私財提供益や債務免除益は，資本金等の額に含まれない（法法２十六）。

①は法人・個人間の二重課税の排除を簡便に行うために，法人段階における法人税の課税の累積を排除しようとする。また②は，個人が受け取った剰余金の配当等に対して法人段階で課された法人税を，個人段階でその納付する所得税額から控除する趣旨である。さらに③は資本とは株主から払い込まれたものだけをいい，株主以外の者からの拠出は資本とは観念しないのである。

いずれも，法人個人一体課税説の考え方によるものであるといえる。しかし今日の法人の多様性や経営実体などからすると，法人税の性格を一義的に決定することはできない。

3 納税義務者

1．法人の意義

法人税の納税義務者は，原則として法人である（法法４）。法人とは，自然人である人間以外のもので，法律において特別に権利義務の主体となることを認められたものをいう。法律によって特に人格を与えられたものが法人である（民法33，会社法３参照）。具体的には，株式会社（有限会社），合資会社，合名会社，合同会社，協同組合，一般財団法人，一般社団法人，学校法人，公益財団法人，公益社団法人，宗教法人などが該当する。

人格のない社団等は，法人ではないが，法人とみなされて法人税の納税義務を負う（法法３，４①）。人格のない社団等は，法人格がないだけで性格や組織，

運営方法など実体的に法人と異ならないから，法人とみなされている。

これに対して，民法上の組合や投資事業有限責任組合，有限責任事業組合などは，組合員が共同で事業を行う組織にすぎないから，法人税の納税義務者にならない。これら組合の事業活動によって生ずる所得は，出資割合などに応じて各組合員に直接帰属する（基通14－1－1～14－1－2）。

2．法人の種類

法人は，原則として法人税の納税義務者である。しかし法人の種類によって法人税の納税義務の範囲，すなわち課税所得の範囲は異なる。法人の種類は各種の観点から分けることができるが，法人税法では主として納税義務の範囲と税率との関連から，次のように種類を分けている。

① 内 国 法 人

国内に本店または主たる事務所を有する法人をいう（法法2三）。わが国の会社法や旧有限会社法，民法など国内法を基礎に設立された法人である。

② 外 国 法 人

内国法人以外の法人をいう（法法2四）。外国の法律に準拠して設立された法人である。

③ 公 共 法 人

法人税法別表第一に掲げる法人をいう（法法2五）。たとえば，株式会社日本政策金融公庫，国立大学法人，地方公共団体，地方独立行政法人，独立行政法人，日本中央競馬会，日本年金機構，日本放送協会などである。

④ 公 益 法 人 等

法人税法別表第二に掲げる法人をいう（法法2六）。たとえば一般財団法人（非営利型法人に該当するもの），一般社団法人（非営利型法人に該当するもの），社会医療法人，学校法人，公益財団法人，公益社団法人，社会福祉法人，宗教法人，税理士会，日本公認会計士協会などである。

(注)1 法人税法別表第二ではなく，根拠法令によって公益法人等とみなされている，認可地縁団体，管理組合法人，団地管理組合法人，政党等，特定非営利活動法人なども公益法人等である。（指令27の3の2参照）。
2 「非営利型法人」とは，一般社団法人または一般財団法人（公益社団法人または公益財団法人に該当するものを除く）のうち，①その行う事業が利益獲得や利益分配を目的とせず，事業運営のための組織が適正である法人および②その会員からの会費により会員共通の利益を図る事業を行い，事業運営のための組織が適正である法人をいう（法法2九の二，法令3）。

⑤ 協同組合等

法人税法別表第三に掲げる法人をいう（法法2七）。たとえば，漁業協同組合，商工組合，消費生活協同組合，信用金庫，農業協同組合，労働金庫などである。

⑥ 人格のない社団等

法人でない社団または財団で代表者または管理人の定めがあるものをいう（法法2八）。たとえば，人格のないＰＴＡ，同窓会，労働組合などである。

⑦ 普通法人

公共法人，公益法人等および協同組合等以外の法人をいい，人格のない社団等を含まない（法法2九）。たとえば，株式会社（有限会社），合資会社，合名会社，合同会社，相互会社，医療法人（社会医療法人を除く），日本銀行などである。

3．納税義務の範囲

(1) 無制限納税義務者

法人税の納税義務は，上記の法人の種類によって異なり，範囲が画される。その納税義務は，まず内国法人と外国法人とに大別され，内国法人は国内はもとより国外で得た所得を含めた全世界所得について法人税を納める義務がある（法法4①）。

その内国法人のうち協同組合等および普通法人は，すべての所得について納税義務がある。それゆえ，無制限納税義務者といわれる。

(2) 制限納税義務者

これに対して，公益法人等および人格のない社団等については，収益事業を行う場合，法人課税信託の引受けを行う場合，特定多国籍グループ等に属する場合または退職年金業務等を行う場合に限って納税義務がある（法法4①）。そこで，制限納税義務者と呼ばれる。

つぎに外国法人は，国内源泉所得を有するとき，法人課税信託の引受けを行うときまたは退職年金業務等を行うときに，法人税を納める義務がある。ただし，人格のない社団等にあっては，国内源泉所得で収益事業から生ずるものを有する場合に限る（法法4③）。外国法人は，基本的に国内源泉所得すなわちわが国内で稼得した所得に対してのみ納税義務を負い，国外で稼いだ所得には納税義務はない。その意味で，外国法人も制限納税義務者である。

なお，公共法人は，法人税を納める義務がない（法法4②）。公共法人は，公共的性格が強く，本来国のなすべきような事業を行っているから，法人税の納税義務は免除される。

(注) 1 法人課税信託とは，①受益証券発行信託，②受益者が存しない信託，③法人が委託者となる信託のうち，重要事業を信託するもの，自己信託等でその信託期間が20年を超えるもの，受益者が子会社等である自己信託等で収益分配割合が変更可能であるもの，④投資信託および⑤特定目的信託をいう（法法2二十九の二）。
2 法人課税信託の受託者は，その法人課税信託から生じる所得に対して法人税の納税義務を負い，個人も法人課税信託の引受けを行うときは，法人税の納税義務を負う（法法4④，4の2〜4の4）。

4 課税所得等の範囲

1．課税所得等の種類

現行法人税の課税標準となる所得等には，次の三つがある（法法5〜7）。

① 各事業年度の所得

各事業年度の益金の額から損金の額を控除した金額が課税標準となり，各事業年度の所得に対する法人税が課される(法法5，21，22①)。これが基本となる法人税の課税所得である。

② 各対象会計年度の国際最低課税額

各対象会計年度の国際最低課税額が課税標準となり，各対象会計年度の国際最低課税額に対する法人税が課される(法法6の2，82の2)。これは，特定多国籍企業グループ等（法法82四）に属する内国法人が課税対象になる。

③ 各事業年度の退職年金等積立金

各事業年度開始の時における退職年金等積立金額が課税標準となり，退職年金等積立金に対する法人税が課される（法法7，83，84①）。ただし，この法人税は，平成11年4月1日から令和8年3月31日までの間に開始する各事業年度については課税が停止されている（措法68の5）。

2．法人ごとの課税所得等の範囲

上述した法人の種類ごとの法人税の課税所得等の範囲は，次の表のとおりである（法法4，5～9）。

法人の種類		各事業年度の所得	退職年金等積立金	国際最低課税額
内国法人	公共法人	非課税		
	公益法人等	収益事業所得のみ課税	課税	
	協同組合等		課税	
	人格のない社団等	収益事業所得のみ課税	課税	
	普通法人		課税	
外国法人	人格のない社団等	国内源泉所得のうち収益事業所得のみ課税	－	
	普通法人	国内源泉所得のみ課税	課税	－

（注）個人は，法人課税信託の引受けを行うときは，法人税の納税義務がある。

第1章 総　　論

5 事業年度

1．期間所得計算

　今日の企業は永久に経営を続ける継続企業（going concern）が前提である。そうすると，企業の設立から解散までの継続する期間をなんらかの方法で区切らなければ，企業利益の計算や株主への剰余金の配当などができない。

　そこで現在の企業会計では，企業の永続する期間を会計期間という期間で人為的に区切って，その期間を単位に損益計算を行っている。これが期間損益計算の考え方である。

　この考え方は法人税でも同じであるといってよい。すなわち法人税の課税所得は，事業年度という一定期間を区切って，その事業年度を単位として計算される（法法5，22）。企業の継続する期間をいかに区切るかにあたって，法人税は事業年度という概念を導入した。

2．事業年度の意義

　法人税法上，事業年度とは，法人の財産および損益の計算の単位となる期間（会計期間）で，法令で定めるものまたは法人の定款，寄附行為，規則，規約その他これらに準ずるものに定めるものをいう。法令または定款等に会計期間の定めがない場合には，納税地の所轄税務署長に届け出た会計期間または所轄税務署長が指定した会計期間を事業年度とする。ただし，これらの期間が1年を超える場合には，その期間を1年ごとに区分した各期間（最後の1年未満の期間は，その1年未満の期間）が事業年度となる（法法13）。

　銀行や電力会社など法律（銀行法17，電気事業法34）で会計期間が定められている法人はその法定された会計期間が，その他の法人は一般に定款等で定めた会計期間がそれぞれ事業年度である。このように，法人税における事業年度は，

9

基本的に企業会計の会計期間に依存している。法人税の事業年度を企業会計の会計期間と同じにすれば，課税所得の計算上，便利であるし，処理ミスの防止にも役立つ。

3．みなし事業年度

たとえば法人が次に掲げる場合に該当することとなったときは，次の期間がそれぞれ事業年度とみなされる（法法14）。

① 法人が事業年度の中途で解散した場合……その事業年度開始の日から解散の日までの期間および解散の日の翌日からその事業年度終了の日までの期間

> （注）　株式会社または一般社団（財団）法人が解散をした場合における清算中の事業年度は，その解散の日の翌日から1年ごとの期間（清算事務年度）が事業年度になる（会社法494①，基通1－2－9）。

② 法人が事業年度の中途において合併により解散した場合……その事業年度の開始の日から合併の日の前日までの期間

③ 清算中の法人の残余財産が事業年度の中途において確定した場合……その事業年度の開始の日から残余財産の確定の日までの期間

④ 清算中の法人が事業年度の中途において継続した場合……その事業年度開始の日から継続の日の前日までの期間および継続の日からその事業年度終了の日までの期間

これらの場合には定款等で定められた事業年度を更に区切るものであり，これをみなし事業年度という。みなし事業年度は，これらの場合のほか，グループ通算制度を採用する場合にも適用される。

法人が解散した場合には，法人の実体が異なることになり，これに伴って，法人税の適用関係に違いが生じるから，みなし事業年度が必要になるのである。また，グループ通算制度を採用すれば，親法人と子法人の所得を通算するから，親子法人の事業年度を同一にすることなど，法人税独自の事業年度が必要にな

る。

 納　税　地

1．納税地の意義

　租税を納付すべき場所を納税地という。法人税の納税地は，内国法人と外国法人の別にそれぞれ次の表のとおりである（法法16，17，法令16）。

区　分		納　税　地
内　国　法　人		本店または主たる事務所の所在地
外国法人	国内に恒久的施設を有するもの	国内事業の事務所，事業所等の所在地
	不動産の貸付等を行うもの	その不動産等の所在地
	その他のもの	直前の納税地，法人が選択した場所または麹町税務署の管轄区域内の場所

（注）　法人課税信託の受託者である個人の法人税の納税地は，所得税の納税地と同じ場所である（法法17の2）。

　ここに本店とは，会社の住所すなわち営業活動の中心としての場所であり，定款に定めたうえ登記された場所をいう。また，主たる事務所は会社以外の法人の営業活動の中心としての場所を意味している。

　なお，上述した納税地が法人の事業や資産の状況からみて法人税の納税地として不適当であると認められる場合には，所轄国税局長（国税局間をまたがる指定の場合には国税庁長官）は，その法人税の納税地を指定することができる（法法18，法令17）。

2．納税地の機能

　国税の行政組織においては，中央組織としての国税庁のもと一定の地域ごと

に税務署および国税局（沖縄国税事務所）が置かれている。納税地は，法人が税法にもとづく義務を履行し，または権利を行使する基準となる場所である。具体的には，法人が税法にもとづいて申告，申請，請求，届出，納付などの行為をする相手となる税務署長または国税局長を定める基準となる場所といえる。

　逆に税務署長または国税局長の側からみれば，納税地は法人に対する税法にもとづく申告の受理，申請の承認，更正・決定，租税の徴収などの行為を行う権限ある税務署長または国税局長を定める基準となる場所である。これらの権限を適法に有する税務署長または国税局長を所轄税務署長または所轄国税局長という。

第2章

課税所得の計算原理

1 この章では，法人税の益金や損金，課税所得の計算全体を通ずる基本的な考え方ないし計算原理を述べる。
2 課税所得計算における収益の額および費用の額は，一般に公正妥当な会計処理の基準に従って計算する。
3 課税所得は，法人の確定した決算における利益（欠損）金額を基礎に，所要の税務調整を加えて誘導的に計算される。

1 総　　説

　各事業年度の所得に対する法人税の課税標準は，「各事業年度の所得の金額」である（法法21）。その各事業年度の所得の金額は，当該事業年度の益金の額から当該事業年度の損金の額を控除して計算する（法法22①）。これを一般に課税所得ということが多く，本書もこの例によっている。

　法人税の課税所得は，前章で述べた「事業年度」の概念を導入し，一事業年度の益金の額から損金の額を控除して計算される。その益金または損金を構成するのは，収益および費用（売上原価等，販売費・一般管理費その他の費用および損失）である。基本的には，企業会計で計算される収益および費用を法人税の益金または損金として，課税所得を計算すればよい。

　ところが，法人税では課税上の政策的，技術的な観点などから収益および費用の範囲や計算に独自の取扱いを行う。そのため，法人税の益金または損金は企業会計の収益および費用の取扱いと異なることが少なくない。むしろ今日ではその傾向は強まっているといえよう。

　個々の益金または損金に対する考え方や内容，具体的な取扱いなどは，次章以下で述べていく。本章では，法人税の課税所得計算にあたっての，共通的な考え方や計算原理をみていくことにする。

2 損益法による計算

　企業利益や課税所得の計算方法には，財産法と損益法とが考えられる。財産法は，期首と期末の二時点の純財産額の差額として利益や所得を計算するものである。これに対して損益法は，一期間に生じた収益から費用を差し引いて利益や所得を計算する。

　今日の企業利益の計算は，一会計期間の収益から費用を差し引いて計算する，

成果計算原理にもとづく損益法によっている。法人税の益金または損金には繰延べや見越しによる計上，減価償却費や引当金・準備金の見積計上など，損益法を表す期間帰属の考え方がある。この点からみて，法人税の課税所得の計算も損益法を基礎にしているといってよい。

3 実質主義

1．実質所得者課税の原則

　人（または法人）の稼得した所得を課税標準とする人税にあっては，実質主義（ないし実質課税の原則）と呼ばれる原則がある。これは税法の解釈適用にあたり，法形式よりも経済的な実質を重視して課税所得の算定を行うべきであるとする考え方をいう。現実の経済取引にあっては，形式上と実質上の所得者が異なっていることが少なくないから，真に所得を得，受益している者に課税する趣旨である。租税に内在する公平負担の原則に支えられている。

　法人税でも，資産または事業から生ずる収益の法律上帰属するとみられる者が単なる名義人であって，その収益を享受せず，その者以外の者がその収益を享受する場合には，その収益は，これを享受する法人に帰属するものとして，法人税法を適用すると定めている（法法11）。

　また，信託の受益者はその信託財産に属する資産および負債を有するものとみなし，かつ，その信託財産に帰せられる収益および費用はその受益者の収益および費用とみなして法人税法を適用する（法法12）。

　財産を信託した場合には，その財産は法的には信託会社が所有することになる。しかし信託も法形式と実質が異なる例であり，実質主義により課税関係が処理される。

　なお，リース取引に対する取扱い（法法64の2），移転価格税制（措法66の4），過少資本税制（措法66の5），過大支払利子税制（措法66の5の2），外国子会社合

算税制（措法66の6），民法上の組合や匿名組合に生じた損失の取扱い（措法67の12，67の13）なども実質主義の表れである。

2．同族会社の行為計算の否認等

　税務署長は，同族会社の法人税につき更正または決定をする場合において，その会社の行為または計算で，これを容認すると法人税の負担を不当に減少させる結果になると認められるものがあるときは，会社の行為または計算にかかわらず，税務署長の認めるところにより，その会社の課税所得または法人税額を計算する（法法132）。これを同族会社の行為計算の否認という。

　同族会社とは，会社の株主（出資者）3人以下の者が発行済株式総数（出資総額）の50％を超える株式（出資）を有している場合のその会社をいう（法法2十）。このように同族会社は少数の株主等が支配している会社であるから，通常では考えられないような行為や計算の行われることがある。

　そこで，同族会社の行為または計算が法律的には適法であっても，それが通常の法人ではなされないような不自然，不合理なものであり，これを容認すると通常の法人との間の課税の均衡を失すると認められる場合に，客観的，合理的な基準に従って調整する権限を税務署長に与えている。

　租税法に内在する実質主義のひとつの表れといえよう。したがって，この基本的な考え方は，同族会社でない法人についても適用されると解される。

　このような行為または計算の否認規定は，組織再編税制やグループ通算制度に関しても定められている（法法132の2，132の3）。

　なお，同族会社に対しては，同族会社の行為計算の否認のほか，次のような特例が設けられている。

　① みなし役員……第4章の⑧を参照のこと（法法2二十五，法令7，71）
　② 業績連動給与の損金算入の不適用等……第4章の⑧を参照のこと（法法34①二，三）
　③ 特定同族会社の留保金課税……第8章の③を参照のこと（法法67）

第2章 課税所得の計算原理

4 確定決算基準

　法人税の課税所得の計算原理に，確定決算基準（または確定決算主義）がある。確定決算基準とは，法人の確定した決算にもとづいて課税所得を計算し，申告納税を行う方式をいう。法人税法上，「法人は，各事業年度終了の日の翌日から2月以内に，税務署長に対し，確定した決算に基づき申告書を提出しなければならない。」という規定（法法74①）が，確定決算基準を表明している。

　確定決算基準の主たる内容は，課税所得計算における「損金経理」の要件である。ここに損金経理とは，法人が確定した決算において費用または損失として経理することをいう（法法2二十五）。そして確定した決算とは，一般にその事業年度の決算につき株主総会の承認，総社員の同意その他の手続きによる承認があった，その決算をいうものと解されている。

　たとえば，法人税の課税所得の計算において減価償却費を損金にするためには，損金経理をしなければならない（法法31）。確定した決算に償却費として計上しない限り損金にならないし，その計上した金額を限度として損金に認められる。このような損金経理要件が付された事項は少なくない。

　確定決算基準も次に述べる公正妥当な会計処理の基準とあいまって，法人税の課税所得計算は，企業会計に依存することを表明している。しかし，損金経理のしばりが逆に企業の自主的経理を阻害している，といった議論がある。

5 公正妥当な会計処理の基準

　法人税の課税所得は，その事業年度の益金の額から損金の額を控除した金額である（法法22①）。この場合の益金の額に算入すべき収益の額と損金の額に算入すべき売上原価等，販売費・一般管理費等および損失の額は，別段の定めがあるものを除き，一般に公正妥当と認められる会計処理の基準に従って計算さ

れる（法法22④）。これを公正妥当な会計処理の基準という。

　この基準は，企業が継続して適用する健全な会計慣行を，法人税の課税所得の計算においても尊重するということである。その意味で，課税所得と企業利益とは基本的に一致すべきものであることが表明されているといえよう。

　法人税における公正妥当な会計処理の基準は，客観的な規範性をもつ公正妥当と認められる会計処理の基準という意味である。企業会計の実務のなかでただ単に慣習として一般に行われているというだけでなく，客観的な規範にまで高められた基準でなければならない。この場合，必ずしも文章化された基準を予定しているわけではない。会社法の会社計算に関する規定や各種の会計基準は，基本的には税務上も公正妥当な会計処理の基準とみてよいであろう。

資本等取引の課税除外

1．資本等取引の意義

　法人税の課税所得の計算上，益金の額に算入すべき収益の額および損金の額に算入すべき損失の額から資本等取引にかかるものは除かれる（法法22②③三）。ここで資本等取引とは，①法人の資本金等の額の増加または減少を生ずる取引，②法人が行う利益または剰余金の分配（資産流動化法の中間配当を含む）および③残余財産の分配または引渡しをいう（法法22⑤）。また「資本金等の額」とは，株主等から出資を受けた金額として所定の金額をいう（法法2十六，法令8）。

　これは，法人にとって純資産の増加または減少があっても，それが資本等取引から生ずるものであるかぎり，益金または損金とは認識しないということを意味している。それは，資本等取引は法人と資本主との間の自己取引と考えられるからである。

　どのような取引が益金または損金になり，また，資本金等になるのか，その範囲を画するのが資本等取引の概念である。資本等取引をいかに定義するかに

よって課税所得の範囲が異なってくる。その意味で資本等取引は，法人税の課税所得の範囲を規定する機能を有している。

2．資本金等の額

(1) 資本金の額（出資金の額）

　資本金等の額を構成するのは，まず資本金の額または出資金の額である（法法2十六，法令8）。

　単に資本という場合，資産と負債の差額としての意味や貸借対照表の貸方を資本と呼ぶこともある。貸借対照表の貸方のうち負債を他人資本，資本を自己資本という。しかし，資本等取引における資本金の額または出資金の額は，会社法などに定められた法定資本金のことである。具体的には，株式会社や持分会社の資本金の額（会社法445①），協同組合等の出資金の額などである。

　会社設立時や増資時の株主からの資本払込みや，逆に株主への資本の払戻しなどは，資産の増加または減少が生じるが，それは資本等取引であり益金または損金ではない。

(2) 資本性の剰余金額

　上記の資本金の額のほか，次に掲げるものが資本金等の額を構成する（法令8①一～十二）。これは基本的に会社法でいう資本剰余金であるが，税務上とその範囲が同じではないので，便宜，資本性の剰余金額と名付けておく。

　①株式払込剰余金（自己株式譲渡差益金），②新株予約権行使差益金，③取得条項付新株予約権行使差益金，④協同組合等の加入金，⑤合併差益金，⑥分割型分割剰余金，⑦分社型分割剰余金，⑧適格現物出資剰余金，⑨非適格現物出資剰余金，⑩株式交換剰余金，⑪株式移転剰余金，⑫減資差益金

　これらの資本性の剰余金の合計額から資本組入れ，分割，資本の払戻し，自己株式の取得，出資の消却，社員の退社，組織変更などにより使用した資本性の剰余金を減算した金額（法令8①十三～二十二）が資本金等の額を構成する。

これらは，いずれも株主等（資本主）からの払込資本を意味している。資本性の剰余金を一般的に定義すれば，株主等からの払込資本のうち法定資本に組入れたもの以外のものということができる。

たとえば株式の払込価額のうち資本金に計上しなかった金額がいわゆる株式払込剰余金であり，資本金等の額になる。また，自己株式を譲渡した場合の譲渡対価のうち資本金として計上しなかった金額は自己株式処分差益として資本金等の額である。これらは剰余金や処分差益という名前がついており，また資産が増加するが，益金ではないから課税関係は生じない。

3．利益積立金額

法人税には上述した資本金等の額に対して利益積立金額という概念がある。その利益積立金額とは，基本的に各事業年度の所得の金額のうち法人の内部に留保している金額から納付すべき法人税・地方法人税・住民税と剰余金の配当や利益の配当の額などを減算した金額をいう（法法２十八，法令９）。

これは法人が過去の課税済所得のうちから内部留保したものの累積額ということができる。資本を自己資本と他人資本という観点から区分すると，利益積立金も資本金等の額と同じく自己資本に属するものである。

したがって，たとえば剰余金の配当に充てるなどにより利益積立金に異動が生じても，それは広い意味の資本取引であり，法人自身に新たな法人税が課されることはない。また，前期からの繰越利益金は利益積立金を構成するから，その前期からの繰越利益金が当期の益金に含まれるということもない。

4．利益分配等の損金不算入

前述したとおり，資本等取引には法人が行う利益，剰余金の分配および残余財産の分配・引渡しが含まれる（法法22⑤）。これは企業会計における資本取引よりも範囲が広く，純粋な資本取引の概念からすればやや異質である。

第2章 課税所得の計算原理

にもかかわらず法人税が資本等取引に利益分配等を含めているのは，利益分配等は損金の額に算入しないということを明らかにするためである。利益分配等は法人の純資産の減少をもたらすものであるのに損金性が否定されているのは，利益分配等は決算によって利益が定まった後の処分の問題であって，利益（所得）を定める要素とはなり得ないと考えられるからである。

ただし，資産流動化法による特定目的会社および投資法人法による投資法人が株主に支払う利益の配当は，損金の額に算入される（措法67の14，67の15）。しかしこれは，特定目的会社および投資法人の導管的な性質や資産運用の集合体であるといった特殊性による特例にすぎない。

 税 務 調 整

1．総　　説

法人税法における課税所得の計算に関する規定は，網羅的，完結的でなく，もっぱら企業会計と取扱いの異なる事項だけを定めている。たとえば，地代・家賃を支払った場合には基本的に損金になるが，前払のものは損金にならないといったことを，いちいち定めることはしていない。

法人税の課税所得は，これらは適正に処理されて確定した決算上の企業利益に織り込まれることを前提に，その企業利益を出発点として誘導的に計算される仕組みとなっている。具体的には，企業会計と法人税とで取扱いの異なる事項が「別段の定め」として規定され，企業利益にその別段の定めによる所要の調整を加えれば課税所得が計算される。法人税法の規定の多くは，まさにこの「別段の定め」であるといっても過言ではない。

このように法人税の課税所得を計算するため，企業利益に所要の調整を加えることを税務調整という。その税務調整には，決算調整事項と申告調整事項とがある。

2．決算調整事項

(1) 決算調整の意義

　決算調整事項とは，税法の要求する経理が確定した決算において行われることを条件に，課税所得の計算上，益金または損金の額に算入し，または算入しないとされている事項をいう。企業利益の計算要素として決算に織り込み，企業利益に反映させておく必要がある項目である。

　しかし，決算に織り込むかどうかは全く法人の自由である。決算に織り込んでいなければ，課税所得の計算上，効果が生じないだけである。

(2) 損金経理を要件とする事項

　法人が損金経理をした場合に限って損金算入が認められる事項で，主なものは次のとおりである。ここで損金経理とは，法人が確定した決算において費用または損失として経理することをいう（法法2二十五）。

　① 減価償却資産の償却費（法法31，法令133，133の2，措法67の5，基通7－5－1）
　② 繰延資産の償却費（法法32，法令134，基通8－3－2）
　③ 資産の評価損（法法33②）
　④ 業務執行役員の業績連動給与（法法34①三，法令69⑲）
　⑤ 未払使用人賞与（法令72の3）
　⑥ 貸倒損失（基通9－6－2，9－6－3）
　⑦ 圧縮記帳による圧縮損（法法50，措法65，65の10，66の10）
　⑧ 引当金への繰入額（法法52，旧法53）

　これらの項目は主として法人の内部取引であり，その発生の事実も金額も客観的・明示的でない。そこで損金経理の要件を課すことにより，取引の客観化を図るとともに，その金額をいくらと認識するのか，法人の意思を確認しようとしている。

(3) 損金経理または積立金経理を要件とする事項

　法人が損金経理または積立金経理のうちいずれかの経理をした場合に損金算入が認められる事項であり，次のものがある。積立金経理とは，その事業年度の確定した決算において積立金として積み立てる方法またはその事業年度の決算の確定の日までに剰余金の処分により積立金として積み立てる方法をいう。

　① 　圧縮記帳による圧縮損（上記(2)の⑦を除く）（法法42〜49，措法61の3，64，64の2，65の7〜65の9，66，67の4）
　② 　特別償却準備金の積立額（措法52の3）
　③ 　準備金の積立額（措法55〜57の8，58，61の2）
　④ 　新事業開拓事業者に対する出資に係る特別勘定（措法66の13）

　これらの項目は会社法上または企業会計上その費用性に疑義があるので，損金経理要件だけであるとすると，これらの金額の損金算入ができないことになってしまう。そこで企業会計等との調整を図るために，積立金経理の選択適用ができることになっている。

(4) 延払基準等の経理を要件とする事項

　法人が①延払基準（法法63）または②工事進行基準（法法64）の方法による経理をした場合に，益金不算入または益金算入が認められる事項である。リース譲渡または長期請負工事の損益計上に適用される。

　延払基準については第6章の③，工事進行基準については第3章の③を参照のこと。

(5) 帳簿価額の増・減額を要件とする事項

　資産の帳簿価額を増額または減額することを要件に，益金算入または損金算入が認められる事項がある。すなわち，更生計画認可の決定に伴い会社更生法等に従って行う評価換えにより生ずる評価益または評価損である（法法25②，33③）。この場合の評価損の損金算入は，必ずしも評価損を損金経理する必要はないと解される。

3．申告調整事項

(1) 申告調整の意義

申告調整事項は，法人の経理のいかんを問わず法人税申告書の上で調整でき，それで効果が生じるものである。申告調整事項は，租税理論や課税技術，産業政策の達成の目的から設けられている税法固有の制度に関するものが多い。それゆえ法人が決算に織り込むことができず，申告段階で調整を行うのである。申告書上で調整するという点で，最も端的に課税所得と企業利益との差異が表現される。

課税所得と企業利益との差異を表すのが税法の「別段の定め」である（法法22②③）。別段の定めは，具体的には企業会計の損益計算にかかわらず，課税所得の計算上，「益金の額に算入しない」，「益金の額に算入する」または「損金の額に算入しない」，「損金の額に算入する」という形で定められている。益金，損金二つずつ合わせて四つのパターンがある。したがって，申告調整の基本形は次のようになる。この「加算」「減算」がまさに申告調整である。

項　　　　目		金　　額
企業利益（当期純利益）		13,000
加算	益金算入額	4,000
	損金不算入額	7,000
減算	益金不算入額	3,000
	損金算入額	6,000
課　税　所　得		15,000

申告調整事項は，申告調整が強制されるかどうかという観点から，二つに区分される。法人税の申告にあたって，必ず申告調整しなければならない必須調整事項と申告調整するかどうかは法人の任意である任意調整事項とである。

(2) 必須調整事項

これは必ず申告書のうえで，企業利益に「加算」「減算」の調整を行うこと

第2章　課税所得の計算原理

を要する事項である。法人が申告調整を行わなければ，税務署長が更正・決定をして強制的に是正する。これには次のようなものがある。

① **益金算入項目（加算）**
　　イ　中間申告の繰戻還付に係る災害損失欠損金額（法法27）
　　ロ　移転価格税制による移転所得（措法66の4）
　　ハ　タックス・ヘイブンにある外国子会社の課税対象金額（措法66の6）
　　ニ　タックス・ヘイブンにある外国親会社の課税対象金額（措法66の9の2）

② **損金不算入項目（加算）**
　　イ　資産の評価損（法法33①）
　　ロ　過大役員給与等（法法34②③）
　　ハ　過大使用人給与（法法36）
　　ニ　寄附金（法法37，措法66の4③，66の11の3）
　　ホ　法人税等（法法38，39）
　　ヘ　税額控除をする所得税，外国法人税（法法40，41，41の2）
　　ト　不正行為の費用等（法法55）
　　チ　譲渡損益調整資産の譲渡損失（法法61の11）
　　リ　交際費等（措法61の4）
　　ヌ　過少資本税制による負債利子（措法66の5）
　　ル　過大支払利子税制による支払利子（措法66の5の2）
　　ヲ　使途不明金（基通9－7－20）
　　ワ　償却費，圧縮記帳，引当金，準備金の損金算入限度超過額
　　カ　事実認識の違い，公正な会計慣行に違反する等のため損益計算に誤りがあるもの

③ **益金不算入項目（減算）**
　　イ　資産の評価益（法法25①）
　　ロ　完全支配関係法人からの受贈益（法法25の2）
　　ハ　還付金等（法法26）
　　ニ　譲渡損益調整資産の譲渡利益（法法61の11）

④ **損金算入項目(減算)**
　　イ　青色欠損金,災害損失金(法法57,58)
　　ロ　積立金経理による圧縮積立金,準備金(法令80,措法55①等)
　　ハ　保険会社の契約者配当(法法60)
　　ニ　協同組合等の事業分量配当等(法法60の2)

(3) 任意調整事項

　これは申告調整を行うかどうかは,法人の任意である事項である。法人が申告調整をしなければ課税上の効果が生じないだけで,税務署長が進んで更正・決定をして是正するようなことはしない。これには次のようなものがある。

① **益金算入項目(加算)**
　　・　民事再生等による評価益(法法25③)

② **益金不算入項目(減算)**
　　イ　受取配当金(法法23,24)
　　ロ　外国子会社からの受取配当金(法法23の2)
　　ハ　外国法人からの受取配当金(措法66の8)
　　ニ　特定外国法人からの受取配当金(措法66の9の4)

③ **損金算入項目(減算)**
　　イ　民事再生等による評価損(法法33④)
　　ロ　債務免除等に伴う欠損金(法法59)
　　ハ　収用等による資産譲渡の特別控除(措法65の2〜65の5の2)

　なお,上記②のイからニまでおよび③のロについては,確定申告のほか,修正申告または更正の請求によっても,適用を受けることができる(法法23⑦,23の2⑤,59⑥,措法66の8⑫,66の9の4⑤)。当初の確定申告において,その適用を失念し,あるいは誤っていた場合であっても,その後,救済が図られるということである。

第2章 課税所得の計算原理

所得の金額の計算に関する明細書(簡易様式)

事業年度 6.4.1 ～ 7.3.31　法人名 ○○株式会社

別表四(簡易様式)

区　分		総　額 ①	処分 留保 ②	社外流出 ③	
当期利益又は当期欠損の額	1	42,085,579	40,585,579	配当	1,500,000
				その他	
加算	損金経理をした法人税及び地方法人税(附帯税を除く。)	2	12,717,000	12,717,000	
	損金経理をした道府県民税及び市町村民税	3	2,500,000	2,500,000	
	損金経理をした納税充当金	4	12,000,000	12,000,000	
	損金経理をした附帯税(利子税を除く。)、加算金、延滞金(延納分を除く。)及び過怠税	5			その他	
	減価償却の償却超過額	6	2,911,200	2,911,200	
	役員給与の損金不算入額	7	9,600,000		その他	9,600,000
	交際費等の損金不算入額	8	7,150,000		その他	7,150,000
	通算法人に係る加算額(別表四付表「5」)	9			外※	
	別紙加算項目	10	13,619,556	7,709,556	※	5,640,000 / 270,000
	小　計	11	60,497,756	37,837,756	外※	5,640,000 / 17,020,000
減算	減価償却超過額の当期認容額	12	259,100	259,100	
	納税充当金から支出した事業税等の金額	13	4,800,000	4,800,000	
	受取配当等の益金不算入額(別表八(一)「5」)	14	1,324,000		※	1,324,000
	外国子会社から受ける剰余金の配当等の益金不算入額(別表八(二)「26」)	15	665,000		※	665,000
	受贈益の益金不算入額	16			※	
	適格現物分配に係る益金不算入額	17			※	
	法人税等の中間納付額及び過誤納に係る還付金額	18				
	所得税額等及び欠損金の繰戻しによる還付金額等	19			※	
	通算法人に係る減算額(別表四付表「10」)	20			※	
	別紙減算項目	21	15,735,973	10,735,973	※	5,000,000
	小　計	22	22,784,073	15,795,073	外※	6,988,000
仮計 (1)+(11)-(22)		23	79,799,262	62,628,262	外※	18,356,000
対象純支払利子等の損金不算入額(別表十七(二の二)「29」又は「34」)		24			その他	
超過利子額の損金算入額(別表十七(二の三)「10」)		25	△		※	△
仮計 (23)から(25)までの計		26	79,799,262	62,628,262	外※	18,356,000
寄附金の損金不算入額(別表十四(二)「24」又は「40」)		27	2,515,505		その他	2,515,505
法人税額から控除される所得税額(別表六(一)「6の③」)		29	369,683		その他	369,683
税額控除の対象となる外国法人税の額(別表六(二の二)「7」)		30	800,000		その他	800,000
分配時調整外国税相当額及び外国関係会社等に係る控除対象所得税額等相当額(別表六(五の二)「5の②」)+(別表十七(三の六)「1」)		31			その他	
合　計 (26)+(27)+(29)+(30)+(31)		34	83,484,450	62,628,262	外※	21,349,000 / 22,205,188
中間申告における繰戻しによる還付に係る災害損失欠損金額の益金算入額		37			※	
非適格合併等による移転資産等の譲渡利益額又は譲渡損失額		38				
差引計 (34)+(37)+(38)		39	83,484,450	62,628,262	外※	21,349,000 / 22,205,188
更生欠損金又は民事再生等評価換えが行われる場合の再生等欠損金の損金算入額(別表七(三)「9」又は「21」)		40	△		※	△
通算対象欠損金額の損金算入額又は通算対象所得金額の益金算入額(別表七の二「5」又は「11」)		41			※	
差引計 (39)+(40)±(41)		43	83,484,450	62,628,262	外※	21,349,000 / 22,205,188
欠損金等の当期控除額(別表七(一)「4の計」+(別表七(四)「10」)		44	△15,180,548		※	△15,180,548
総　計 (43)+(44)		45	68,303,902	62,628,262	外※	21,349,000 / 22,205,188
残余財産の確定の日の属する事業年度に係る事業税及び特別法人事業税の損金算入額		51	△	△		
所得金額又は欠損金額		52	68,303,902	62,628,262	外※	△15,180,548 / 22,205,188

(加算項目)

区　　　分	総　　額	留　　保	社外流出
① 繰延資産の償却超過額	105,556円	105,556円	円
② 寄附金の否認額	400,000	400,000	
③ 役員賞与の損金不算入額	200,000		200,000
④ 仮払交際費の否認額	100,000	100,000	
⑤ 外国源泉税の損金不算入額	70,000		70,000
⑥ 繰延消費税の償却超過額	540,000	540,000	
⑦ 貸倒引当金の繰入限度超過額	436,000	436,000	
⑧ 返品調整引当金の繰入限度超過額	828,000	828,000	
⑨ 海外投資等損失準備金の積立超過額	4,000,000	4,000,000	
⑩ 海外投資等損失準備金の取崩益	800,000	800,000	
⑪ 繰延譲渡益の損金不算入額	500,000	500,000	
⑫ 特定外国関係会社の課税対象金額	5,640,000		5,640,000
合　　　計	13,619,556	7,709,556	5,910,000

(減算項目)

区　　　分	総　　額	留　　保	社外流出
① 繰延資産超過額の当期認容額	150,000円	150,000円	円
② 寄附金の認定損	400,000	400,000	
③ 土地の認定損	235,973	235,973	
④ 貸倒引当金戻入益認容	1,500,000	1,500,000	
⑤ 返品調整引当金戻入益認容	400,000	400,000	
⑥ 為替予約差額前受収益	1,250,000	1,250,000	
⑦ 海外投資等損失準備金の積立額	6,600,000	6,600,000	
⑧ 海外投資等損失準備金の取崩超過額	200,000	200,000	
⑨ 収用等の特別控除額	5,000,000		5,000,000
合　　　計	15,735,973	10,735,973	5,000,000

第3章

益金の額の計算

1 この章では，法人税の課税所得計算における益金の内容や認識基準，一般的な益金の取扱いを述べる。
2 益金の額は，基本的には資本等取引以外の取引にかかる収益の額である。
3 受取配当や資産の評価益，受贈益，還付金など，課税上の必要性から企業会計の処理とは異なった取扱いを行うものがある。

1 総　　説

　現行法人税の基本であり重要なのは,「各事業年度の所得に対する法人税」である。その課税標準となる各事業年度の所得の金額とは,その事業年度の益金の額から損金の額を控除した金額をいう（法法22①）。

　そこで課税所得の計算にあたっては,まず益金とは何か,その範囲や計算方法などを明らかにしなければならない。法人税における益金は企業会計の収益に対応するものであり,企業会計の収益は基本的に法人税の益金に含まれる。

　ただ法人税では税固有の理論や考え方にもとづき,益金の範囲や益金の計上時期,受取配当金や資産の評価益,受贈益,還付金などに独自の取扱いを定めている。

2 益金の内容

1．益金の意義

　法人税の課税所得の計算上,その事業年度の益金の額に算入すべき金額は,次に掲げる取引によって生じた収益の額である。ただし,税法に別段の定めがある収益および資本等取引によって生じた収益は除かれる（法法22②）。

① 資産の販売
② 有償または無償による資産の譲渡
③ 有償または無償による役務の提供
④ 無償による資産の譲受け
⑤ その他の取引

「別段の定め」として,受取配当等の益金不算入（法法23, 23の2）,資産の評価益の益金不算入（法法25）,受贈益の益金不算入（法法25の2）,還付金等の益

金不算入（法法26），移転価格税制による移転所得の益金算入（措法66の4），外国子会社合算税制による外国子会社の留保金額の益金算入（措法66の6）などがある。

これをみると，益金とは別段の定めがある収益を除き，資本等取引以外の取引によって生じたすべての収益であるといえる。企業会計における収益は，機能別に売上高，営業外収益および特別利益の三つに処理されるが，法人税の益金にはこの三つの収益すべてが含まれる。益金は経常的，付随的あるいは臨時的な取引から生じた収益であるかどうか，適法なものか違法なものかを問わない。その意味で現行法人税の課税所得の概念は，その発生原因を問わず，固定資産の譲渡益など臨時的，偶発的な所得も課税所得の範囲に含める包括的なものとなっている。

なお，資本等取引の意義，内容などについては，第2章の６を参照されたい。

2．益金の概念

法人税法では益金の概念そのものは直接的には規定していない。しかし上述した益金の内容からみて，益金の概念は，法令により別段の定めがあるもののほか，資本の払込み以外において純資産増加の原因となるべき一切の事実をいう，と定義することができる（旧基通五一）。

この益金はグロスの概念であって，ネットの利益を意味するものではない。たとえば，商品の販売にあっては売上高，固定資産の譲渡にあっては譲渡の対価，役務（サービス）の提供にあっては提供の対価をいう。それはおおむね収入金額である，といってよい。収入金額から原価の額を控除した差額概念としての利益をいうものではない。

このように，法人税が益金をグロスの概念でとらえているのは，租税負担の公平の要請にもとづく。たとえば，固定資産を子会社に無償で譲渡した場合には，寄附金課税（法法37）や交際費課税（措法61の4）の問題が生じる。これらの課税にあたっては，その資産を有償で譲渡したものと観念した場合の収入金

額（資産の時価）が基準となるから，益金をグロスで認識しておく必要があるのである（この点については，次項を参照）。

3．無償取引による収益

　法人税の益金で特異かつ企業会計の考え方と決定的に異なるのが，無償取引からも収益が生じるという点であろう。法人税法では有償によるほか，無償による資産の譲渡または無償による役務の提供による取引からも収益が生じると規定している（法法22②）。

　たとえば法人が時価1,000，帳簿価額400の土地を子会社に無償で譲渡した場合，企業会計では普通次のように処理する。

　　（借）寄　附　金（損失）　　400　　　（貸）土　　　　地　　　400

　土地を譲渡してもその対価が入ってこないから収益は生じず，その土地の原価（帳簿価額）相当額の損失だけが生じる。企業会計の処理は常識的で，無償取引からは収益は生じないと考えている。

　これに対して，法人税では取引を次のように擬制する。

　　（借）未　　収　　金　　1,000　　　（貸）土地譲渡収益　　1,000
　　　　　土地譲渡原価　　　　400　　　　　　土　　　　地　　　400
　　（借）寄　　附　　金　　1,000　　　（貸）未　　収　　金　　1,000

　つまり法人税ではこの土地につき，いったん時価で有償譲渡したものと観念し，その段階で収益が発生したと認識する。そしてつぎに，その有償譲渡により収入すべきであった金額を子会社に寄附したとするのである。

　法人税の考え方でも，その処理をみるかぎり，企業会計と同じように結果的には土地の原価（帳簿価額）相当額の損失が生じる。しかし寄附金については，所定の損金算入限度額を超える部分の金額は損金にならないという寄附金課税が適用されるから（法法37），企業会計の処理とは同一にならない。この点に，無償取引からも収益が生じるとする実益がある。

　なお，無償による資産の譲渡にかかる収益の額は，金銭以外の資産による利

益・剰余金の分配および残余財産の分配・引渡しなどによる資産の譲渡にかかる収益の額を含む（法法22の2⑥）。

3 益金の認識基準等

1．総　説

　法人税の課税所得の金額は，その事業年度の益金の額から損金の額を控除した金額である（法法22①）。そこで，その事業年度に帰属する益金の額，すなわち収益の額をいかなる基準によって認識し把握するかが重要になってくる。

　益金の認識基準に合理性がなく，あるいは事業年度ごとに認識基準を変更すると，課税所得の金額は恣意的で信頼性のないものになってしまう。したがって，益金の認識基準は法人の業種や取扱商品，取引の内容に応じた合理的なものを採用し，みだりに変更してはならない。

　これが益金の認識基準の問題で，収益の計上時期ということである。その収益の計上時期について，企業会計には実現主義，現金主義および発生主義の三つの基準がある。実現主義が原則的な基準といえよう。

2．基本的な考え方

(1)　収益の計上単位

　法人の資産の販売・譲渡または役務の提供（資産の販売等）による収益の額は，原則として個々の契約ごとに計上する（基通2－1－1）。

　ただし，①同一の相手方と同時期に契約した複数の契約について，その複数の契約による資産の販売等を組み合わせて初めて単一の履行義務（資産等を顧客に移転する約束）となる場合には，契約を結合してその組合わせを単位として収益計上をすることができる。

一方、②一の契約の中に複数の履行義務が含まれている場合には、それぞれの履行義務にかかる資産の販売等に区分して収益計上をしてよい。
　なお、法人が資産の販売等に伴い、相手方に所定の自己発行ポイント等を付与した場合には、相手方から収入した代価のうちポイント相当額は、別の取引の収入として前受けとすることができる（基通2－1－1の7）。

(2) 収益の計上時期

　資産の販売等による収益の額は、その資産の販売等による目的物の引渡しまたは役務の提供の日の属する事業年度の益金の額に算入する（法法22の2①）。これは、実現主義の考え方といえ、出荷基準、船積基準、着荷基準、検収基準等を予定している。

　ただし、公正妥当な会計処理の基準に従って、その資産の販売等の契約の効力が生ずる日その他の目的物の引渡しまたは役務の提供の日に近接する日の属する事業年度においてその収益の額を計上することもできる（法法22の2②）。これには、ガス、電気販売の検針日基準（基通2－1－4）、固定資産譲渡の契約効力発生日基準（基通2－1－14）等が考えられる。

　この目的物の引渡しまたは役務の提供の日に近接する日における収益計上は、確定した決算において収益として経理することが条件であるが、申告調整によってもよい（法法22の2③）。

(3) 益金算入の収益の額

　資産の販売等による収益の額として益金の額に算入する金額は、その販売・譲渡をした資産の引渡し時における価額またはその提供をした役務の通常得べき対価の額相当額とする（法法22の2④）。これは、資産の販売等による収益は、第三者間で取引された場合の通常付される価額（時価）を基準として認識すべきである、ということである（基通2－1－1の10）。

　この場合の引渡し時における価額または通常得べき対価の額は、その資産の販売等につき、次のような事実が生ずる可能性がある場合であっても、その可

能性はないものとした価額，すなわち時価による（法法22の2⑤）。これは，企業会計の考え方とは異なる。

① その資産の販売等による売掛金等の貸倒れ
② その資産の販売等による資産の買戻し

一方，資産の販売等による収益の額は，その計上をした事業年度後に，公正妥当な会計処理の基準に従い，その後に生じた事情等により，時価を基準として修正の経理をすることができる（法令18の2）。

3．棚卸資産の販売による収益

「資産の販売」といえば，商品，製品等の棚卸資産の販売である。その棚卸資産の販売による収益の額は，その引渡しがあった日の属する事業年度の益金の額に算入する（法法22の2①，基通2－1－2）。これは商品，製品等の販売による引渡しがあれば，所有権と危険負担が相手方に移転するから，その時点で収益が実現したものとする基準である。この基準は販売基準すなわち実現主義の考え方といえよう。

この場合，商品，製品等の「引渡しの日」をいつとみるかが問題となる。これについては，たとえば，出荷した日，船積みをした日，相手方に着荷した日，相手方が検収した日，相手方において使用収益ができることになった日などが考えられる。法人はこれらの日のうち棚卸資産の種類や性質，契約の内容などに応じその引渡しの日として合理的と認められるものを選択し，継続的に適用すればよい（基通2－1－2）。

なお，商品である土地については，その引渡しの日がいつであるか明らかでないことが多い。その場合には，次に掲げる日のうちいずれか早い日にその引渡しがあったものとしてよい。

① 代金の相当部分（おおむね50％以上）を収受するに至った日
② 所有権移転登記の申請（登記申請に必要な書類の相手方への交付を含む）をした日

4．固定資産の譲渡による収益

「資産の譲渡」の代表的なものは固定資産や有価証券の譲渡である。そのうち固定資産の譲渡による収益の額は，その引渡しがあった日の属する事業年度の益金の額に算入する（法法22の2①）。この場合の引渡しの日は，前述した棚卸資産の販売収益の場合と同じである。固定資産の譲渡収益も，商品等の販売収益と同じく，いわば販売基準により計上する。

ただ固定資産，特に土地や建物の譲渡にあっては，その引渡しの日を特定するのは困難な場合が少なくない。そこで土地や建物の譲渡による収益は，譲渡契約の効力発生の日を引渡しの日に近接する日として，その効力発生の日の属する事業年度において計上してもよい（基通2－1－14）。ここで契約の効力発生の日とは，一般に当事者間で売買の合意が成立し，契約が締結された日をいうものと解される。

5．有価証券の譲渡による損益

有価証券の譲渡による損益の額は，その譲渡契約をした日すなわち契約の成立した日の属する事業年度の益金の額または損金の額に算入する（法法61の2①）。具体的には次に掲げる場合に応じ，それぞれ次に掲げる日に譲渡損益を計上する（基通2－1－22）。
① 証券業者等に売却の委託や売出しの委託をした場合……その委託をした有価証券の売却取引が成立した日
② 相対取引により売却した場合……金融商品取引法による書面に記載される約定日，売買契約の締結日などのその相対取引の約定が成立した日

ただし，継続適用を条件として，事業年度末に未引渡しとなっている有価証券を除き，有価証券の引渡しのあった日にその譲渡損益を計上することも認められる（基通2－1－23）。これは，企業実務の慣行に配慮したものである。

6．役務の提供による収益

(1) 基本的な考え方

　「役務の提供」による収益の額は，その役務の提供の日の属する事業年度の益金の額に算入する（法法22の2①）。

　具体的には，役務の提供のうちその履行義務が一定期間にわたり充足されるものについては，その履行に着手した日から引渡し等の日までの期間におけるそれぞれの日が役務の提供の日に該当し，そのそれぞれの日の属する事業年度に収益を計上する。この場合の引渡し等の日は，①物の引渡しを要する取引は目的物の全部を完成して相手方に引き渡した日をいい，②物の引渡しを要しない取引はその約した役務の全部を完了した日をいう（基通2－1－21の2）。

　この履行義務が一定期間にわたり充足されるものには，①清掃や警備，運送の請負，②顧客所有土地上のビル建築請負および③造船やソフトウエア制作，コンサルティング請負などが該当する（基通2－1－21の4参照）。その各事業年度において計上する収益の額は，その役務提供につき通常得べき対価の額に進捗度（総原価のうち既に要した原価の割合等）を乗じて計算した金額とする（基通2－1－21の5，2－1－21の6）。

　一方，役務の提供のうち履行義務が一定期間にわたり充足されるもの以外のもの，すなわち履行義務が一時点で充足されるものについては，その引渡し等の日が役務の提供の日に該当し，その収益の額は，引渡し等の日に計上する（基通2－1－21の3）。

　たとえば，特許権，商標権等の知的財産のライセンスに関して，そのライセンスがライセンス期間にわたるものではなく，一時点で使用する権利を付与するような場合である（基通2－1－30参照）。

(2) 建設工事等の請負

① 工事完成基準

　請負とは，当事者の一方がある仕事を完成させ，相手方がその仕事の結果に

対して報酬を支払う契約をいう（民法632）。その請負による報酬の請求権は、仕事を完成して目的物を相手方に引き渡した時に発生する（民法633）。

そこで建設、造船などの請負による収益は、その目的物である建物、船舶等の全部を完成して相手方に引き渡した日に計上する（基通2－1－21の7）。これを工事完成基準という。

この場合、目的物の引渡しの日については、作業を結了した日、相手方の受入場所へ搬入した日、相手方が検収を完了した日、相手方が使用収益ができるようになった日などが考えられる。法人は、これらの日のうちから、建設工事等の種類、性質、契約の内容などに応じて合理的であると認められる日を選択し、継続適用すればよい（基通2－1－21の8）。

② 部分完成基準

上述のとおり建設工事等の請負による収益は、目的物の全部を完成して相手方に引き渡した日に計上するのが原則である。ただし、法人が請け負った建設工事等につき次のような事実がある場合には、目的物の全部が完成しないときにおいても、目的物の一部の引渡しがあるつど、その引渡量に応ずる工事収入を益金に計上しなければならない（基通2－1－1の4）。その引渡しがあるつど、収益が確定するからである。これを部分完成基準という。

 イ　一の契約により同種の建設工事等を多量に請け負ったような場合で、その引渡量に従い工事代金を収入する旨の契約または慣習があるとき。

  これは建売住宅10棟の建築を請け負い、1棟完成するごとに相手方に引き渡して代金を受け取るような場合である。

 ロ　一個の建設工事等であっても、その一部が完成しその完成した部分を引き渡したつど、その割合に応じて工事代金を収入する旨の契約または慣習があるとき。

  これは10kmの堤防工事を請け負い、1km完成するごとに相手方に引き渡して代金を受け取るような場合である。

③ 工事進行基準

イ　趣　　旨

　建設工事等の請負による収益を工事完成基準によって計上するとすれば，目的物を完成して相手方に引き渡した事業年度に一時に収益が計上される。しかし，工事途中の事業年度も収益の獲得に寄与しているし，目的物を引き渡した事業年度だけに収益を計上するのでは，かえって企業の経営成績が正当に表示されない結果になる。

　そこで企業会計においては，工事進行の程度に応じて収益を計上する，工事進行基準の適用が認められている。これは収益の計上基準としての引渡基準の例外であり，発生基準の適用例である。

　法人税においても，工事請負による損益の計上につき工事進行基準の適用がある（法法64）。むしろ法人税では，長期大規模工事については工事進行基準の適用が強制されるなど，工事進行基準が原則的であるといえよう。

ロ　長期大規模工事の意義

　長期大規模工事の請負による損益の計上は，工事進行基準の方法による（法法64①）。これは強制適用であるから，損失が生じると見込まれる工事についても工事進行基準を適用しなければならない。工事進行基準は延払基準とは逆に損益の先出しであるから，損失も先出しで計上されることになる。

　ここで長期大規模工事（製造およびソフトウェアの開発を含む）とは，次に掲げる要件を満たす工事をいう（法法64①，法令129①②）。

　(イ)　その着手の日から目的物の引渡期日までの期間が1年以上であること。

　(ロ)　その請負対価の額が10億円以上であること。

　(ハ)　その請負対価の額の2分の1以上が目的物の引渡期日から1年を経過する日後に支払われることになっていないこと。

　なお，長期大規模工事で当期末において着手の日から6月を経過していないものまたは工事の進行割合が20％に満たないものは，その事業年度は工事進行基準を適用しなくてもよい（法令129⑥）。

ハ　長期大規模工事以外の工事

　長期大規模工事以外の工事の請負による損益の計上については，工事進行基準の適用を選択することができる（法法64②）。ここで工事進行基準の方法が適用できる工事は，着工事業年度中にその目的物の引渡しが行われないものに限られる。これは法人の任意選択であるから，工事進行基準による場合には，確定した決算において工事進行基準の方法による経理をしなければならない。

ニ　工事進行基準の方法

　工事進行基準の方法は，工事の請負による損益につき各事業年度において工事の進行割合に対応する損益を見積計上するものである。具体的には，次の算式により計算した金額を，当該事業年度の収益の額および費用の額とする方法をいう（法令129③）。

(イ)　収益の額＝工事の請負収益の額×工事の進行割合－前期までに計上した収益の額

(ロ)　費用の額＝期末の現況による見積工事原価の額×工事の進行割合－前期までに計上した費用の額

(ハ)　工事の進行割合＝$\dfrac{既に実際に要した工事原価の額}{期末の現況による見積工事原価の額}$

　工事の進行割合は，上記算式による割合のほか，工事の進行度合を示すものとして合理的と認められるものにもとづいて計算した割合でもよい。

(計算例)

1　ビル建築工事を工事期間2年，請負収益の額5,000,000,000円で請け負った。
2　期末の見積工事原価の総額は，前期末，当期末とも4,000,000,000円である。
3　実際に要した工事原価の額は，前期1,500,000,000円，当期2,000,000,000円である。

(計　算)

1　前期の損益

(1)　工事の進行割合

$$\frac{1{,}500{,}000{,}000\text{円}}{4{,}000{,}000{,}000\text{円}}=0.375$$

(2)　収益の額

5,000,000,000円×0.375＝1,875,000,000円

(3)　費用の額

4,000,000,000円×0.375＝1,500,000,000円

(4)　利益の額

1,875,000,000円－1,500,000,000円＝375,000,000円

2　当期の損益

(1)　工事の進行割合

$$\frac{1{,}500{,}000{,}000\text{円}+2{,}000{,}000{,}000\text{円}}{4{,}000{,}000{,}000\text{円}}=0.875$$

(2)　収益の額

5,000,000,000円×0.875－1,875,000,000円＝2,500,000,000円

(3)　費用の額

4,000,000,000円×0.875－1,500,000,000円＝2,000,000,000円

(4)　利益の額

2,500,000,000円－2,000,000,000円＝500,000,000円

(3)　運送の請負

運送業における運送は，物の引渡しを要しない請負の一つである。したがって，運送による収益は，その運送が完了した事業年度において計上する（法法22の2①）。ただし，継続適用を条件として，運送契約の種類，性質，内容などに応じ，次のような方法により収益計上を行ってもよい（基通2－1－21の11）。

①　発売日基準

乗車券，乗船券，搭乗券等を発売した日にその発売金額を収益に計上する。

②　積切出帆基準

船舶，航空機等が積地を出発した日にその運送収入を収益に計上する。

③　航海完了基準

一の航海に通常要する期間がおおむね4月以内である場合に，その一の航海が完了した日にその運送収入を収益に計上する。

④　交互計算確定基準

運送業者における運賃の交互計算（商法529）または共同計算により，その配分が確定した日に収益を計上する。

7．利子，配当，使用料の収益

(1)　貸付金利子等

貸付金，預金，貯金または有価証券の利子は，当事者の定めた約定に従って日々発生する。したがって，貸付金等の利子は，利子の計算期間の経過に応じてその事業年度に発生したものを収益として計上しなければならない（基通2-1-24）。これは発生主義，特に時間基準が適用される典型例である。

ただし，主として金融・保険業を営む法人以外の一般事業法人は，利子の支払期日が1年以内の一定期間ごとに到来する貸付金等の利子については，継続適用を条件にその支払期日に収益計上することでもよい。これは一般事業法人にとっては受取利子は営業外収益であり，課税上の弊害も少ないところから，現金主義の適用を認めるものである。

(2)　剰余金の配当等

他の法人から受け取る剰余金の配当，利益の配当，剰余金の分配等による収益は，その剰余金の配当等を受けることが確定したときに計上する。したがって，たとえば剰余金の配当は，その配当の効力を生ずる日，利益の配当または

剰余金の分配は，その利益の配当等をする法人の社員総会などにおいて利益の配当等の決議のあった日に収益に計上すべきことになる（基通 2 － 1 －27）。

　ただし，その支払のために通常要する期間内に支払を受ける剰余金の配当等は，継続適用を条件に，その支払を受けた日に収益計上してもよい（基通 2 － 1 －28）。これは，現金主義の適用を認めるものである。

(3) 地代，家賃等

　土地，建物等の資産の賃貸借は，履行義務が一定期間にわたり充足されるものに該当するので，その地代，家賃等の使用料は，約定による貸付期間の経過に応じて日々発生する。したがって，その事業年度における貸付期間に対応する地代，家賃等を収益計上するのが原則である（法法22の 2 ①，基通 2 － 1 －21の 2 ）。

　ただし，既に経過した貸付期間に対応する地代，家賃等については，契約または慣習によりその支払を受けるべき日に収益計上をすることができる（基通 2 － 1 －29）。厳密な時間基準によらず，支払期日基準により収益計上するのである。

4　受取配当等

1．概要と趣旨

　法人が他の法人から受け取る配当金は，純資産の増加をもたらすものであり，企業会計上は当然収益に計上される。しかし法人税では，内国法人から受ける配当については，保有する株式等の区分に応じてその50％または20％相当額（親子会社間の配当は全額）は益金の額に算入しなくてよい（法法23，24）。これは，受取配当金は原則として法人税の課税対象にしないということである。これを受取配当等の益金不算入制度という。

法人個人一体課税の立場からすると，法人の稼得した所得は最終的には株主たる個人に分配されて所得税が課されるべきであるから，法人税は個人に対する所得税の前払であると観念される。そうすると，個人が受ける配当に対する所得税の課税にあたっては，すでに課された法人税相当額を控除しなければ二重課税が生じてしまう。

　ところが，法人株主が他の法人から受ける配当に対して法人税を課すとすれば，二重，三重に法人税の課税が累積し，個人株主の段階で二重課税の調整を行うことは不可能になる。そこで法人間の配当については，配当を受ける法人側では法人税を課さないようにされている。

2．益金不算入の対象となる配当等

(1)　通常の配当等

　受取配当等の益金不算入制度の対象になる配当等は，次に掲げるものである（法法23①）。

①　剰余金の配当，利益の配当または剰余金の分配の額

　剰余金の配当は，株式会社や有限会社から受けるものであり，資本剰余金の額の減少に伴うものや分割型分割によるもの，株式分配は除かれる。また利益の配当は，持分会社（合名会社，合資会社または合同会社）から受け取るもの，剰余金の分配は，協同組合などから受け取るものである。ただし，外国法人や公益法人等，人格のない社団等から受ける配当等および適格現物分配による配当等は，益金不算入の対象にならない。

　剰余金の配当および剰余金の分配は株式または出資にかかるものに限られる（法法23①一）。支払う法人の側において損金算入される保険会社の契約者配当は，名称は配当であってもここでいう配当には含まれない。

②　投資信託法および資産流動化法の金銭の分配等

　上記①の剰余金の配当等のほか，投資信託及び投資法人に関する法律137条の金銭の分配の額も，益金不算入の対象になる。ただし，ここでいう金銭の分配

からは出資総額等の減少に伴う金銭の分配，すなわち出資等減少分配を除く（法法23①二，法規8の4）。

また，資産の流動化に関する法律115条1項に規定する金銭の分配の額についても，益金不算入の対象に含まれる（法法23①三）。

なお，特定株式投資信託（信託財産を株式にのみ投資する証券投資信託で上場されているもの）の収益の分配の額についても，益金不算入の対象になる（措法3の2，67の6）。

(2) みなし配当

内国法人が株式（出資）の発行法人から次に掲げる事由により金銭その他の資産の交付を受けた場合には，その交付を受けた金銭等の額のうち，その交付の基因となった株式（出資）に対応する資本金等の額を超える部分の金額は，剰余金の配当もしくは利益の配当または剰余金の分配とみなされる（法法24，法令23③）。

① 税制非適格の合併
② 税制非適格の分割型分割
③ 税制非適格の株式分配
④ 資本の払戻しまたは解散による残余財産の分配
⑤ 自己の株式または出資の取得（証券市場での買付け，事業の全部の譲受け，合併・分割・現物出資，会社法による買取請求等による取得を除く）
⑥ 出資の消却，出資の払戻し，社員の退社または脱退による持分の払戻し
⑦ 組織変更

これは，このような事由を機会に剰余金の配当などを受けたのと実質的に同じであるから，配当とみなされる。これをみなし配当といい，これも受取配当等の益金不算入の対象になる。ただし，⑤の自己株式の取得により生じるみなし配当でみなし配当が生じることを予定して取得した株式等にかかるものは，益金不算入の対象にならない（法法23③，法令21）。

> **(計算例)**
>
> > 当社は，所有株式をその発行会社へ自己株式として譲渡したが，その株式の帳簿価額，譲渡価額等は，次のとおりである。
> > 1　帳簿価額　10,000,000円（10,000株）
> > 2　譲渡価額　12,000,000円（10,000株）
> > 3　発行会社の1株当たり資本金等の額　500円
>
> **(計　算)**
> 1　みなし配当の額
>   12,000,000円－(10,000株×500円)＝7,000,000円
> 2　譲渡損益の額
>   (12,000,000円－7,000,000円)－10,000,000円＝△5,000,000円
>
> **(説　明)**
> 1　みなし配当の額は，譲渡価額が発行会社の資本金等の額を超える部分の金額であり（法法24①五，法令23①六），みなし配当の発生を予定していない限り，受取配当等の益金不算入の対象になる。
> 2　みなし配当が生じる場合には，その株式の譲渡対価の額はみなし配当の額を控除した金額とする（法法61の2①一）。

3．短期所有株式等の適用除外

　剰余金の配当等の元本である株式等をその配当等にかかる基準日等以前1月以内に取得し，かつ，その株式等をその基準日等後2月以内に譲渡した場合には，その譲渡した株式等（短期所有株式等）の配当等は，益金不算入の対象にならない（法法23②）。つまり短期所有株式等の配当等は益金の額に算入される。
　株式の時価は支払基準日近くになると配当含みで高くなり，配当の確定とともに下落する。これを利用して支払基準日近くに株式を購入して，支払基準日後にすぐ売却すれば譲渡損失が生じる。これをそのまま放置すると，受け取る

配当等は益金不算入になる一方、譲渡損失も損金になるという租税回避行為が可能になる。短期所有株式等の適用除外は、これを防止するための制度である。

この場合の「短期所有株式等」の数は、次の算式により計算する（法令20）。これは株式等の売買回数が多いような場合には、個別的に短期所有株式等を特定することは困難であるから、平均的に譲渡したとみなすのである。

$$\text{配当等の支払基準日後2か月以内に譲渡した株式等の数} \times \frac{\text{配当等の支払基準日において有する株式等の数} \times \frac{\text{配当等の支払基準日以前1か月以内に取得した株式等の数}}{\text{配当等の支払基準日から起算して1か月前の日において有する株式等の数} + \text{配当等の支払基準日以前1か月以内に取得した株式等の数}}}{\text{配当等の支払基準日において有する株式等の数} + \text{配当等の支払基準日後2か月以内に取得した株式等の数}}$$

4．益金不算入額の計算

(1) 計算方法

受取配当等の益金不算入額は、「完全子法人株式等」、「関連法人株式等」、「その他の株式等」および「非支配目的株式等」の配当等の区分に応じ、それぞれ次の金額である（法法23①）。

① 完全子法人株式等の配当等

> 完全子法人株式等の配当等の額

② 関連法人株式等の配当等

> 関連法人株式等の配当等の額－当該株式等にかかる利子相当額

③ その他の株式等の配当等

> その他の株式等の配当等の額×50％

④　非支配目的株式等の配当等

> 非支配目的株式等の配当等の額×20％

　ここで完全子法人株式等とは，配当等の計算期間を通じて完全支配関係（100％の持株関係）があった法人の株式等をいう（法法23⑤，法令22の2）。

　また，関連法人株式等とは，法人（完全支配関係がある他の法人を含む）が3分の1を超える持株割合を有する株式等で，配当等の支払の基準日以前6か月以上引き続いて有しているものをいう（法法23④，法令22，基通3－1－7の2～3－1－7の4）。

　さらに，非支配目的株式等とは，法人（完全支配関係がある他の法人を含む）がその配当等の基準日において5％以下の持株割合を有する株式等（完全子法人株式等を除く）をいう（法法23⑥，法令22の3）。特定株式投資信託は，非支配目的株式等に含まれる（措法67の6）。

　その他の株式等は，完全子法人株式等，関連法人株式等および非支配目的株式等のいずれにも該当しない株式等である（法法23①）。

　このように，株式等の区分によって益金不算入割合が違っているのは，最近における企業の株式保有が単なる投資や持合いを目的としていることが多い実情を考慮したものである。

(2)　利子相当額の控除

①　趣　　　旨

　関連法人株式等の配当等の益金不算入額の計算にあたって，その株式等に係る利子相当額は受取配当等の額から控除しなければならない。法人が支払う利子は，株式等の取得，保有のためのものであっても損金の額に算入される。一方，その株式等から生ずる配当等を益金不算入にすると，収支対応せず二重の特例を認める結果になる。そのため，株式等にかかる利子相当額は受取配当等から控除すべきことになっている。

　なお，完全子法人株式等，その他の株式等および非支配目的株式等の配当等

については，この利子相当額の控除をする必要はない。

② 利子相当額の計算

関連法人株式等の配当等の額から控除する利子相当額は，原則として，その配当等の額の4％相当額である（法法23①，法令19①）。

ただし，当期の支払利子等の総額の10％相当額が，関連法人株式等の配当等の総額の4％相当額以下である場合には，その10％相当額を利子相当額とする（法令19②）。その10％相当額で頭打ちにするということである。

ここで支払利子等とは，借入金，社債の利子等の負債の利子，手形割引料（手形売却損），金銭債務の償還差損その他経済的な性質が利子に準ずるものをいう（法令19②③，基通3－1－3～3－1－3の6）。

5．外国子会社からの配当等の益金不算入

(1) 概要と趣旨

法人が外国子会社から受ける剰余金の配当等（剰余金の配当，利益の配当または剰余金の分配）がある場合には，その剰余金の配当等の額から所定の費用の額を控除した金額は，益金の額に算入しないことができる（法法23の2①）。

従来，外国法人から受ける剰余金の配当等については，いっさい受取配当等の益金不算入の適用はできなかった。それが，平成21年の税制改正により，外国子会社から受ける剰余金の配当等について，益金不算入の特例が認められるようになった。

その趣旨は，外国子会社からの配当を課税除外とし，海外で稼得した利益の国内への還流の促進と配当への国際的二重課税の排除をすることにある。

(2) 外国子会社の意義

外国子会社から受ける配当等の益金不算入の適用対象になる外国子会社とは，その法人が25％以上の持株割合を，受け取る剰余金の配当等の額の支払義務が確定する日以前6か月以上引き続いて有している外国法人をいう（法法23の2①，

法令22の4①)。

(3) 益金不算入額

外国子会社から受ける配当等の益金不算入額は，その剰余金の配当等の額の95％相当額である（法法23の2①，法令22の4②）。

その剰余金の配当等の額から5％相当額を控除するのは，剰余金の配当等を得るために要したであろう支払利子等の費用を控除する趣旨である。

なお，外国子会社から受ける配当等の額の全部または一部がその外国子会社の本店所在地国で，外国子会社の課税所得の計算上，損金算入される場合には，その配当等は益金不算入の対象にならない（法法23の2②一）。この場合，益金不算入の対象外となる配当等の額は，その外国子会社からの受取配当等の額の全額であるが，その配当等の額の一部が損金算入される場合には，損金算入対応受取配当等の額をもって，対象外となる配当等の額とすることができる（法法23の2③，法令22の4④）。

また，自己株式の取得により生じるみなし配当（法法24①五）で，みなし配当が生じることを予定して取得した外国子会社株式等にかかるものについては，益金不算入の適用はない（法法23の2②二，法令22の4③）。

(計算例)

1　当期（令和6.4.1～令和7.3.31）において収益に計上した内国法人からの受取配当等の内訳，金額などは，次のとおりである。

区　　　分	支払基準日等	配当等の額	源泉所得税等
A　株　　　式	令6.12.31	400,000円	円
B　株　　　式	令6.9.30	500,000	102,100
C　株　　　式	令6.3.31	800,000	122,520
D　株式投資信託 　　（決算分配金）	令6.1.1～ 令6.12.31	300,000	45,945
E　公社債投資信託	令6.1.1～ 令6.12.31	100,000	15,315
銀行預金利息	－	600,000	91,890

| 合　　　計 | | 2,700,000 | 377,770 |

(注) 1　A株式は完全子法人株式等に該当する。
　　 2　B株式は関連法人株式等に該当する。
　　 3　C株式はその他の株式等に該当し，その異動状況は，次のとおりである。
　　　　(1)　令和5年4月1日現在所有株式数　　　　13,000株
　　　　(2)　令和6年2月28日現在所有株式数　　　12,000株
　　　　(3)　令和6年3月10日取得株式数　　　　　 3,000株
　　　　(4)　令和6年3月31日現在所有株式数　　　15,000株
　　　　(5)　令和6年4月5日取得株式数　　　　　 1,000株
　　　　(6)　令和6年5月10日譲渡株式数　　　　　 3,200株
　　 4　D株式投資信託は，特定株式投資信託である。
2　当期において収益に計上した外国子会社からの受取配当金は，700,000円である。この配当金には外国源泉税70,000円が課された。
3　当期中に支払った利子，手形割引料等は1,400,000円である。

(計　算)

1　内国法人の配当等の額

(1) 完全子法人株式等　　400,000円

(2) 関連法人株式等　　　500,000円

(3) その他の株式等

　① 短期所有株式

$$3{,}200株 \times \frac{15{,}000株 \times \dfrac{3{,}000株}{12{,}000株+3{,}000株}}{15{,}000株+1{,}000株} = 600株$$

　② 配当等の額

$$(800{,}000円 - 800{,}000円 \times \frac{600株}{15{,}000株}) = 768{,}000円$$

(4) 非支配目的株式等　　300,000円

2　控除利子相当額

(1) 原　　　則　　500,000円×4％＝20,000円

(2) 特　　　例　　1,400,000円×10％＝140,000円

(3) 控除利子額　　140,000円＞20,000円　　∴　20,000円

3 益金不算入額

(1) 内国法人の配当等

400,000円＋(500,000円－20,000円)＋(768,000円×50％)
＋(300,000円×20％)＝1,324,000円

(2) 外国子会社の配当

700,000円－(700,000円×5％)＝665,000円

(説　明)

1　D株式投資信託は，非支配目的株式等に含まれる（措法67の6）。
2　E公社債投資信託および銀行預金利息は，受取配当等に含まれない。

5 資産の評価益

1．概要と趣旨

　法人税の課税所得の計算上，特定の事由による評価換えの場合を除き，法人が資産の評価換えをしてその帳簿価額を増額しても，その増額した部分の金額（評価益）は益金の額に算入されない（法法25①）。仮に法人が評価益を計上し資産の帳簿価額を増額しても，その増額はなかったものとみなされる（法法25⑤）。評価益は法人税の課税対象にならないということである。ただし，特別の事由による評価益は，益金となる。

　企業会計においても，一般に資産を評価換えして評価益を計上することは認められない。もっとも，短期売買商品や暗号資産，売買目的有価証券，デリバティブ取引などの金融商品については時価評価を行い，評価益を認識する。

　このように評価益に対する法人税と企業会計との考え方は，基本的に同じといってよい。法人が有する資産の価額は，その取得価額でもって記帳する取得原価主義が原則であり，評価益は未実現の利益であるからである。ただ最近で

は金融商品に対する時価会計の導入など，時価評価を指向しているといえよう。

(注) 短期売買商品，暗号資産および売買目的有価証券の時価評価による評価益の取扱いについては，第5章の②および③を参照のこと。

2．評価益の計上事由

(1) 総　　説

　上記の原則に対して，以下(2)から(4)までに述べる三つの事由による評価換えの場合には，例外として評価益の計上が認められる（法法25②③，法令24）。これら三つの場合は，会社法等の定めを排除する特別措置または企業の再生等を図る措置として，それぞれ特別の事由をもって評価換えが行われるから，そのまま評価益の計上ができる。

　これら三つの場合に計上される評価益は益金の額に算入され，課税対象になる。しかし，繰越欠損金があるような場合には，むしろ評価益を計上して，資産の帳簿価額を増額しておくのが得策である。その後，その資産を譲渡したときに譲渡原価が高くなるからである。もっとも，これら三つの場合であっても，評価益を計上するかどうかは法人の全く自由である。

(2) 会社更生による評価換え

　更生計画認可の決定があったことにより，会社更生法または金融機関等の更生手続の特例等に関する法律の規定に従って行う評価換えの場合には，その評価益は益金の額に算入される（法法25②）。

　会社更生法による更生手続の開始後，管財人は会社に属する財産につき手続開始時や更生計画の認可の時，裁判所の定める時期等において，その価額を評定して貸借対照表を作成し，裁判所に提出する（同法83）。この貸借対照表に記載する財産の価額は時価で評価される。その際の評価益が益金の額に算入されることになる。

(3) 保険会社の評価換え

保険会社が保険業法第112条《株式の評価の特例》の規定にもとづいて行う株式の評価換えによる評価益は，益金の額に算入される（法令24）。

保険業法第112条は，保険会社が有する市場価格のある株式の時価が取得価額を超える場合には，その株式につき内閣総理大臣の認可を受けて時価評価をすることができる旨定めている。これは保険会社の経理に弾力性をもたせ，利益の創出を容易にするための措置である。そのため，保険会社の株式の評価益は益金の額に算入される。

(4) 再生計画認可等による評価換え

法人について再生計画認可の決定および再生計画認可の決定に準ずる事実があったことに伴い，法人が資産の価額の評定を行っている場合には，その評価益は益金の額に算入される（法法25③，法令24の2，基通4－1－4～4－1－8）。

法人が再生計画認可等により再生を図る場合，債権者から債務免除を受けることがある。その債務免除益は課税対象となるのであるが，これにそのまま課税することは必ずしも適当でない。そこで再生計画認可等があった場合には，資産につき時価による評定を行って評価損を計上する（法法33④）とともに，評価益の計上ができることになっている。

 受 贈 益

1．概要と趣旨

前述したように「無償による資産の譲受け」により生じた収益は，益金に含まれる（法法22②）。たとえば寄附金，債務免除益，私財提供益，国庫補助金，工事負担金の収入などである。一方，他の者から贈与を受けた資産の取得価額は，その資産の時価相当額とされている（法令32①三，54①六，118の5三，119①

二十七)。したがって，受贈益として益金になるのは，その資産の時価相当額となる。

このように法人税では，資産の受贈益はすべて益金として課税対象になるのが原則である。ただし，完全支配関係（法人による100％の持株関係）がある法人から受けた受贈益は益金の額に算入しなくてよい（法法25の2）。また，国庫補助金や工事負担金の収入については，圧縮記帳制度による課税の繰延べが認められている（法法42～45）。

なお，法人税法で「無償による資産の譲受け」と規定しているように，もちろん有償による資産の譲受けからは収益は生じない。有償による資産の譲受けは，単なる資産と金銭との交換取引にすぎないからである。

（注）圧縮記帳制度については，第4章の15を参照のこと。

2．完全支配関係法人からの受贈益

(1) 概要と趣旨

法人が完全支配関係（法人による100％の持株関係）がある他の法人から受けた受贈益の額は，課税所得の計算上，益金の額に算入しなくてよい。この場合の受贈益の額は，贈与者である法人において，寄附金の損金不算入規定（法法37）を適用しないとした場合に損金算入される寄附金（法法37⑦）の額に対応するものに限られる（法法25の2①，基通4－2－4，4－2－6）。

平成22年の税制改正において，いわゆるグループ法人税制が導入され，完全支配関係がある法人間の資産の譲渡取引については，原則として損益を認識しないこととされた（法法61の11）。その一環として，完全支配関係がある法人間の寄附金について，支出した側では全額損金不算入とする一方（法法37②），受領した側では全額益金不算入とする。完全支配関係がある法人間の取引はいわば内部取引であり，損益は生じないと観念するものである。

なお，受贈益を受けた法人の親会社は，その株式を保有する法人（子会社）の株式の帳簿価額を増額する，簿価修正を行う（法令9七，119の3⑨，119の4

①)。その子会社の純資産価額が増加するからである。

(2) 受贈益の範囲

益金不算入の対象になる受贈益の額は，寄附金，拠出金，見舞金その他いずれの名義をもってされるかを問わず，金銭その他の資産または経済的な利益の贈与または無償の供与を受けたときの資産または経済的な利益の時価による（法法25の2②）。

また，資産の譲渡または経済的な利益の供与を低廉な価額で受けた場合には，その価額と時価との差額のうち実質的に贈与または無償の供与を受けた金額も，受贈益の額に含まれる（法法25の2③）。

なお，その受贈益の額が親会社等からの損失負担や債権放棄等によるものである場合において，その親会社がその損失負担や債権放棄等による損失を寄附金として処理しないときは（基通9－4－1，9－4－2），その受贈益は益金不算入の対象にならない（基通4－2－5）。

3．広告宣伝用資産の受贈益

法人が取扱商品のメーカー等から広告宣伝用資産の贈与を受けた場合には，次のような特例が認められている（基通4－2－1）。

① 看板，ネオンサイン，どん帳のような広告宣伝専用の資産の受贈益はないものとする。

② 広告宣伝を目的とした自動車，陳列棚，陳列ケース，冷蔵庫，容器や見本であるモデルハウスの受贈益は，贈与者がその資産を取得した価額の3分の2相当額とする。ただし，その3分の2相当額が30万円以下である場合には，受贈益はないものとしてよい。

これらの特例は，広告宣伝用資産の贈与を受けた場合には，もちろん贈与を受けた法人側に利益はあるが，贈与者側にも広告宣伝の効果がある事情を考慮したものである。

(計算例)

1 当社の販売商品のメーカーから陳列棚および陳列ケースを200,000円で購入した。
2 この陳列棚および陳列ケースのメーカーにおける購入価額は900,000円である。

(計　算)

当社の受贈益の額は，次のとおりである。

$$900,000円 \times \frac{2}{3} - 200,000円 = 400,000円$$

(説　明)

受贈益の額の計算にあたり，当社（受贈者）が支出した金額がある場合には，その金額をメーカー（贈与者）の購入価額の$\frac{2}{3}$相当額から控除する（基通4－2－1）。

4．役務の無償譲受け

　法人税法上，「無償による資産の譲受け」による収益は益金になる旨，明文で規定されている（法法22②）。しかしたとえば建物や土地，金銭などを無償で借りること，すなわち「無償による役務の譲受け」から収益が生じるとは規定されていない。これは，次のような事情によるものと考えられる。

　たとえば本来1,000の家賃を支払うべきビルを無償で借りた場合，その取引は次のように観念することができる。

（借）支 払 家 賃　　1,000　　（貸）未 払 費 用　　1,000
（借）未 払 費 用　　1,000　　（貸）受 贈 益　　　1,000

結果的に支払家賃と受贈益とが相殺されて利益は生じない。そのため，ことさら受贈益を認識せずなんらの経理処理をしなくてもよい。なんらの処理を行わなくても，支払家賃が損金に表現されないだけすでに利益は増加しているか

らである。

7 還付金等

1．概要と趣旨

　法人が納付した法人税や住民税（都道府県民税および市町村民税）が過大であった場合には，その過大額は還付を受けるか，あるいは未納の国税または地方税に充当される。また納付した法人税が過大でなくても，たとえば欠損金の繰戻しによる法人税の還付（法法80）のように，所定の請求を行えば法人税が還付される場合がある。

　その法人税や住民税の還付金については，課税所得の計算上，益金の額に算入されない（法法26①）。企業会計では還付金は収益に計上し，または税引前当期利益金額に加算するが，法人税では課税対象にしないのである。

　現行法人税制では，法人税や住民税を納付しても損金には認められないので（法法38），その裏腹のこととして還付を受けたときに益金不算入になるのは当然である。

2．益金不算入の還付金等

　法人が次に掲げるものの還付を受け，または還付を受けるべき金額が未納の国税もしくは地方税に充当される場合には，その還付を受けまたは充当される金額は，益金の額に算入しない（法法26①）。

① 課税所得の計算上，損金の額に算入されない法人税，地方法人税，贈与税，相続税，都道府県民税および市町村民税（法法38①②）

② 課税所得の計算上，損金の額に算入されない延滞税，各種加算税，過怠税，延滞金および各種加算金（法法55④）

③ 所得税額，地方法人税額，復興特別所得税額または外国法人税額の還付の規定（法法78，133，復興財源確保法56，59）による還付金

④ 欠損金の繰戻しによる還付の規定（法法80，地方法人税法23）による還付金

また，課税所得の計算上，損金の額に算入されない，外国子会社から受ける配当等にかかる外国源泉税等の額（法法39の2）や法人税額から控除する外国法人税の額（法法41）が減額された場合のその減額された金額は，益金の額に算入されない（法法26②③，法令25，26）。

さらに，課税所得の計算上，損金の額に算入されない罰金，科料，過料，課徴金および延滞金（法法55⑤）につき還付を受ける場合の還付金は，益金の額に算入しなくてよい（法法26⑤）。

なお，還付金に付される還付加算金は，益金不算入にはならないので，益金の額に算入する。

3．益金算入の還付金等

法人がそれを納付したときに損金となる租税の還付金は，益金の額に算入される。その納付の際に損金の額に算入されているので，還付を受けるときには益金となる。

たとえば，利子税，印紙税，事業税，事業所税，固定資産税などの還付金である。これらの還付金は，益金の額に算入しなければならない。

なお，法人が仮決算の中間申告書（法法72①）を提出する場合には，中間期間において生じた災害損失欠損金額（法法80⑤）について，欠損金の繰戻しによる法人税の還付を請求することができる（法法80⑤）。中間期間においてこの適用を受けた場合には，その還付を受けるべき金額の計算の基礎になった災害損失欠損金額相当額は，中間期間の属する事業年度で益金の額に算入する（法法27）。

（注） 欠損金の繰戻し還付については，第4章の17を参照のこと。

8 その他の収益

1. 売上値引き，値増し，割戻し等

　資産の販売等による対価について，値引き，値増し，割戻し等の事実がある場合において，次に掲げる要件のすべてを満たすときは，次の②の金額について収益の額を減額または増額することができる（基通2－1－1の11）。
① 値引き等の事実により契約対価の額から減額または増額をする可能性のある金額またはその金額の算定基準が，その契約や取引慣行，公表した方針等により相手方に明らかにされていることまたは期末までに内部的に決定されていること。
② ①の減額または増額をする可能性のある金額またはその金額の算定基準の基礎数値が，過去における実績を基礎とする等継続適用する合理的な方法により算定されていること。
③ ①を明らかにする書類および②の算定の根拠書類が保存されていること。
　前期以前に収益計上した資産の販売等につき，当期に値引き等の事実が生じた場合は，前期以前の収益を遡及修正するのではなく，当期において収益の額を減額し，または増額する修正を行う（法令18の2）。
　なお，この取扱いを適用しない売上割戻しについては，原則としてその金額を相手方に通知または支払をした日に収益の額から減額する（基通2－1－1の12）。ただし，特約店契約の解約，災害の発生等の生ずる時までまたは5年を超える一定の期間まで保証金等として預かる場合には，現実に支払った日に収益の額から減額する（基通2－1－1の13，2－1－1の14）。

2. キャッシュバック等

　資産の販売等の契約において，キャッシュバックのように相手方に対価が支

払われることが条件となっている場合には，その対価の額は次に掲げる日のうちいずれか遅い日において収益の額から減額する（基通2－1－1の16）。
　①　その支払う対価に関連する資産の販売等の収益の計上日
　②　その対価を支払う日またはその支払を約する日
　たとえば，顧客に対して商品を一定金額購入することを条件に，その購入代価の一定割合相当額の現金を支払うような約束の取引である。

3．仕入割戻し

　法人が購入した棚卸資産につき仕入先から支払を受ける仕入割戻しは，総仕入高から控除するか，または収益として処理しなければならない。その仕入割戻しの計上時期は，次の区分に応じそれぞれ次に掲げる事業年度とする（基通2－5－1）。
　①　その算定基準が購入価額または購入数量によっており，かつ，その算定
　　基準が契約その他により明示されている仕入割戻し……購入した事業年度
　②　①に該当しない仕入割戻し……その仕入割戻しの金額の通知を受けた事
　　業年度
　ただし，特約店契約の解約や災害の発生など特別の事実が生ずるときまたは5年を超える一定の時期まで保証金等として相手方に預けるため，利益を受けることができない仕入割戻しは，現実に支払を受けた日に計上すればよい（基通2－5－2）。
　なお，法人が仕入割戻しを計上しなかった場合には，その仕入割戻しは総仕入高から控除しないで収益として計上する（基通2－5－3）。

4．商品券等の発行収益

　法人が商品券等を発行した対価の額は，その発行時には負債として計上し，その後顧客への商品の引渡し等があった日において益金の額に算入する。そし

て，その商品券等の発行の日から10年が経過した日の属する事業年度末において商品の引渡し等が完了していない商品券等の対価の額については，当該事業年度の益金の額に算入する（基通2－1－39）。

ただし，法人が発行した商品券等をその発行事業年度ごとに区分して管理しない場合には，その発行した事業年度において益金の額に算入しなければならない。この場合には，未引換券にかかる商品の引換費用を見積り計上することができる（基通2－2－11）。

なお，法人が発行した商品券等の対価の額のうち顧客が権利行使しないと見込まれる部分の金額（非行使部分）については，各事業年度においてその非行使部分の対価の額に権利行使割合（顧客が権利を行使すると見込まれる部分の金額のうちに実際に行使された金額の占める割合）を乗じて計算した金額を収益計上することができる（基通2－1－39の2）。

(注) 法人が資産の販売等に伴い，相手方に付与した自己発行ポイント等相当額を前受処理した場合（基通2－1－1の7），商品券等と同じように，その付与した日から10年が経過しても相手方から行使がないときは，前受処理したポイント等相当額は，10年を経過した事業年度において益金の額に算入する（基通2－1－39の3）。

5．営業補償金等

法人が他の者から支払を受ける営業補償金や経費補償金などは，その支払を受けた事業年度の益金の額に算入する。これはその営業補償金や経費補償金などが，たとえ将来の逸失利益または経費の発生等その後の事業年度において生ずると見込まれる費用または損失の補てんに充てられるものであっても，同様である（基通2－1－40）。たとえば，3年間の営業休止に対する補償として受け取る営業補償金であっても，3分の1ずつを収益に計上することはできない。

これら営業補償金や経費補償金などは，将来とも一切返還する必要のない，法人にとっては確定した収益であるからである。すなわち，法人はその収入を自由に使用・収益することができるから，一時の収益として計上すべきである

とされている。

6. スポーツクラブの入会金等

　法人が，工業所有権等の実施権の設定一時金やノウハウの設定一時金，スポーツクラブの入会金など，相手方から中途解約のいかんにかかわらず取引の開始当初から返金不要な支払を受けた場合には，その収益は原則としてその取引開始日において益金の額に算入する。

　ただし，その返金不要な支払が，契約期間における役務の提供ごとに，具体的な対応関係をもって発生する対価の前受けと認められる場合には，継続適用を条件に，その契約期間の経過に応じて益金算入することができる（基通2－1－40の2）。たとえば，スポーツクラブの入会金を支払えば，将来の利用料が一般の利用料より安くなる，といった場合である。

7. 資産賃貸の権利金等

　法人がビルや貸室の賃貸に伴い収受する権利金収入は，その返還を要しないことが確定した事業年度において計上する。したがって，賃貸借契約の解約時期や解約事由のいかんを問わず一切返還しない権利金収入は，その契約時に全額を益金の額に算入しなければならない。

　また，保証金や敷金として受け入れた金額（賃貸借の開始当初から返還不要なものを除く）であっても，貸付期間の経過や契約終了前の一定の事由の発生により返還しないこととなる部分の金額は，その返還しないこととなった事業年度の益金の額に算入する（基通2－1－41）。

　このような資産の賃貸に伴う権利金収入などは，将来返還する必要のない確定した収益であるからである。

　なお，賃貸借の開始当初から返還不要な保証金や敷金の額の収益計上時期は，上記6.の取扱いにより判定する。

8．損害賠償金

　法人が他の者から支払を受ける損害賠償金（債務の履行遅滞による損害金を含む）は，その支払を受けることが確定した事業年度の益金の額に算入する。ただし，実際に支払を受けた事業年度において益金の額に算入することでも差し支えない（基通2－1－43）。損害賠償金は，賠償責任の有無や賠償額につき紛争が生じることが少なくないから，いわば現金主義による収益計上も認められている。

　なお，その損害賠償金の請求の基因となった損害にかかる損失は，保険金または共済金により補てんされる部分の金額を除き，その損害の発生した事業年度の損金の額に算入してよい。

第4章

損金の額の計算

1 この章では，法人税の課税所得計算における損金の内容や認識基準，一般的な損金の取扱いを述べる。
2 損金の額は，基本的には売上原価等，販売費・一般管理費その他の費用および損失の額で資本等取引以外の取引にかかるものである。
3 損金には資産の評価損，役員給与，寄附金，交際費，租税公課，圧縮記帳，引当金・準備金など，法人税固有の理由による取扱いを行うものが少なくない。

1 総　　説

　法人税の各事業年度の所得の金額は，その事業年度の益金の額から損金の額を控除して計算する（法法22①）。益金からの控除項目が損金であり，損金の額が益金の額を超えれば，所得金額ではなく欠損金額が生じる（法法２十九）。

　法人税の損金は，企業会計上の売上原価等の原価，販売費・一般管理費等の費用および損失を含む広い意味の費用に対応するものである。企業会計の費用は基本的に法人税の損金になる。

　しかし法人税では税固有の理論や政策にもとづき，損金の額に算入される費用の規制と創設を行っている。法人税独自の取扱いをする費用の項目は収益よりも断然多い。それは，費用は収益と異なり，費用ごとにその内容や性格がちがい一義的でないから，課税上は各種の規制が必要になるということであろう。

2 損金の内容

1．損金の意義

　法人税の課税所得の計算上，その事業年度の損金の額に算入すべき金額は，別段の定めがあるものを除き，次に掲げる額である（法法22③）。

① その事業年度の収益に係る売上原価，完成工事原価その他原価の額
② その事業年度の販売費，一般管理費その他の費用の額
③ その事業年度の損失の額で資本等取引以外の取引に係るもの

　「別段の定め」としては，後述する償却費，資産の評価損，役員の給与等，寄附金，交際費，圧縮損，引当金・準備金などがある。

　企業会計では，広義の費用は機能別に売上原価（製造原価），販売費及び一般管理費，営業外費用および特別損失の四つに区分される。法人税の損金には，

別段の定めによるものを除き，これらすべてが含まれる。

また損金は外部取引によるものか，内部取引によるものかを問わない。仕入れや経費の支払はもとより，内部取引である償却費や評価損，圧縮損，引当金・準備金の繰入額も損金となる。

2．損金の概念

上述したように法人税法では損金の概念そのものは規定せず，損金に入るものは何かという観点から定めている。しかし上記の損金の内容からみて，損金の概念は，法令により別段の定めがあるものを除き，資本の払戻しまたは剰余金処分以外において純資産減少の原因となるべき一切の事実をいう，と定義することができよう（旧基通五二参照）。

これら損金は益金と同じように，グロスの概念であってネットの損失を意味するものではない。たとえば帳簿価額1,000の土地を600で売却した場合，企業会計では次のように処理する。

　（借）現　金　預　金　　　600　　（貸）土　　　　地　　1,000
　　　　固定資産売却損　　　400

この場合，法人税の損金は「固定資産売却損400」ではなく，土地の帳簿価額の1,000である。もっとも実務的には上記の処理でいっこうに差し支えない。

3．売上原価等の原価

法人税の課税所得の計算上，損金の額に算入される売上原価等の原価は，その事業年度の収益に係るものである（法法22③一）。この「収益に係る」というのは，商品等が販売され実現した収益に対応する原価を意味している。期末に在庫として残っている商品等の原価までをいうものではない。

売上原価等は，費用収益対応の原則にもとづき，収益に個別的に対応させて把握することを予定している。ただ法人税では，具体的に売上原価等をいかに

算定するかは定めていない。この点，企業会計では，たとえば商業経営の場合，売上原価は次の算式により計算される。

> （期首商品棚卸高＋当期商品仕入高）－期末商品棚卸高

健全な企業会計の慣行による処理が前提となっている法人税でも，この算式により売上原価は計算される。そのため，「期末商品棚卸高」の計算や評価につき詳細な規定を置いている（法法29）。

4．販売費，一般管理費等の費用

　費用とは，一般的には財貨または役務の消費された部分をいう。広義には販売費や一般管理費，営業外費用のほか，売上原価や損失を含めた意味で使用される。

　しかし法人税の損金としては，別途，売上原価と損失とが定められている。それゆえ「販売費，一般管理費その他の費用」は，売上原価や損失を含まない狭義の費用を意味している。「その他の費用」は，基本的には支払利息，手形割引料（手形売却損），社債利息などの営業外費用である。

　また損金算入が認められる費用は，「当該事業年度の……費用」とされている（法法22③二）。これはその事業年度の収益の獲得に寄与し，役立った費用を意味している。その意味で当該事業年度に支払った費用であっても，翌事業年度以降の期間の収益に対応するものは当期の損金にならない。

5．損　　失

　損失とは，一般に収益の獲得に役立たなかった財貨または役務の消費額をいう。貸倒れ，災害，盗難，横領，為替変動などによる損失である。

　このような損失が売上原価や販売費，一般管理費等と異なるのは，損失は収益の獲得になんら寄与しなかったという点である。にもかかわらず損金算入が

認められているのは，損失は企業の経済的価値を絶対的に減少させるものだからである。その点で損失は費用収益対応の原則によりとらえることはできないから，その発生と確定の事実によって把握する。

なお，損金算入される損失は，資本等取引以外の取引により生じたものに限られる（法法22③三）。したがって減資差損や合併差損，自己株式処分差損は，ここでいう損失には当たらない。

また企業会計では，たとえば固定資産売却損は「特別損失」として処理されるが，法人税では損失ではない。前述したとおり，法人税の損金は，資産の譲渡価額と原価との差額であるネットの概念ではないからである。

3 損金の認識基準

1．基本的な考え方

繰り返し述べるように法人税の課税所得は，一事業年度を単位として計算される。それゆえ益金と同じように，損金をいつの事業年度に帰属するものとして把握するかが決定的に重要である。ところが法人税法には，具体的にその損金の認識基準を定めた規定はない。

企業会計における費用認識の一般的基準は発生主義である。その発生主義とは，財貨または役務を消費したときに費用を認識する基準をいう。当期中に消費した財貨または役務は，たとえ現実に支払がされていなくても，費用として認識する。これは健全な企業会計の慣行を前提とする法人税でも同じである。

しかし費用は，損失を除き，収益に対応するものに限られる。そこで発生主義により把握された費用は，つぎに費用収益対応の原則によりその事業年度に帰属するものが決定される。その意味で理論的には，収益が確定すれば自動的に費用は確定するともいえる。

ただし，法人税では「販売費，一般管理費その他の費用」については，別途，

債務確定基準が適用される。

2．債務確定基準

(1) 意　　義

　「販売費，一般管理費その他の費用」の額は，償却費を除き，期末までに債務の確定したものに限って損金の額に算入される（法法22③二）。債務の確定していない費用は，単なる見積りであるから損金算入が認められない。これを債務確定基準という。法人税が債務確定基準をとっているのは，費用の見越し計上や引当金の設定に制限を設け，債務性の高い確実な費用に限って損金算入を認めようとする趣旨である。

　償却費が債務確定基準の適用外とされているのは，減価償却費や繰延資産の償却費には債務の確定というのはあり得ないからである。また債務確定基準は売上原価や損失にも適用されない。売上原価は売上と個別的に対応して認識されるものであり，売上を計上する以上それに対応する原価は債務が未確定であっても認識されるべきだからである（基通2－2－1参照）。損失は一般的に債務の確定という概念になじまない。

(2) 債務確定の要件

　債務確定基準における債務が確定している費用とは，次に掲げる要件のすべてを満たしているものをいう（基通2－2－12）。

① 期末までにその費用にかかる債務が成立していること。
② 期末までにその債務にもとづいて具体的な給付をすべき原因となる事実が発生していること。
③ 期末までにその金額を合理的に算定できること。

　たとえば船舶の修繕を発注した場合，期末までに修繕が完了し，その代金が契約内容等から合理的に見積もられれば，期末までに請求書が届いていないとしても，債務が確定しているといってよい。船舶の修繕を発注したことは①の

第4章　損金の額の計算

要件を，修繕が完了したことは②の要件を，代金の合理的見積りが可能であることは③の要件をそれぞれ満たすからである。

3．未確定の売上原価等の見積り

　前述したとおり，売上原価，完成工事原価などは売上と個別的に対応して認識されるべきものである。そこで，当期に計上する売上に係る売上原価，完成工事原価等となるべき費用の額の全部または一部が当期末までに確定していない場合には，期末の現況によりその金額を適正に見積もって，原価として損金の額に算入することができる（基通2－2－1）。

　この場合，売上原価，完成工事原価等となるべき費用であるかどうかは，資産の販売や譲渡，請負などの契約の内容，費用の性質等を勘案して合理的に判定する。その結果，資産の販売や譲渡，請負などに関連する費用であっても，単なる今後発生するかもしれない事後的費用と認められるものは，見積計上することはできない。事後的費用の見積計上は，法人税では認められていない引当金の設定となるからである。

4．短期前払費用の特例

　「販売費，一般管理費その他の費用」の額は，発生主義により当期の損金になるものを認識する。したがって，たとえば家賃や利子，保険料など継続的に役務の提供を受けるための費用を支払っても，翌期以降の借入期間や保険期間に対応するものは前払費用として処理し，当期の損金とすることはできない。

　ただし，法人がその支払った日から1年以内に提供を受ける役務にかかる費用を前払した場合には，その前払額のなかに翌期以降の期間に対応するものが含まれていても，その全額を支払った事業年度の損金の額に算入することができる（基通2－2－14）。

　この特例は継続適用することが条件であり，継続適用されるかぎり，1年以

内の期間にかかる費用の前払であれば，厳密に前払処理をしなくても課税上の弊害は少ない。重要性の原則による特例である。

4 棚卸資産の売上原価等

1．概要と趣旨

　法人税の課税所得の計算上，売上原価，完成工事原価その他原価の額は，損金の額に算入される（法法22③一）。しかし法人税法には，その売上原価等の算定方法は定められていない。わずかに売上原価等の算定の基礎となる期末棚卸資産の価額は，法人が選定した評価方法により評価した金額とする，とされているだけである（法法29）。これを受けて，その評価に必要な棚卸資産の意義，取得価額および評価方法が規定されている（法令28～33）。

　一方，企業会計では売上原価は次の算式により算定される。

> （期首商品棚卸高＋当期商品仕入高）－期末商品棚卸高

　この算式における「期首商品棚卸高」と「当期商品仕入高」は所与の事柄であるので，残る「期末商品棚卸高」をいかに評価するかである。そこで法人税法では，期末棚卸資産の評価に必要な事項だけを規定し，間接的に企業会計と同じくこの算式により売上原価を算定することを表している。したがって，この算式により算定された売上原価等が損金の額に算入される。

2．棚卸資産の範囲

　法人が有する資産は，現金預金，棚卸資産，有価証券，固定資産，繰延資産，金銭債権などに区分される。その資産がいずれに該当するかによって，費用化の方法や税法の適用関係が異なるから，その区分は重要である。

そこで法人税法上，棚卸資産とは次の資産をいう。ただし有価証券，短期売買商品および暗号資産を除く（法法2二十，法令10）。

① 商品または製品（副産物および作業くずを含む），② 半製品，③ 仕掛品（半成工事を含む），④ 主要原材料，⑤ 補助原材料，⑥ 消耗品で貯蔵中のもの，⑦ ①から⑥までの資産に準ずるもの

棚卸資産の範囲から有価証券は除かれるので，たとえば証券会社が有する売買目的の株式であっても，棚卸資産には含まれず有価証券となる。

⑦の資産は，たとえば製本業者の製本中の本，染色加工業者の染色中の織物などである。加工賃のみから成るような仕掛品も棚卸資産に含まれる。

棚卸資産は売上原価等を算定するために期末に棚卸しをすべきもの，という機能的な概念のものである。たとえば不動産業者が有する建物であっても，販売用の建物は棚卸資産であるが，自社が使用する事務所用の建物は固定資産である。そして販売用の建物は期末に棚卸しを行い費用化するが，事務所用の建物は減価償却により費用化をしていく。

3．棚卸資産の取得価額

棚卸資産の期末評価を行うためには，まず棚卸資産の範囲を確定し，次いで棚卸資産の取得価額を求めなければならない。期末棚卸資産の評価額の計算の基礎となるのは，原価すなわち取得価額であるからである。

そこで棚卸資産の取得価額は，その取得の態様に応じ，それぞれ次の金額とする（法令32）。

① 購入した場合……その資産の購入の代価（引取運賃，荷役費，運送保険料，購入手数料，関税などの費用を加算した金額）とその資産を消費し，または販売するために直接要した費用の額との合計額

② 自己が製造，採掘，採取，栽培，養殖等した場合……その資産の製造等のために要した原材料費，労務費および経費の額とその資産を消費し，または販売するために直接要した費用の額との合計額

③ 贈与，交換，代物弁済等により取得した場合……その資産の時価とその資産を消費し，または販売するために直接要した費用の額との合計額

　棚卸資産の取得価額には，いわゆる本体の価額だけでなく，付随費用が含まれることに留意する。

　なお，上記②において法人が算定した製造原価等の額が②の金額と異なる場合であっても，その算定した製造原価等の額が適正な原価計算にもとづき算定されているときは，その算定した製造原価等の額がそのまま取得価額として認められる（法令32②）。法人の行う適正な原価計算が尊重されるのである。

4．棚卸資産の評価方法

(1) 総　　説

　売上原価等を算定するために棚卸資産の範囲とその取得価額が確定したら，いよいよ期末棚卸資産の価額をいかなる方法によって評価するかである。商品や製品の一事業年度中の取得価額はひとつではなく，その時々によって異なる。それでも期末に有する棚卸資産の取得価額を一つひとつ調べて，その取得価額の合計額を期末評価額とするのが最も確実で正確である。しかしそれは，多品種を大量に取扱う今日の企業にとってはほとんど不可能に近い。

　そこで商品の流れや価格変動，事務手数などを考慮に入れて擬制した，一定の方法にもとづき期末棚卸資産の取得価額を算出し，それを期末評価額とする。その擬制された一定の方法が，まさに評価方法ということになる。

　棚卸資産の評価方法には，大別して原価法と低価法とがあり，原価法はさらに六つの方法に区分される（法令28）。もっとも所轄税務署長の承認を受けて，これらの方法以外の特別な評価方法を選定してもよい（法令28の2，法規9）。

(2) 原　価　法

　原価法は，期末棚卸資産につき次の六つの方法のうちいずれかの方法によってその取得価額を算出し，その算出した価額をもって期末棚卸資産の評価額と

する方法である（法令28①一）。

① **個別法**……期末棚卸資産の全部について，その個々の取得価額をもって期末棚卸資産の取得価額とする方法

　宝石商の貴金属や中古車販売業の中古自動車のように，代替性がなく個々の商品ごとに管理可能な棚卸資産に適用される（基通5－2－1）。したがって，個別法は一回の取引で大量に取得され，かつ，規格に応じて価額が定められている棚卸資産には選定できない（法令28②）。代替性のある棚卸資産に個別法を適用すると利益操作が可能になるからである。

② **先入先出法**……期末棚卸資産は期末に最も近い時に取得したものから順次成るものとみなし，そのみなされた取得価額を期末棚卸資産の取得価額とする方法

　商品は先に仕入れたものから売れていき，期末に残っているのは最近仕入れたものであるという仮定にもとづいている。あくまでも仮定であるから実際の商品の流れには関係ない。

③ **総平均法**……期首棚卸資産の取得価額の総額と期中に取得した棚卸資産の取得価額の総額との合計額をそれらの総数量で除した価額を期末棚卸資産の1単位当たりの取得価額とする方法

　比較的簡便な方法であることに意義がある。

　なお，総平均法は事業年度を期間として計算するのが原則であるが，月別総平均法および6月ごと総平均法も認められる（基通5－2－3，5－2－3の2）。

④ **移動平均法**……棚卸資産を取得するつどその時における在庫資産と取得資産の全体について総平均による単価を算出するとともに，期中の払出しはその払出し直前に算出された平均単価によって行われたものとし，このようにして期末に最も近い時に改定された平均単価をもって期末棚卸資産の1単位当たりの取得価額とする方法

　棚卸資産の取得，払出しのつど原価が確定できる評価方法である。

　なお，移動平均法はそのつど計算するのが原則であるが，月別移動平均

法も認められる（基通5－2－3）。ただし，6月ごと移動平均法は，結果的に6月ごと総平均法と同じ結果になるので，移動平均法に該当しない（基通5－2－3の2（注））。

⑤ **最終仕入原価法**……その事業年度の最後に取得したものの単価を期末棚卸資産の1単位当たりの取得価額とする方法

最も簡便な方法であるから，法人税における棚卸資産の法定評価方法とされている（法法29①，法令31①）。

⑥ **売価還元法**……期末棚卸資産の通常の販売価額の総額に原価率を乗じて計算した金額を取得価額とする方法

デパート，スーパーマーケットなど多品種，大量の商品を取扱う業種に適する評価方法である。

なお，売価還元法は事業年度を期間として計算するのが原則であるが，6月ごと売価還元法も認められる（基通5－2－3の2）。

(3) 低 価 法

低価法は，期末棚卸資産につき上記(2)の原価法のうちいずれかの方法により評価した価額と期末時価とのいずれか低いほうの価額をその評価額とする方法をいう（法令28①二，基通5－2－11）。この方法によれば，棚卸資産の期末時価が低下していればいわば評価損が計上される。

この低価法には，理論的に切放し方式と洗替え方式とがある。しかし税法上は当期に計上された評価損を翌期にはその棚卸資産の原価に振り戻す，洗替え方式のみが認められている（法令28①）。

(4) 評価方法の選定・変更等

棚卸資産の評価方法は，法人の営む事業の種類ごとに，かつ，①商品または製品，②半製品，③仕掛品，④主要原材料，⑤補助原材料その他の棚卸資産の区分ごとに選定しなければならない。そして選定した評価方法は，所定の期限までに所轄税務署長に届け出る（法令29）。その届出をしなかった場合には，最

終仕入原価法による原価法により評価する（法法29①，法令31①）。

このようにして選定した評価方法は，継続して適用しなければならない。しかし合理的な理由がある場合には，所轄税務署長の承認を受けて変更することができる（法令30，法規9の2，基通5－2－13）。

(計算例)

当期中における甲商品の購入，払出の状況は，次のとおりである。

月 日	購　　　　入			払　出	残　高
	数　量	単　価	金　額	数　量	数　量
前期繰越	400個	200円	80,000円	個	400個
4.15	400	210	84,000		800
5.25				600	200
6.15	800	220	176,000		1,000
7.17				840	160
9.16	600	230	138,000		760
10.15				360	400
11.23	200	240	48,000		600
12.15				200	400
1.20	800	230	184,000		1,200
2.10				1,000	200
3.15	400	250	100,000		600
合　計	3,600個		810,000円	3,000個	600個

(計　算)

1　先入先出法による評価額

　3月15日　購入分　　　　400個（単価250円）100,000円
　1月20日　購入分のうち　200個（単価230円） 46,000円
　　　　期末評価額　　　600個　　　　　　　146,000円

2　総平均法による評価額

　$\dfrac{810,000円}{3,600個}=225円$　　600個×単価225円＝135,000円

3　移動平均法による評価額

月　日	購入			払出			残高		
	数量	単価	金額	数量	単価	金額	数量	単価	金額
	個	円	円	個	円	円	個	円	円
前期繰越	400	200	80,000				400	200	80,000
4.15	400	210	84,000				800	205	164,000
5.25				600	205	123,000	200	205	41,000
6.15	800	220	176,000				1,000	217	217,000
7.17				840	217	182,280	160	217	34,720
9.16	600	230	138,000				760	227.2	172,720
10.15				360	227.2	81,792	400	227.2	90,928
11.23	200	240	48,000				600	231.5	138,928
12.15				200	231.5	46,300	400	231.5	92,628
1.20	800	230	184,000				1,200	230.5	276,628
2.10				1,000	230.5	230,500	200	230.5	46,128
3.15	400	250	100,000				600	243.5	146,128

4　最終仕入原価法による評価額

　　3月15日　購入単価250円×600個＝150,000円

　減価償却資産の償却費

1．概要と趣旨

　法人税の課税所得の計算上，減価償却資産の償却費の額については，法人が償却費として損金経理をした金額のうち償却限度額までの金額は損金の額に算入される（法法22③，31）。減価償却資産の償却費は，建物や機械装置，車両運搬具などの，事業の用に供されたことや時が経過したことによる価値の減少額である。その価値の減少額は収益を獲得するために要した費用であるから，損金の額に算入される。

しかし，これら資産の各事業年度における価値の減少額を物量的・絶対的に把握することは不可能に近い。そこでその価値の減少額を，減価償却資産の取得価額を基礎に，その耐用期間にわたり一定の償却方法により見積り費用化していく。これを減価償却といい，減価償却資産の取得価額を各事業年度の使用状況に応じて費用として配分する手続きである。

減価償却は人為的に償却費という費用を見積もるものであるから，法人の恣意が介入することは避けられない。そこで法人税法では，まず減価償却資産の範囲を確定したうえ，減価償却に必要な要素である取得価額，耐用年数および残存価額（平成19.3.31以前に取得をした資産）を詳細に定めている。そしてこれらの要素を基礎に，法人が選定した償却方法を適用して償却費の額を計算する。

2．減価償却資産の範囲

(1) 固定資産の意義

法人税法上，固定資産とは棚卸資産，有価証券，暗号資産および繰延資産以外の資産のうち，次のものをいう（法法2二十二，法令12）。

① 土地（土地の上に存する権利を含む），② 減価償却資産，③ 電話加入権，④ ①から③までの資産に準ずるもの

固定資産の範囲から棚卸資産は除かれているから，固定資産は売却することを予定しないものという機能的な概念のものである。

(2) 減価償却資産の意義

固定資産のうち減価償却が認められる資産が減価償却資産である。その減価償却資産とは，法人税法上，棚卸資産，有価証券および繰延資産以外の資産のうち次のものをいう。ただし，事業の用に供していないものおよび時の経過により価値が減少しないものを除く（法法2二十三，法令13）。

① 有形固定資産

イ　建物及びその附属設備（暖冷房設備，照明設備，通風設備，昇降機等），ロ

構築物（ドック，橋，岸壁，さん橋，軌道，貯水池，坑道，煙突等），ハ　機械及び装置，ニ　船舶，ホ　航空機，ヘ　車両及び運搬具，ト　工具，器具及び備品（観賞用，興行用等の生物を含む）

② **無形固定資産**

イ　鉱業権（租鉱権，採石権，採取権を含む），ロ　漁業権（入漁権を含む），ハ　ダム使用権，ニ　水利権，ホ　特許権，ヘ　実用新案権，ト　意匠権，チ　商標権，リ　ソフトウエア，ヌ　育成者権，ル　公共施設等運営権，ヲ　樹木採取権，ワ　漁港水面施設運営権，カ　営業権，ヨ　専用側線利用権，タ　鉄道軌道連絡通行施設利用権，レ　電気ガス供給施設利用権，ソ　水道施設利用権，ツ　工業用水道施設利用権，ネ　電気通信施設利用権（電話加入権を除く）

③ **生　　物**

イ　牛，馬，豚，綿羊およびやぎ

ロ　かんきつ樹，りんご樹，ぶどう樹，梨樹，桃樹，桜桃樹，びわ樹，くり樹，梅樹，柿樹，あんず樹，すもも樹，いちじく樹，キウイフルーツ樹，ブルーベリー樹およびパイナップル

ハ　茶樹，オリーブ樹，つばき樹，桑樹，こりやなぎ，みつまた，こうぞ，もう宗竹，アスパラガス，ラミー，まおらんおよびホップ

ここに掲げられていない資産，たとえば土地，電話加入権，著作権は減価償却資産に含まれない。

(3)　非減価償却資産の意義

上記(2)に掲げた資産のうち，①事業の用に供していないものおよび②時の経過により価値の減少しないものは，減価償却資産に含まれない（法令13）。これを非減価償却資産（または非償却資産）という。これには次のようなものがある。

① **事業の用に供していない資産**

たとえば稼働を休止している資産，建設中の資産，貯蔵中の資産などであり，減価償却は認められない（基通7－1－3，7－1－4）。減価償却は減価償却資

産の取得価額を各事業年度に費用として配分する手続きであるから，事業の用に供されず収益獲得に寄与していない資産に償却を認める必要はないということである。

② 時の経過により価値の減少しない資産

たとえば土地，借地権，地役権，電話加入権，著作権，古美術品等，貴金属の素材価額が大部分を占めるガラス繊維製造用の白金製溶解炉，光学ガラス製造用の白金製るつぼなどである（基通7－1－1，7－1－2）。これら資産は時の経過により価値が減少しないから，減価償却はできない。

もっとも，土地，借地権，地役権，電話加入権および著作権は，法人税法上，そもそも減価償却資産として規定されていないから償却は認められない。

3．減価償却資産の取得価額

(1) 原　　則

減価償却は，減価償却資産の取得価額を各事業年度に費用として配分する手続きである。そのため減価償却資産の範囲が確定したら，つぎにその取得価額を算定しなければならない。

そこで減価償却資産の取得価額は，その取得の態様に応じてそれぞれ次の金額とする（法令54①）。

① 購入した場合……その資産の購入の代価（引取運賃，荷役費，運送保険料，購入手数料，関税などの費用を加算した金額）とその資産を事業の用に供するために直接要した費用の額との合計額

② 自己が建設，製作または製造した場合……その資産の建設等のために要した原材料費，労務費および経費の額とその資産を事業の用に供するために直接要した費用の額との合計額

③ 自己が成育させた牛馬等の場合……子牛，子馬等の購入の代価（または種付費および出産費の額）および成育のために要した原材料費，労務費，経費の額とその牛馬等を事業の用に供するために直接要した費用の額との合

計額
- ④ 自己が成熟させた果樹等の場合……若木等の購入の代価（または種苗費の額）および成熟のために要した肥料費，労務費，経費の額とその果樹等を事業の用に供するために直接要した費用の額との合計額
- ⑤ 適格合併，適格分割，適格現物出資または適格現物分配により移転を受けた場合……次の区分に応じそれぞれ次の金額
  - イ 適格合併または適格現物分配（残余財産の全部分配）の場合……被合併法人または現物分配法人がその資産の償却限度額の計算の基礎とすべき取得価額と合併法人または被現物分配法人が事業の用に供するために直接要した費用の額との合計額
  - ロ 適格分割，適格現物出資または適格現物分配（残余財産の一部分配）の場合……分割法人，現物出資法人または現物分配法人が，その適格分割等の日の前日を事業年度終了の日とした場合にその資産の償却限度額の計算の基礎とすべき取得価額と分割承継法人，被現物出資法人または被現物分配法人が事業の用に供するために直接要した費用の額との合計額
- ⑥ 贈与，交換，代物弁済等により取得をした場合……その資産の時価とその資産を事業の用に供するために直接要した費用の額との合計額

減価償却資産の取得価額には，いわゆる本体の価額だけでなく，付随費用が含まれることに留意する。

(2) 特　例

① 建設等をした場合

上記(1)②の場合において，法人が算定した建設原価等の額が(1)②の金額と異なっていても，その算定した建設原価等の額が適正な原価計算にもとづき算定されているときは，その算定した建設原価等の額が取得価額とみなされる（法令54②）。法人が行った適正な原価計算が尊重され，原価差額の調整を要しない。

② 圧縮記帳をした場合

法人が取得した減価償却資産につき法人税法または租税特別措置法による圧

縮記帳を行った場合には，その減価償却資産の取得価額は，圧縮記帳後の金額とする（法令54③，措法64⑧，65の7⑧等）。

たとえば1,000で購入した建物につき圧縮記帳の適用を受け，圧縮損として800を損金算入した場合には，この建物の税務上の取得価額は200になる。

③ 資本的支出をした場合

法人が有する減価償却資産に対して支出する金額のうちに資本的支出の金額（法令132）がある場合には，その資本的支出の金額を取得価額として，その有する減価償却資産と種類および耐用年数を同じくする減価償却資産を新たに取得したものとする（法令55①）。

ただし，法人が有する減価償却資産の償却方法として旧定額法や旧定率法を採用しているときは，その資本的支出の金額を支出の対象となった減価償却資産の取得価額に加算することができる（法令55②）。また，法人が有する減価償却資産（平成24年3月31日以前に取得をされた資産を除く）につき，定率法を採用しているときは，資本的支出の帳簿価額とその減価償却資産の帳簿価額との合計額を取得価額として，あるいは資本的支出だけをまとめて，その帳簿価額の合計額を取得価額として，一の減価償却資産の取得としてもよい（法令55④⑤）。

(3) 資本的支出と修繕費

① 総　　説

法人が減価償却資産に対して支出する費用には，改造費，増設費，取替費，補修費，維持費など各種のものがある。そのうち資本的支出に該当するものは，損金の額に算入されず（法令132），新たな減価償却資産の取得とし，またはその減価償却資産の取得価額に加算しなければならない（法令55）。

これに対して資本的支出に該当しないもの，つまり修繕費は取得価額に加算することなく，支出時の損金としてよい。そのため資本的支出と修繕費の区分が重要である。

② 資本的支出の意義

資本的支出とは，修理，改良等その名義のいかんを問わず，固定資産につい

て支出する金額のうち次に掲げる金額をいう。この場合，次のイおよびロの双方に該当するときは，そのいずれか多いほうの金額が資本的支出となる（法令132）。

　イ　固定資産の取得時において通常の管理または修理をするものとした場合に予測される使用可能期間を延長させる部分に対応する金額

　ロ　固定資産の取得時において通常の管理または修理をするものとした場合に予測されるその支出時の価額を増加させる部分に対応する金額

要するに資本的支出は，固定資産の耐久性を増し，または価値を高めるために支出する費用である。具体的には，たとえば次のような費用が該当する（基通7－8－1）。

　イ　建物の避難階段の取付け等物理的に付加した費用

　ロ　用途変更のための模様替え等改造または改装に直接要した費用

　ハ　機械の部分品を特に品質または性能の高いものに取り替えた場合の通常の取替えに要する費用を超える部分の費用

③　修繕費の意義

修繕費とは，固定資産の修理，改良等のために支出した金額のうち，固定資産の通常の維持管理のため，または災害等により毀損した部分の原状回復のための費用をいう。修繕費に該当するかどうかは，「通常の維持管理」と「原状回復」がポイントである。たとえば次のような費用は，原則として修繕費に該当する（基通7－8－2）。

　イ　建物の移えい（曳）または解体移築のための費用

　ロ　機械装置の移設および解体の費用

　ハ　地盤沈下した土地を沈下前の状態に戻すための地盛りの費用

　ニ　海水の浸害を受ける建物，機械装置等の床上げ，地上げまたは移設のための費用

④　資本的支出と修繕費の区分の特例

資本的支出と修繕費との区分は，理論として観念的には理解できる。しかし固定資産に対する費用は内容も支出の態様もさまざまであるから，具体的に両

第4章　損金の額の計算

者の区分を行うことは著しく困難である。そこで資本的支出と修繕費との区分については，実務的には形式基準を取り入れ，相当の割切りを図っている。たとえば次のような取扱いが認められている（基通7－8－3～7－8－5）。

　イ　一の修理，改良に要した費用の額が20万円未満であるときは，修繕費とする。

　ロ　その修理，改良がおおむね3年以内の期間を周期として行われるときは，修繕費とする。

　ハ　一の修理，改良に要した費用のうちにその区分が明らかでない金額がある場合において，(イ)その金額が60万円未満であるときまたは(ロ)その金額が固定資産の前期末の取得価額のおおむね10％相当額以下であるときは，修繕費とする。

　ニ　一の修理，改良に要した費用のうちにその区分が明らかでない金額がある場合には，その金額の30％相当額と固定資産の前期末の取得価額の10％相当額とのいずれか少ない金額を修繕費とし，残額を資本的支出とする。

4．耐用年数

(1) 法定耐用年数

　減価償却は，減価償却資産の取得価額を費用としてそれぞれの期間に配分する手続きである。その場合，どれほどの期間にわたって費用配分するのか，その期間が耐用年数である。したがって耐用年数は，基本的にはその減価償却資産の使用可能期間ということになる。

　法人税の耐用年数は，「減価償却資産の耐用年数等に関する省令」によって詳細に定められている（法令56）。実務上，耐用年数の算定は難しく，その算定に法人の恣意が入る余地があるから，課税の公平を図るためである。具体的には減価償却資産の「種類」「構造又は用途」「細目」の区分に応じ，次の6種類が法定されている。これを法定耐用年数という。

　別表第一　機械及び装置以外の有形減価償却資産の耐用年数

別表第二　機械及び装置の耐用年数
別表第三　無形減価償却資産の耐用年数
別表第四　生物の耐用年数
別表第五　公害防止用減価償却資産の耐用年数
別表第六　開発研究用減価償却資産の耐用年数

　これら法定耐用年数は，通常の維持補修を加える場合において，その減価償却資産の本来の用途，用法により通常予定される効果をあげることができる年数，つまり効用維持年数である。その算定にあたっては，現に生じている陳腐化，不適応化を織り込んでいる。ただし，別表第五と別表第六の耐用年数は，公害防止，開発研究の促進等の政策的なものである。

(2) 耐用年数の短縮

　法定耐用年数は，標準的な材質，仕様等の資産やモデルプラントを想定して定められている。法人の有する減価償却資産がこれと異なるため実際の使用可能期間が短いとすれば，法定耐用年数で償却するのは不合理である。そこで法人の有する減価償却資産が次に掲げるような事由に該当し，その使用可能期間が法定耐用年数に比べて著しく短い場合には，所轄国税局長の承認を受けてその承認を受けた未経過使用可能期間（その減価償却資産の使用可能期間のうちいまだ経過していない期間）を耐用年数とみなし，その承認後は未経過使用可能期間で償却を行うことができる（法令57，法規16～18）。

① その資産の材質または製作方法が同種の資産の通常の材質または製作方法と著しく異なること。
② その資産の所在する地盤が隆起し，または沈下したこと。
③ その資産が陳腐化したこと。
④ その資産が使用場所の状況に基因して著しく腐しょくしたこと。
⑤ その資産が通常の修理または手入れをしなかったことに基因して著しく損耗したこと。
⑥ 旧耐用年数省令に定める一の耐用年数を用いて償却すべき資産の構成が

第4章　損金の額の計算

同種の資産の通常の構成と著しく異なること。など

(3) 中古資産の耐用年数の見積り

法定耐用年数は新品の資産を前提に定められている。そうすると法人の有する資産が中古資産である場合には，その使用可能期間は法定耐用年数より短いのが普通である。そこで法人が中古の減価償却資産を取得した場合には，法定耐用年数によらず，法人みずから事業の用に供した時以後の使用可能期間を見積もり，その見積もった使用可能期間の年数（残存耐用年数）により償却することができる（耐令3①）。

その場合，中古資産（無形減価償却資産および生物を除く）の残存耐用年数の見積りが困難であるときは，次の算式によって計算した年数をその残存耐用年数としてよい（耐令3①二）。

① 法定耐用年数の全部を経過した資産

> 法定耐用年数×20％

② 法定耐用年数の一部を経過した資産

> （法定耐用年数－経過年数）＋経過年数×20％

5．残存価額と償却可能限度額

(1) 残存価額

減価償却資産は耐用年数の全部が経過しても，なおスクラップとしての売却や利用が見込まれる。その耐用年数到来時において予想される売却価格または利用価格が残存価額である。その点で残存価額は，減価償却資産の取得価額のうち償却ができない部分の金額としての意義を有する。

平成19年3月31日以前に取得をされた減価償却資産にあっては，この残存価額を加味した償却を行わなければならない。

残存価額は耐用年数と同じく,適正に見積もることは困難であるから,画一的に法定している(法令56)。その法定された残存価額は次のとおりである(耐令別表第十一)。

① 有形減価償却資産(坑道および生物を除く)……取得価額の10％相当額
② 無形減価償却資産および坑道……零
③ 生物……その「細目」に応じ取得価額の5％から50％まで相当額(牛馬は最高10万円)

なお,平成19年4月1日以後に取得をされた減価償却資産については,帳簿価額が1円になるまで償却できるから,残存価額はない(法令56)。

(2) 償却可能限度額

① 原　　則

平成19年3月31日以前に取得をされた有形減価償却資産(坑道および生物を除く)については,帳簿価額が残存価額に達した後においても,その取得価額の95％相当額まで,法人が採用している償却方法により償却することができる。坑道および無形減価償却資産はその取得価額相当額,生物は取得価額から残存価額を控除した金額まで償却してよい(法令61①一)。これらを償却可能限度額という。

さらに,平成19年3月31日以前に取得をされた有形減価償却資産(坑道を除く)で償却額の累積額が償却可能限度額(取得価額の95％相当額)まで達したものについては,その達した後5年間で帳簿価額が1円になるまで均等償却をすることができる(法令61②)。

なお,平成19年4月1日以後に取得をされた有形減価償却資産(坑道を除く)については,その取得価額から1円を控除した金額まで償却することができる。坑道および無形減価償却資産は,その取得価額まで償却してよい(法令61①二)。

② 特　　例

平成19年3月31日以前に取得をされた有形減価償却資産の償却可能限度額は,その取得価額の95％相当額である(法令61①一)。ただし,次に掲げる建物,構

築物および装置については，所轄税務署長から認定を受けた残存使用可能期間を基礎に，その帳簿価額が1円になるまで償却することができる（法令61の2①，法規21）。

 イ 鉄骨鉄筋コンクリート造，鉄筋コンクリート造，れんが造，石造またはブロック造の建物
 ロ 鉄骨鉄筋コンクリート造，鉄筋コンクリート造，コンクリート造，れんが造，石造または土造の構築物または装置

これらの資産はスクラップ価額よりも取壊費用のほうが多くかかるから，備忘価額の1円だけ残して償却してよいとされている。

6．償却の方法

(1) 基本的な償却方法

　減価償却の要素である取得価額，耐用年数および残存価額が明らかになったら，つぎにどのような償却の方法によって償却費を計算するかである。その償却の方法について，平成19年3月31日以前に取得をされた減価償却資産と平成19年4月1日以後に取得をされた減価償却資産との別に，それぞれ償却の方法が定められている。すなわち，平成19年3月31日以前に取得をされた減価償却資産にあっては，①旧定額法，②旧定率法，③旧生産高比例法および④旧国外リース期間定額法，平成19年4月1日以後に取得をされた減価償却資産にあっては，①定額法，②定率法，③生産高比例法および④リース期間定額法である。
　このように，減価償却資産の取得の時期によって，法人が採用できる償却の方法が異なっているのは，平成19年の税制改正により残存価額の制度が廃止されたこと，償却率が見直されたことなどによるものである。

(2) 平成19年3月31日以前取得減価償却資産
 ① 旧 定 額 法
　償却費が毎年同一となるように，次の算式により計算した金額を各事業年度

の償却限度額として償却する方法である（法令48①一イ(1)）。

$$(取得価額 - 残存価額) \times 償却率$$

ここで償却率は「1／耐用年数」により計算されるが，税務上は耐用年数に応じた償却率をあらかじめ計算し法定している（耐令別表第七）。

② 旧定率法

償却費が毎年一定の割合で逓減するように，次の算式により計算した金額を各事業年度の償却限度額として償却する方法である（法令48①一イ(2)）。

$$取得価額（第2回目以後は期首帳簿価額） \times 償却率$$

ここで償却率は理論的には「$1 - \sqrt[n]{\dfrac{S}{C}}$」により計算するが，税法上は耐用年数に応じた償却率を計算し法定している（耐令別表第七）。

③ 旧生産高比例法

次の算式により計算した金額を各事業年度の償却限度額として償却する方法である（法令48①三ハ）。

$$(取得価額 - 残存価額) \times \dfrac{その事業年度の採掘数量}{耐用年数または採掘予定年数の期間内における採掘予定数量}$$

④ 旧国外リース期間定額法

平成19年税制改正前のリース取引にかかる国外リース資産について，次の算式により計算した金額を各事業年度の償却限度額として償却する方法である（法令48①六）。

$$(取得価額 - 見積残存価額) \times \dfrac{その事業年度の賃貸借期間の月数}{国外リース資産の賃貸借期間の月数}$$

ここで国外リース資産とは，リース取引の目的とされている減価償却資産で非居住者または外国法人に賃貸され，これらの者の国外で行う事業の用に供さ

れるものをいう。

(3) 平成19年4月1日以後取得減価償却資産
① 定 額 法
次の算式により計算した金額を各事業年度の償却限度額として償却する方法である（法令48の2①一イ(1)）。

> 取得価額×償却率

旧定額法と異なり，残存価額を考慮する必要はない。償却率は法定されている（耐令別表第八）。

② 定 率 法
次の算式により計算した金額を各事業年度の償却限度額として償却する方法である（法令48の2①一イ(2)）。

> 取得価額（第2回目以後は期首帳簿価額）×償却率

この算式の「償却率」は，次に掲げる減価償却資産の区分に応じ，それぞれ次の割合とする。
　イ　平成24年3月31日以前に取得をされた減価償却資産……定額法の償却率に2.5を乗じた割合（250％定率法）
　ロ　平成24年4月1日以後に取得をされた減価償却資産……定額法の償却率に2を乗じた割合（200％定率法）

ただし，この算式により計算した金額（調整前償却額）が償却保証額に満たない場合には，次の算式により計算した金額を償却限度額とする。調整前償却額が償却保証額に満たなくなった後は，定額法的に償却を行っていくことになる。

> 改定取得価額×改定償却率

ここで償却保証額とは，減価償却資産の取得価額に耐用年数に応じた保証率を乗じて計算した金額をいう（法令48の2⑤一）。その保証率は法定されている

(耐令別表第九,第十)。

また改定取得価額とは,次の場合に応じそれぞれ次の金額をいう(法令48の2⑤二)。

イ　調整前償却額が始めて償却保証額に満たない場合……その事業年度首における帳簿価額

ロ　連続する2以上の事業年度において調整前償却額がいずれも償却保証額に満たない場合……最も古い事業年度首における帳簿価額

なお,償却率および改定償却率は,法定されている（耐令別表第九,第十）。

③　生産高比例法

次の算式により計算した金額を各事業年度の償却限度額として償却する方法である（法令48の2①三イ(2)）。

旧生産高比例法と異なり,残存価額を考慮する必要はない。

$$取得価額 \times \frac{その事業年度の採掘数量}{耐用年数または採掘予定年数の期間内における採掘予定数量}$$

④　リース期間定額法

リース資産について,次の算式により計算した金額を各事業年度の償却限度額として償却する方法である（法令48の2①六）。

$$(取得価額 - 残価保証額) \times \frac{その事業年度のリース期間の月数}{リース資産のリース期間の月数}$$

ここでリース資産とは,所有権移転外リース取引により取得したものとされる減価償却資産をいう（法令48の2⑤四）。また,所有権移転外リース取引とは,リース物件がリース期間終了時に無償または名目的な対価で譲渡されるリース取引など,その所有権が実質的に賃借人に移転したと認められるリース取引以外のリース取引をいう（法令48の2⑤五）。

さらに残価保証額とは,リース期間終了時の処分価額が契約で定められた保証額に満たない場合には,その差額を賃借人が賃貸人に支払うこととしている

ときのその保証額をいう（法令48の2⑤六）。

(4) 償却方法の選定区分

償却方法は，基本的には法人の業種や業態，資産の種類に適合するものを自由に選定すればよい。しかし法人税では，減価償却資産の種類ごとに選定できる償却方法が定められている。償却方法は発生した償却費を計算するためのひとつの擬制にすぎないから，法人のまったく自由な選択を認めるのは適当でないことによるものであろう。

減価償却資産の種類ごとに選定できる償却方法は，次の表のとおりである（法令48①，48の2①）。

資産の区分	平成19.3.31以前取得	平成19.4.1以後取得
① 建物 　イ　平成10.3.31以前取得 　ロ　イ以外のもの	旧定額法または旧定率法 旧定額法	定額法
② 建物以外の有形減価償却資産（鉱業用減価償却資産，生物，国外リース資産およびリース資産を除く）	旧定額法または旧定率法	定額法または定率法
③ 鉱業用減価償却資産（鉱業権および国外リース資産およびリース資産を除く）	旧定額法，旧定率法または旧生産高比例法	定額法，定率法または生産高比例法
④ 無形減価償却資産（鉱業権およびリース資産を除く）および生物	旧定額法	定額法
⑤ 鉱業権	旧定額法または旧生産高比例法	定額法または生産高比例法
⑥ 国外リース資産またはリース資産	旧国外リース期間定額法	リース期間定額法

(注) 1　「定率法」は，平成24.3.31以前取得資産は250％定率法，同日後取得資産は200％定率法を適用
　　 2　平成28.4.1以後取得の建物附属設備および構築物は，定額法を適用
　　 3　平成28.4.1以後取得の鉱業用減価償却資産（建物，建物附属設備および構築物）は，定額法または生産高比例法を適用

(5) 特別な償却方法

法人税で選定ができる定型的な償却方法として認められているのは，旧定額法（定額法），旧定率法（定率法）および旧生産高比例法（生産高比例法）である。

しかし減価償却資産の特性や使用状況などによっては，これら以外の方法で償却したほうが合理的な場合があろう。

そこで法人が有する減価償却資産（建物，建物附属設備，構築物，国外リース資産およびリース資産を除く）について，これらの償却の方法以外の特別な方法により償却することにつき所轄税務署長の承認を受けた場合には，その承認を受けた特別な償却方法を選定することができる（法令48の4，法規9の3，基通7－2－2，7－2－3）。

この特別な償却方法として承認を受ければ，企業会計上の級数法，償却基金法や年金法などについても採用の余地がある。特別な償却方法の具体例として，船舶についての運航距離比例法がある（昭和51.11.5直法2－40通達）。

(6) 取替法

鉄道会社や電力会社は，軌条，まくら木，信号機，木柱，がい子，送電線などを多量に保有し，ひんぱんに取替え更新を行っている。これら多量に同一目的のために使用される減価償却資産で，毎事業年度使用できなくなったものがほぼ同数量ずつ取り替えられるものを取替資産という（法令49③，法規10）。

これら取替資産は，毎事業年度ほぼ同数量が取り替えられるので，いちいち旧定額法（定額法）や旧定率法（定率法）により償却を行うのは事務の手数を要する。そこで法人が有する取替資産については，旧定額法（定額法）または旧定率法（定率法）に代えて，所轄税務署長の承認を受けて取替法により償却することができる（法令49，法規11）。

ここで取替法とは，取替資産につきその帳簿価額が取得価額の50％相当額に達するまでは旧定額法（定額法）または旧定率法（定率法）により償却し，その後は帳簿価額を据え置いておき，その取替資産を新品と取り替えたときに，その新品の取得価額を損金の額に算入する方法をいう（法令49②）。

(7) 旧リース期間定額法

平成19年の税制改正により，国外リース資産とリース資産については，その

リース期間を基礎に償却ができる旧国外リース期間定額法とリース期間定額法が定められた（法令48①六，48の2①六）。そこで，これらとの権衡を図るため，リース賃貸資産（平成19年税制改正前のリース取引の目的とされている減価償却資産で国外リース資産以外のもの）については，所轄税務署長に届出ることにより，旧リース期間定額法（リース賃貸資産の未償却残額を残存リース期間で均等償却する方法）を選定することができる（法令49の2，法規11の2）。

(8) 特別な償却率による償却方法

法人が有する漁網，活字用地金，なっ染用銅ロール，映画用フィルム，非鉄金属圧延用ロールおよび金型は，他の資産と異なり，使用回数に応じて物理的ないし経済的な減耗が生じる。通常の償却率により償却するのは実態にあわないことが考えられる。そこでこれらの資産については，所轄国税局長から減耗率の認定を受けて，その減耗率にもとづき償却することができる（法令50，法規12，13，耐通4－1－1～4－3－4）。

(9) 償却方法の選定・変更等

前述のとおり建物以外の有形減価償却資産，鉱業用減価償却資産および鉱業権については，法人が旧定額法（定額法），旧定率法（定率法）または旧生産高比例法（生産高比例法）のうちから選定することができる。その選定は，耐用年数省令別表に定める種類ごとに行う（法規14）。また2以上の事業所または船舶を有する法人は，事業所または船舶ごとに異なる方法を選定してもよい。

そして選定した償却方法は，所定の期限までに所轄税務署長に届け出なければならない（法令51）。その届出をしなかった場合には，鉱業用減価償却資産以外の減価償却資産は旧定率法（定率法），鉱業用減価償却資産は旧生産高比例法（生産高比例法）によって償却額の計算を行う（法令53）。これを法定償却方法という。

このようにして選定した償却方法は，継続して適用しなければならない。しかし合理的な理由がある場合には，所轄税務署長の承認を受けて変更すること

ができる（法令52，法規15，基通7-2-4）。

7．償却限度額の計算

(1) 償却限度額の計算単位

　法人税の課税所得の計算上，損金の額に算入される償却費の額は，法人が償却費として損金経理した金額のうち法人が選定した償却方法にもとづき計算した償却限度額に達するまでの金額である（法法31）。償却限度額は償却費として損金算入ができる最高限度額であるから，その償却限度額をどのような単位でもって計算するかによって，損金算入できる償却費の額が異なってくる。

　そこで償却限度額は，まず減価償却資産の「種類」「構造又は用途」「細目」「設備の種類」の区分ごと，事業所または船舶ごとに償却方法を選定している場合には，その事業所または船舶ごと，さらに耐用年数または償却方法の異なるごとに，その償却方法により計算した金額である（法令58，法規19）。

　法人が損金経理した償却費の額が償却限度額を超えるかどうかは，個々の資産ごとに判定するのではない。たとえば「木造店舗」と「木造住宅」とは種類，構造，細目および耐用年数が同じであるから，償却限度額を通算する。これに対して「木造事務所」と「鉄筋コンクリート造事務所」とは構造および耐用年数が異なるので，償却限度額は別個に計算する。

(2) 期中取得資産の償却限度額

　事業年度の中途で事業の用に供した減価償却資産のその事業年度の償却限度額は，次の算式により計算した金額とする（法令59）。事業の用に供した期間だけしか収益の獲得に寄与していないから，その期間に対応する償却費のみ損金の額に算入する趣旨である。

① 旧定額法（定額法），旧定率法（定率法）または取替法を採用している資産

$$\text{これらの方法による償却限度額} \times \frac{\text{事業供用日から事業年度末までの月数}}{\text{その事業年度の月数}}$$

② 旧生産高比例法（生産高比例法）を採用している資産

$$\text{これらの方法による償却限度額} \times \frac{\text{事業供用日から事業年度末までの採掘数量}}{\text{その事業年度の採掘数量}}$$

(3) 増加償却

「機械及び装置」の法定耐用年数は，通常の経済事情のもとにおける平均的な使用時間を想定して定められている。しかし，その平均的な使用時間を超えて使用される機械および装置は，損耗が激しく，それだけ収益の獲得に寄与しているといえよう。

そこで法人の有する機械および装置（旧定額法（定額法）または旧定率法（定率法）を採用しているものに限る）の使用時間が平均的な使用時間を超える場合には，超過で使用することによる損耗の程度に応じた割増しの償却ができる。これを増加償却という。増加償却を適用する場合の償却限度額は，次の算式により計算した金額である（法令60，法規20，20の2）。

$$\text{通常の償却限度額} \times (1 + \text{増加償却割合})$$
$$\text{増加償却割合} = 1 \text{日当たりの超過使用時間} \times 3.5\%$$

(4) 少額減価償却資産の一時償却

法人が事業の用に供した減価償却資産（国外リース資産およびリース資産を除く）で，①取得価額が10万円未満であるものまたは②通常の管理または修理をするとした場合の使用可能期間が1年未満であるものについては，事業の用に供した事業年度においてその取得価額の全額を一時に損金の額に算入することができる（法令133，基通7-1-11，7-1-12）。

少額な減価償却資産については，厳密な償却計算を省略しても課税所得の計算に与える影響は小さい。そこで重要性の原則と法人の事務の簡素化の見地から特例が設けられている。

ただし，その取得価額が10万円未満の減価償却資産であっても，貸付け（主要事業として行われるものを除く）の用に供されるものは，この特例の適用はできない（法令133）。これは，自らが使用しない少額資産を大量に取得し，貸付けの用に供することにより，その取得価額を一時に損金算入して，利益調整を図るような節税スキームを排除する趣旨による。

この場合，「主要事業として行われる貸付け」には，その法人との間に経営支配や株式保有の関係，資産の譲渡等の取引関係がある法人等への貸付け，継続的に経営資源を活用して行う事業としての貸付け，主要事業に付随して行う貸付けが該当する（法規27の17，基通7－1－11の2，7－1－11の3）。これらの貸付けの場合には，この特例の適用が認められる。

また，中小企業者等については，その取得価額が30万円未満の減価償却資産に対する一時償却が認められる（措法67の5，措令39の28）。

この特例にあっても，貸付け（主要事業として行われるものを除く）の用に供されるものは適用除外である（措令39の28②，措規22の18，措通67の5－2の3）。

(5) 一括償却資産の均等償却

法人がその取得価額が20万円未満である減価償却資産を事業の用に供した場合には，その法定耐用年数にかかわらず，3年間で均等額ずつを償却することができる（法令133の2，基通7－1－13）。その取得価額が10万円未満の減価償却資産は，上記少額減価償却資産の一時償却とこの均等償却とを選択して適用すればよい。

これも重要性の原則にもとづく法人の事務の簡素化を考慮したものである。

この特例にあっても，貸付け（主要事業として行われるものを除く）の用に供されるものについては，適用が認められない（法規27の17の2）。

(6) 特別償却

租税特別措置法には，産業対策や中小企業対策などのため，これらの目的達成に必要な減価償却資産を取得した場合には，普通の償却のほか，所定の金額

を特別に償却することができる制度が認められている（措法42の6，42の10～42の11の3，42の12の4，42の12の6，42の12の7，43～53）。これを特別償却というが，原則として青色申告法人でなければ適用できない。

特別償却には狭義の特別償却と割増償却とがある。狭義の特別償却は，減価償却資産を取得し事業の用に供した事業年度に，その取得価額の一定割合相当額を別途償却するものである。これに対して割増償却は，減価償却資産を取得し事業の用に供した事業年度から一定期間内に，普通償却限度額の一定割合相当額を別途償却するものである。現在，特別償却が17種類，割増償却が3種類認められている。

なお，企業会計との調整を図るため，特別償却に代えて特別償却限度額以下の金額を特別償却準備金として積み立てることもできる（措法52の3）。

（注）　震災特例法においても，6種類の特別償却が認められている。

(7) 償却超過額がある資産の償却限度額

法人が損金経理した償却費の額が償却限度額を超える場合の，その超える部分の金額を償却超過額という。この償却超過額は損金経理をした事業年度では損金の額に算入できないが，翌事業年度以後においては償却費として損金経理をした金額に含まれる（法法31④⑤，法令61の3）。その結果，償却超過額の生じた事業年度後の事業年度に償却不足額（損金経理した償却費の額が償却限度額に満たない場合のその満たない部分の金額）が生じた場合には，その償却不足額の範囲内で損金算入が認められる。

なお，償却超過額のある減価償却資産については，その償却超過額相当額だけ帳簿価額の減額はなかったものとみなされる（法令62）。したがって，旧定率法および定率法の計算の基礎となる帳簿価額（未償却残額）は，会計上の帳簿価額に償却超過額を加算した金額となる。

(計算例)

1　当社の当期(令和6.4.1〜令和7.3.31)末における減価償却資産の保有状況,償却費の額などは,次のとおりである。

種　類	取得日	取得価額	期首簿価	当期償却額	耐年
建　　　物	平成 18.7.10	円 85,000,000	円 65,000,000	円 1,530,000	年 50
機械装置A	19.3.25	35,000,000	16,500,000	4,000,000	10
機械装置B	23.4.10	50,000,000	8,000,000	2,672,000	8
機械装置C	令和 6.9.16	25,000,000	−	10,000,000	8
構　築　物	平成 18.9.16	15,000,000	750,000	149,999	14
車両運搬具	24.1.16	3,500,000	2,000,000	700,000	6
備　品　A	令和 4.1.29	4,200,000	1,250,000	600,000	5
備　品　B	4.3.25	5,500,000	3,800,000	1,200,000	5
ソフトウエア	4.1.16	2,300,000	2,200,000	440,000	5

(注)1　「建物」は令和6年10月15日に補修・改修を行い,その費用4,500,000円は修繕費として計上している。ただし,そのうち2,500,000円は資本的支出にすべきものと認められる。

　　2　「機械装置A」には,前期から繰り越されてきた償却超過額800,000円がある。

　　3　「機械装置C」は,中小企業者等の機械等を取得した場合の特別償却の適用があり,その特別償却割合は30%である。

　　4　「車両運搬具」には,前期から繰り越されてきた償却超過額300,000円がある。

　　5　「備品A」および「備品B」は,同一の種類,細目に属している。

2　当社は,減価償却資産の償却方法の届出は行っていない。

3　耐用年数に応ずる償却率等は,次のとおりである。

耐用年数	5年	6年	8年	10年	50年
旧定額法	0.200	0.166	0.125	0.100	0.020
旧定率法	0.369	0.319	0.250	0.206	0.045
定額法	0.200	0.167	0.125	0.100	0.020
定率法	0.500 (0.400)	0.417 (0.333)	0.313 (0.250)	0.250 (0.200)	0.050 (0.040)
改定償却率	1.000 (0.500)	0.500 (0.334)	0.334 (0.334)	0.334 (0.250)	0.053 (0.042)
保証率	0.06249 (0.10800)	0.05776 (0.09911)	0.05111 (0.07909)	0.04448 (0.06552)	0.01072 (0.01440)

(注) かっこ書きは、平成24.4.1以後取得資産に適用

（計　算）

1　建物の償却費

(1)　償却限度額　（85,000,000円－8,500,000円）×0.020＝1,530,000円

(2)　償却過不足額　1,530,000円－1,530,000円＝0

2　建物（資本的支出）の償却費

(1)　償却限度額　$2,500,000円 \times 0.020 \times \frac{6}{12} = 25,000円$

(2)　償却超過額　2,500,000円－25,000円＝2,475,000円

3　機械装置Ａの償却費

(1)　償却限度額　（16,500,000円＋800,000円）×0.206＝3,563,800円

(2)　償却超過額　4,000,000円－3,563,800円＝436,200円

4　機械装置Ｂの償却費

(1)　調整前償却額　8,000,000円×0.313＝2,504,000円

(2)　償却保証額　50,000,000円×0.05111＝2,555,500円＞2,504,000円

(3)　償却限度額　8,000,000円×0.334＝2,672,000円

(4)　償却過不足額　2,672,000円－2,672,000円＝0

5　機械装置Ｃの償却費

(1)　償却限度額

　① 普通償却　$25,000,000円 \times 0.250 \times \frac{7}{12} = 3,645,833円$

② 特別償却　25,000,000円×0.3＝7,500,000円

(2) 償却保証額　25,000,000円×0.07909＝1,977,250円＜6,250,000円
　　　　　　　（25,000,000円×0.250）

(3) 償却不足額　10,000,000円－(3,645,833円＋7,500,000円)
　　　　　　　＝1,145,833円

6　構築物の償却費

(1) 償却限度額　　（750,000円－1円）×$\frac{12}{60}$＝149,999円

(2) 償却過不足額　149,999円－149,999円＝0

7　車両運搬具の償却費

(1) 償却限度額　（2,000,000円＋300,000円）×0.417＝959,100円

(2) 償却保証額　3,500,000円×0.05776＝202,160円＜959,100円

(3) 償却不足額　700,000円－959,100円＝259,100円

8　備品Ａおよび備品Ｂの償却費

(1) 償却限度額
　　① 備　品　Ａ　1,250,000円×0.400＝500,000円
　　② 備　品　Ｂ　3,800,000円×0.400＝1,520,000円

(2) 償却保証額
　　① 備　品　Ａ　4,200,000円×0.10800＝453,600円＜500,000円
　　② 備　品　Ｂ　5,500,000円×0.10800＝594,000円＜1,520,000円

(3) 償却不足額　（600,000円＋1,200,000円）－（500,000円＋1,520,000
　　　　　　　円）＝220,000円

9　ソフトウエアの償却費

(1) 償却限度額　2,300,000円×0.200＝460,000円

(2) 償却不足額　440,000円－460,000円＝20,000円

（説　明）

1　建物（資本的支出）の償却超過額2,475,000円は，当期の損金の額に算入されないので，申告書別表四により所得金額に加算する。

2 機械装置Aの償却超過額436,200円は，当期の損金の額に算入されないので，申告書別表四により所得金額に加算する。

3 機械装置Bについては，調整前償却額が償却保証額に満たなくなっているので，今後は改訂償却率により償却を行っていく。

4 機械装置Cの償却不足額1,145,833円は，特別償却不足額として翌期において償却限度額に加算し，損金の額に算入することができる（措法52の2）。

5 車両運搬具の償却不足額259,100円は，前期から繰り越された償却超過額300,000円があるので，当期の損金の額に算入することができ（法法31④），申告書別表四で所得金額から減算する。

6 備品Aには償却超過額100,000円（600,000円−500,000円）が生じ，備品Bには償却不足額320,000円（1,200,000円−1,520,000円）が生じるが，両者は同一の種類，細目に属し耐用年数も同じであるので，償却限度額を通算し（法令58，法規19），その結果，償却不足額220,000円が生じる。

7 ソフトウエアは定額法で償却し，その償却不足額20,000円は，普通償却の不足額であるから，翌期に繰り越すことはできない。

繰延資産の償却費

1．概要と趣旨

　法人税の課税所得の計算上，繰延資産の償却費の額は，法人が償却費として損金経理をした金額のうち償却限度額に達するまでの金額が損金の額に算入される（法法22③，32）。

　繰延資産はすでに支出された費用ではあるが，その支出の効果が将来に及ぶものである。そのため経過的に資産として計上し，支出の効果が及ぶ期間にわ

たって償却し費用化を図っていく。繰延資産の償却費は，その支出の効果の及ぶ期間が負担すべき費用であるから，その期間の属する事業年度の損金の額に算入される。これは企業会計と同じ考え方といってよい。

そこで法人税では，繰延資産の償却費の計算に必要な繰延資産の範囲，支出の効果の及ぶ期間つまり償却期間および償却の方法を定めている。繰延資産は支出した金額そのものが繰延資産の額となる。また繰延資産は換金性のないいわば費用のかたまりであるから，減価償却資産と異なり，残存価額というものはない。

2．繰延資産の範囲

(1) 概　　要

法人税法上，繰延資産とは，法人が支出する費用のうち支出の効果がその支出の日以後1年以上に及ぶもので，次の(2)および(3)に掲げるものをいう。ただし，資産の取得に要した金額とされるべき費用および前払費用を除く（法法2二十四，法令14）。

資産の取得に要した金額とされるべき費用は，繰延資産以外の棚卸資産や有価証券，減価償却資産などの取得価額になるものであり，繰延資産ではない。

また前払費用は法的に価値のある資産であるから，繰延資産に含まれない。すなわち前払費用とは，法人が一定の契約にもとづき継続的に役務の提供を受けるために支出する費用のうち，その支出事業年度末においてまだ提供を受けていない役務に対応するものをいう（法令14②）。

(2) 企業会計上の繰延資産

会社法や企業会計においては，次の費用は繰延資産として処理される。これらの費用は，法人税でも繰延資産である（法令14①一〜五）。

① 創　立　費

法人の設立発起人に支払う報酬，設立登記のための登録免許税その他法人の

設立のために支出する費用で，法人の負担に帰すべきものをいう（基通8-1-1）。

② 開 業 費

法人の設立後事業開始までの間に開業準備のために特別に支出する費用をいう。

③ 開 発 費

新たな技術もしくは新たな経営組織の採用，資源の開発または市場の開拓のために特別に支出する費用をいう（基通8-1-2）。

④ 株式交付費

株券等の印刷費，資本金の増加の登記についての登録免許税その他自己の株式（出資を含む）の交付のために支出する費用をいう。

⑤ 社債等発行費

社債券等の印刷費その他債券（新株予約権を含む）の発行のために支出する費用をいう。

(3) 法人税固有の繰延資産

法人税では，上記(2)の繰延資産のほか，次に掲げる費用で支出の効果がその支出の日以後1年以上に及ぶものも繰延資産である（法令14①六）。

① 自己が便益を受ける公共的施設または共同的施設の設置または改良のために支出する費用……たとえば自己の必要にもとづいて行う道路，堤防，護岸の設置，改良のための費用や法人が所属する組合の会館の建設負担金である（基通8-1-3，8-1-4）。

② 資産を賃借し，または使用するために支出する権利金，立退料その他の費用……たとえば建物を賃借するための権利金や立退料である（基通8-1-5）。

③ 役務の提供を受けるために支出する権利金その他の費用……たとえばノウハウの提供を受けるための頭金である（基通8-1-6）。

④ 製品等の広告宣伝の用に供する資産を贈与したことによる費用……たと

えば広告宣伝用の看板，ネオンサイン，どん帳，陳列棚を特約店等に贈与したことによる費用である（基通8－1－8）。
⑤ ①から④までの費用のほか，自己が便益を受けるために支出する費用……たとえば出版権の設定の対価や同業者団体への加入金，職業運動選手との契約金である（基通8－1－9～8－1－12）。

これらの費用は，企業会計では無形固定資産や長期前払費用として処理されることがあるが，繰延資産ではない。にもかかわらず法人税で繰延資産とされているのは，課税の適正化を図るため，できるだけ費用の性質や内容に見合った取扱いをしようということである。

3．償却期間

(1) 支出の効果の及ぶ期間の測定

繰延資産はその支出の効果の及ぶ期間にわたって償却を行っていく。その意味で支出の効果の及ぶ期間は償却期間のことである。

その償却期間について，固定資産を利用するために支出した繰延資産はその固定資産の耐用年数，一定の契約をするにあたり支出した繰延資産はその契約期間をそれぞれ基礎として適正に見積もった期間による（基通8－2－1）。減価償却資産と異なり，繰延資産については償却期間が法定されていないので，法人がみずからの判断にもとづき償却期間を測定しなければならない。

なお，前記2．(2)の企業会計上の繰延資産については，後述するように自由償却が認められているから，償却期間を問題にする実益はない。

(2) 具体的な償却期間

上述したように，繰延資産の償却期間は法人みずから測定するのが原則である。しかし支出の効果の及ぶ期間がどのくらいか，その判断は必ずしも容易ではない。そこで法人税基本通達において，法人税固有の繰延資産については具体的な償却期間を定めている（基通8－2－3）。

たとえば次の繰延資産の償却期間は，それぞれ次による。
① 公共的施設または共同的施設の設置または改良のための費用は，その施設の耐用年数の10分の7に相当する年数
② 建物賃借のための権利金やノウハウの設定のための頭金は5年
③ 広告宣伝用資産の贈与による費用は，その資産の耐用年数の10分の7に相当する年数
④ 同業者団体の加入金は5年
⑤ 職業運動選手の契約金はその契約期間

4．償却の方法

(1) 自由償却法

　自由償却法は，繰延資産の額（前期までに損金の額に算入された金額を除く）をそのまま償却限度額とする方法である。自由償却法が償却の方法といえるかどうかは疑義があるが，要するに繰延資産の額のうちいつ，いかなる金額を償却するかは，まったく法人の任意とする方法である。
　この自由償却法は，前記2．(2)の企業会計上の繰延資産のすべてについて適用される（法令64①一）。これらの繰延資産については，会社法や企業会計では繰延資産としての計上を強制せず，計上するかどうかは法人の意思に任せているから，法人税でも自由償却が認められている。

(2) 均等償却法

　均等償却法は，次の算式により計算した金額を償却限度額とする方法である。

$$\text{繰延資産の額} \times \frac{\text{その事業年度の月数}}{\text{支出の効果の及ぶ期間（償却期間）の月数}}$$

減価償却の方法としての定額法と同じ考え方の方法である。

この均等償却法は，前記2.(3)の法人税固有の繰延資産について適用される（法令64①二）。これは強制適用であるから，法人税固有の繰延資産について自由償却法を適用することはできない。

5．償却限度額の計算

(1)　償却限度額の計算単位
　均等償却をすべき繰延資産の償却限度額は，費目の異なるごとに，かつ，その償却期間の異なるごとに計算する。ただし，継続適用を条件に法人税基本通達8－2－3の「種類」および「細目」の区分ごとに，かつ，償却期間の異なるごとに繰延資産を区分して償却限度額を計算してもよい（基通8－3－7）。

(2)　少額繰延資産の一時償却
　法人が支出した均等償却をすべき繰延資産で，その金額が20万円未満であるものについては，その支出した事業年度においてその全額を一時に損金の額に算入することができる（法令134，基通8－3－8）。
　少額な繰延資産については，厳密な償却計算を省略しても課税所得の計算に与える影響は小さい。そこで重要性の原則と法人の事務の簡素化の見地から特例が設けられている。

(3)　償却超過額がある資産の償却限度額
　法人が損金経理した償却費の額が償却限度額を超える場合の，その超える部分の金額を償却超過額という。この償却超過額は損金経理をした事業年度では損金の額に算入できないが，翌事業年度以後においては償却費として損金経理をした金額に含まれる（法法32⑥⑦，法令66の2）。その結果，償却超過額の生じた事業年度後の事業年度に償却不足額（損金経理した償却費の額が償却限度額に満たない場合のその満たない部分の金額）が生じた場合には，その償却不足額の範囲内で損金算入が認められる。

第4章　損金の額の計算

なお，償却超過額のある繰延資産については，その償却超過額相当額だけ帳簿価額の減額はなかったものとみなされる（法令65）。

（計算例）

当社の当期（令和6.4.1～令和7.3.31）末における繰延資産の内訳，金額等は次のとおりである。

種　　類	支出日	支　出　額	期首簿価	当期償却額	期間
	令和	円	円	円	年
開　発　費	3.1.16	30,000,000	20,000,000	15,000,000	―
同業団体加入金	3.1.19	2,000,000	800,000	250,000	5
借家権利金	6.9.16	1,000,000		300,000	3

（注）「同業団体加入金」には，前期から繰り越された償却超過額300,000円がある。

（計　算）

1　開発費の償却限度額　15,000,000円

2　同業団体加入金の償却限度額

(1)　償却限度額　$2,000,000円 \times \dfrac{12}{5 \times 12} = 400,000円$

(2)　償却不足額　$250,000円 - 400,000円 = △150,000円$

3　借家権利金の償却限度額

(1)　$1,000,000円 \times \dfrac{7}{3 \times 12} = 194,444円$

(2)　償却超過額　$300,000円 - 194,444円 = 105,556円$

（説　明）

1　開発費は，自由償却ができるから，当期償却額15,000,000円がそのまま損金の額に算入される。

2　同業団体加入金の償却不足額150,000円は，前期から繰り越された償却超過額300,000円があるので，当期の損金の額に算入され（法法32⑥），申告書別表四で所得金額から減算する。

3　借家権利金の償却超過額105,556円は当期の損金の額に算入されない

ので，申告書別表四で所得金額に加算する。

7 資産の評価損

1．概要と趣旨

　法人がその有する資産の評価換えをして帳簿価額を減額しても，その減額した部分の金額（評価損）は，法人税の課税所得の計算上，損金の額に算入されない（法法33①）。そして評価換えにより減額された資産の帳簿価額は，その減額がされなかったものとみなされる（法法33⑥）。

　ただし，法人の有する資産につき災害による著しい損傷などが生じ，その時価が帳簿価額を下回るようになった場合には，評価換えをして帳簿価額を減額し，その減額した金額を損金の額に算入することができる（法法33②）。この場合には，損失が確定し，実現したといえるからである。

　このように法人税においては，原則として資産の評価損を計上することは認められていない。これは法人税では，資産の評価につき部分的に時価主義の考え方があるとはいえ，基本的には取得原価主義に立っているからである。

　企業会計には減損会計が導入され，将来のキャッシュ・フローが見込めない場合や市場価格が低落した場合など，幅広く資産の評価減をすべきことになっている。しかし法人税では評価損が計上できる事実は，後述の「物損等の事実」という名が示すとおり，経済的や経営的な事由ではなく，基本的に物理的，客観的な事由にかぎられ限定的である。

2．評価損の計上事由

(1) 総　　説

　棚卸資産，有価証券，固定資産または繰延資産については，①物損等の事実または②法的整理の事実が生じた場合には，評価損の計上が認められる（法法33②，法令68①）。ここで，物損等の事実とは，次の(3)から(6)までに述べる資産の区分ごとの事実であって，その事実が生じたことによりその資産の価額が帳簿価額を下回ることとなったものをいう。評価損の計上事由と時価の下落との間に直接的な因果関係がなければならない。

　また，法的整理の事実とは，更生手続における評定が行われることに準ずる特別の事実をいう（基通9-1-3の3）。この法的整理の事実は，各資産に共通する評価損の計上事由である。

　資産に対する評価損を損金算入するためには，資産の評価換えをして損金経理により帳簿価額を減額しなければならない（法法33②）。法人が有する資産の価額の低下は外部的にではなく，内部的に生じたものである。そのため評価損の計上は損金経理が要件とされており，法人が評価損を計上するかどうかは全く任意である。

(2) 金銭債権

　預金，貯金，貸付金，売掛金その他の債権については，原則として評価損の計上は認められない。

　預金および貯金はその金額どおりに処理すべきものであり，そもそも評価という問題はない。これに対して，貸付金，売掛金その他の債権には評価という問題はあるが，価値の下落部分を評価損として計上することは認められない（基通9-1-3の2）。別途，金融保険業者や中小企業者等は，貸倒れによる損失の見込額を貸倒引当金勘定に繰入れ，損金とすることになっている（法法52）。

　ただし，再生計画認可の決定その他これに準ずる事実にもとづき資産の評定を行うような場合には，債権につき評価損を計上し，損金算入することができ

る（法法33④，法令68の2③，24の2④）。

(3) 棚卸資産
① 評価損の計上ができる物損等の事実
棚卸資産については，次に掲げる物損等の事実が生じた場合に評価損の計上ができる（法令68①一）。
　イ　その資産が災害により著しく損傷したこと。
　ロ　その資産が著しく陳腐化したこと。
　ハ　イまたはロに準ずる特別の事実

② 具体的な事由
上記①ロの事由は，棚卸資産そのものに物質的な欠陥はないが，経済環境の変化に伴ってその価値が著しく減少し，その価額が今後回復する可能性がない状態にあることをいう。たとえば商品について，次のような事実が生じた場合が該当する（基通9－1－4）。
　イ　季節商品で売れ残ったものについて，今後通常の価額では販売できないことが既往の実績等に照らして明らかであること。
　ロ　その商品と型式，性能，品質等が著しく異なる新製品が発表されたことにより，その商品につき今後通常の方法では販売できないようになったこと。

また上記①ハの事由には，破損，型崩れ，棚ざらし，品質変化などにより通常の方法によっては販売できないようになったような事実が該当する（基通9－1－5）。

(4) 有価証券
① 評価損の計上ができる物損等の事実
有価証券については，次に掲げる物損等の事実が生じた場合に評価損の計上が認められる（法令68①二）。
　イ　取引所売買有価証券，店頭売買有価証券，取扱有価証券，その他価格公

第4章　損金の額の計算

表有価証券（企業支配株式を除く）などの価額が著しく低下したこと。
(注)　「企業支配株式」とは，持株割合が20％以上の株式をいう（法令119の2②二）。
ロ　イの有価証券以外の有価証券について，その有価証券を発行する法人の資産状態が著しく悪化したため，その価額が著しく低下したこと。
ハ　ロに準ずる特別の事実

②　著しい価額の低下の判定

上記①イ，ロにおける「有価証券の価額が著しく低下したこと」とは，その有価証券の期末時価が期末の帳簿価額のおおむね50％相当額を下回ることとなり，かつ，近い将来その時価の回復が見込まれないことをいう。この場合，時価の回復可能性の判断は，過去の市場価格の推移，発行法人の業況などを踏まえ，その事業年度末に行う（基通9－1－7，9－1－11）。

③　発行法人の資産状態の判定

上記①ロの「有価証券を発行する法人の資産状態が著しく悪化したこと」には，次の事実が該当する（基通9－1－9）。
イ　有価証券を取得して相当期間経過後に，その発行法人に次の事実が生じたこと。
　(イ)　特別清算開始の命令があったこと。
　(ロ)　破産手続開始の決定があったこと。
　(ハ)　再生手続開始の決定があったこと。
　(ニ)　更生手続開始の決定があったこと。
ロ　事業年度末におけるその有価証券の発行法人の1株（または1口）当たりの純資産価額がその有価証券の取得時の1株（または1口）当たりの純資産価額に比しておおむね50％以上下回ることとなったこと。

④　評価損の計上ができない事由

法人と完全支配関係（100％の持株関係）がある子会社が清算中である場合や解散が見込まれる場合，そのグループ内で適格合併により解散することが見込まれる場合には，仮に上記の評価損の計上ができる事実が生じていたとしても，その子会社株式等については評価損の計上はできない（法法33⑤，法令68の3）。

これは、完全支配関係がある子会社が解散して残余財産が確定し、その子会社株式等が消滅した場合であっても、その消滅損は損金算入できない取扱い（法法61の2⑰）の、いわば脱法行為を防止する趣旨のものである。

(5) 固定資産

① 評価損の計上ができる物損等の事実

固定資産については、次に掲げる物損等の事実が生じた場合に評価損の計上が認められる（法令68①三）。

イ　その資産が災害により著しく損傷したこと。
ロ　その資産が1年以上にわたり遊休状態にあること。
ハ　その資産が本来の用途に使用できないため他の用途に使用されたこと。
ニ　その資産の所在する場所の状況が著しく変化したこと。
ホ　イからニまでに準ずる特別の事実

② 具体的な事由

上記①ニの事由には、地盤が隆起または沈下したり、海水の浸害を受けるような状態になった場合などが考えられる。

また上記①ホの特別の事実とは、たとえば法人の有する固定資産がやむを得ない事情によりその取得の時から1年以上事業の用に供されないため、時価が低下したことをいう（基通9－1－16）。

③ 評価損の計上ができない事由

固定資産に対する評価損の計上は、上記①の事由がある場合に限って認められる。したがって、次のような事由により固定資産の時価が低下したとしても評価損の計上はできない（基通9－1－17）。

イ　過度の使用または修理の不十分等により著しく損耗していること。
ロ　償却を行わなかったため償却不足額が生じていること。
ハ　取得の時における事情により取得価額が時価に比して高いこと。
ニ　機械装置が製造方法の急速な進歩等により旧式化していること。

これらの事由による時価の低下は、もともと減価償却などで対応すべき事柄

第4章　損金の額の計算

である。

(6) 繰延資産

　繰延資産（法人税固有の繰延資産のうち他の者の有する固定資産を利用するために支出されたものに限る）については，次に掲げる物損等の事実が生じた場合に評価損の計上ができる（法令68①四）。

① その繰延資産となる費用の支出の対象となった固定資産につき上記(5)①イからニまでの事実が生じたこと。
② ①に準ずる特別の事実

　繰延資産は支出した費用の効果が将来に及ぶため繰延処理される。その効果が予定どおりに期待できなくなった場合に評価損が認められる。

　なお，創立費などの自由償却が認められている繰延資産（法令14①一～五，64①一）については，評価損の可否を議論する実益はない。

3．評価損計上の場合の時価

(1) 時価の意義

　損金として認められる評価損の額は，その資産の評価換え直前の帳簿価額と評価換えをした事業年度末の時価との差額に達するまでの金額である（法法33②）。時価を下回る評価損の計上はできず，その帳簿価額がすでに時価を下回っていれば，評価損を計上する余地はない。

　この場合の時価は，その資産が現状のまま使用収益されるものとして譲渡されるときに通常付される価額による（基通9－1－3）。これは処分可能価額を意味し，再調達価額（新たに取得するための価額）や正味実現可能価額（処分可能価額から処分費用を控除した価額）ではない。

(2) 株式の時価

　上場株式等の時価は，公表された市場価格によればよいからそれほど問題は

ない。問題は上場株式等以外の株式の時価をいかに算定するかである。そこで，その株式の時価については次による（基通9－1－13）。

① 売買実例のある株式……その事業年度末前6月間において売買が行われた株式の売買価額のうち適正と認められる価額

② 公開途上にある株式で，その上場に際して公募または売出しが行われるもの……証券取引所の内規によって行われる入札により決定される入札後の公募等の価格を参酌して通常取引されると認められる価額

③ 売買実例のない株式でその株式を発行する法人と事業の種類，規模，収益の状況等が類似する他の法人の株式の価額があるもの……その価額に比準して推定した価額

④ ①から③まで以外の株式……その事業年度末または直近の事業年度末におけるその株式の発行法人の1株当たりの純資産価額等を参酌して通常取引されると認められる価額

ただし，上記③，④の価額の算定は困難であることが多いので，相続税の財産評価基本通達の例により算定した価額を時価としてよい（基通9－1－14）。

(3) 減価償却資産の時価

減価償却資産の時価は，その資産の個別の事情に応じて合理的に算定するのが原則である。しかしその算定は事実上困難であることが少なくない。そこでその減価償却資産の再取得価額を基礎として取得時からその事業年度末まで旧定率法（または定率法）により償却したものとした場合の未償却残額を時価としてよい（基通9－1－19）。

4．更生計画認可決定による特例

法人がその有する資産につき更生計画認可の決定があったことにより，会社更生法または金融機関等の更生手続の特例等に関する法律の規定に従って評価換えをして帳簿価額を減額した場合には，その減額した部分の金額は損金の額

に算入される（法法33③）。

この更生計画認可の決定による特例は，評価損の計上ができるすべての資産に対して適用してよい。

これは，会社更生法等の法令にもとづき評価換えをするものであり，更生会社の更生を税制面から支援する趣旨の特例である。

5．再生計画認可決定等による特例

法人について再生計画認可の決定その他これに準ずる事実があったことに伴い，法人が資産の価額の評定を行っている場合には，その評価損は損金の額に算入される（法法33④，法令68の2）。

この評価損の損金算入は，評価損の額を損金経理することも，その帳簿価額を減額することも要しない。申告調整により評価損の額を損金算入することができる（法令68の2⑤）。

ただし，確定申告書に評価損の損金算入に関する明細の記載があり，かつ，評価損関係書類の添付がある場合に限って適用される（法法33⑦）。

これは，前述した再生計画認可等による評価益の計上（法法25③）とともに，再生会社の債務免除益に対する課税を緩和するための措置である。

8　役員の給与等

1．概要と趣旨

法人がその役員に支給する報酬，賞与および退職給与は，企業会計では特に問題なく費用として処理される。また使用人に支給する給料，賞与および退職給与も，すべて費用である。

これに対し法人税では，これらの給与は必ずしも無条件では損金にならない。

たとえば，役員賞与で所定の時期に確定額を支給する旨を定めていないもの，業績連動給与で所定の要件を満たさないもの，役員給与のうち不相当に高額な部分の金額は，損金の額に算入されない（法法34）。

また使用人に対する給与であっても，特殊関係使用人に対する給与のうち不相当に高額な部分の金額は，損金にならない（法法36）。

このように，法人税において役員または使用人に対する給与の損金算入に規制を加えているのは，法人・個人を通ずる租税回避の防止や会社法上の役員給与の考え方と整合性を図るためなどである。

2．役員の範囲

(1) 役員の意義

法人税においては，役員と使用人とでは給与の取扱いが大きく異なるから，役員の範囲が重要である。また役員のなかでも使用人兼務役員に対する給与は，別の取扱いがされるから，一般役員との区分が必要になる。そこで法人税法では，役員の範囲を詳細に定めている。

役員とは，基本的に法人の取締役，執行役，会計参与，監査役，理事，監事および清算人をいう。これらの者は会社法や民法などで定められた法定の役員であり，法人の経営に従事するから，法人税法上も役員とされている。

しかし法人税法上の役員には，これらの役員以外の者でその法人の経営に従事している次のものが含まれる（法法2十五，法令7，71①五）。これを一般にみなし役員と呼ぶ。法定の役員でない実質的な経営者についても，租税回避を防止する観点から，役員に含めて取り扱う趣旨である。

① 法人の使用人以外の者でその法人の経営に従事しているもの
たとえば相談役，顧問などで，その法人内の地位や職務からみて他の役員と同様に，実質的に法人の経営に従事しているものが該当する（基通9－2－1）。

② 同族会社の使用人のうち，株式の所有割合が次の要件のすべてを満たし

ている者で，その会社の経営に従事しているもの
　イ　その使用人が所有割合が50％を超えるまでの上位3グループの株主グループに属していること。
　ロ　その使用人の属する株主グループの所有割合が10％を超えていること。
　ハ　その使用人（その配偶者およびこれらの者の所有割合が50％を超える他の会社を含む）の所有割合が5％を超えていること。

　同族会社では経営に従事している大株主が役員になっていない例がみられるから，その実質に着目して役員に含めるのである。

　なお，最近多くの会社が導入している執行役員は，取締役兼務の者やみなし役員に該当する者を除き，税務上は役員ではなく，使用人である（所基通30-2の2参照）。

(2) 使用人兼務役員の意義

　使用人兼務役員とは，役員のうち部長，課長，支店長，工場長，営業所長，支配人，主任など法人の機構上の使用人たる職制上の地位を有し，かつ，常時使用人としての職務に従事するものをいう（法法34⑥）。典型的には取締役経理部長や取締役工場長などである。

　ただし，次の役員は使用人と同じような職務を行っていても，使用人兼務役員になれない（法法34⑥，法令71）。これらの役員は，その法的性格上，使用人の職務と相容れないからである。

① 社長，理事長，代表取締役，代表執行役，代表理事，清算人
② 副社長，専務，常務その他これらに準ずる職制上の地位を有する役員
③ 合名会社，合資会社，合同会社の業務を執行する社員
④ 取締役（指名委員会等設置会社の取締役および監査等委員である取締役に限る），会計参与，監査役，監事
⑤ 同族会社の役員のうち同族会社の判定上の基礎となる株主グループに属する者（上記(1)②参照）

3．役員に対する給与

(1) 役員報酬と役員賞与の処理

　法人がその役員に支給する報酬および賞与のうち次の①から③までの給与のいずれにも該当しないものは，課税所得の計算上，損金の額に算入されない（法法34①，法令69）。逆にいえば，次の給与のいずれかに該当する役員報酬および役員賞与は，損金の額に算入される。

　なお，役員に対する給与には，債務の免除による利益その他の経済的利益を含む（法法34④，基通9－2－9）。

①　定期同額給与

　その支給時期が1月以下の一定の期間ごとである給与で，その事業年度の各支給時期における支給額が同額であるものをいう（法法34①一）。源泉税等の額を控除した，税引手取額が同額である給与も，支給額が同額であるものとみなされる（法令69②）。

　あらかじめ定められた支給基準にもとづいて，毎日，毎週，毎月のように月以下の期間を単位として規則的に反復，継続して支給される給与のことである（基通9－2－12）。その事業年度開始の日から原則として3月以内の改定や役員の職制上の地位の変更により改定がされた定期給与で改定前と改定後のそれぞれの支給時期の支給額が同額であるものなども，定期同額給与に含まれる（法令69①）。

②　事前確定届出給与

　その役員の職務につき所定の時期に確定した額の金銭等を支給する旨の定めにもとづいて支給する給与（定期同額給与および業績連動給与を除く）をいう（法法34①二）。

　この取扱いの適用を受けるためには，所轄税務署長にその定めの内容を株主総会等の決議をした日から1月を経過する日と事業年度開始の日から原則として4月を経過する日とのいずれか早い日までに届け出ておく必要がある（法令69④，法規22の3②）。その届出をしておけば，たとえば定期同額給与に該当しな

い役員報酬はもとより,盆・暮に支給する役員賞与も損金にすることができる。

その届出がない場合には,役員賞与は上記①の定期同額給与に該当しないから,損金にすることはできない。また,届出額と実際の支給額が異なる場合には,原則としてその支給額の全額が損金不算入となる(基通9-2-14)。

なお,金銭のみならず,確定した数の株式や新株予約権を交付する場合も,事前確定届出給与に該当する。

③ 業績連動給与

法人(同族会社は非同族会社との間に完全支配関係があるもの)がその業務執行役員(取締役会設置会社の取締役,執行役等)に支給する業績連動給与(業績連動指標を基礎として算定される給与)で次の要件を満たすものをいう(法法34①三,⑤,法令69⑨～㉑,法規22の3④～⑦)。

イ 交付される金銭の額や株式,新株予約権の数の算定方法が,職務執行期間開始日以後に終了する事業年度の有価証券報告書に記載される①利益の状況,②株式の市場価格の状況または③売上高の状況を示す指標(業績連動指標)を基礎とした客観的なものとして,次の3要件を満たすこと。

　(イ) 確定額または確定数を限度とし,かつ,他の業務執行役員に対して支給する業績連動給与にかかる算定方法と同様のものであること。

　(ロ) その事業年度開始の日から原則として3月以内に,報酬委員会の決定,株主総会の決議,報酬諮問委員会に対する諮問を経た取締役会の決議による決定をしているなど,適正な手続きを経ていること。

　(ハ) その内容が(ロ)の適正な手続きの日以後遅滞なく,有価証券報告書に記載されているなどの方法により開示されていること。

ロ その給与は業績連動指標の数値が確定した後1月(株式または新株予約権による給与は2月)以内に支払われ,または支払われる見込みであること。

ハ 損金経理(損金経理した引当金を取り崩す方法を含む)をしていること。

ここで利益の状況を示す指標とは,たとえば営業利益の額,経常利益の額,当期純利益の額である。また,株式の市場価格の状況を示す指標として,将来の株価相当の金銭や株価の上昇幅,株価のTOPIX・日経平均比等,売上高の

状況を示す指標として売上高の額などが考えられる（法令69⑩～⑫）。

業績連動型報酬であっても，以上の要件を満たす，透明性，適正性の高いものは，損金の額に算入される。

(2) 役員退職給与の処理

① 役員退職給与の損金算入

法人がその役員に支給する退職給与（業績連動給与に該当するものを除く）の額は，課税所得の計算上，損金の額に算入される（法法34①）。役員退職給与は，経理方法のいかんにかかわらず，損金算入が認められている。

その退職給与とは，本来退職しなかったとしたならば支払われなかったもので，退職に基因して一時に支払われることとなった退職手当，一時恩給等の給与をいう（所法30，所基通30－1）。役員の退職とは，一般的には取締役や執行役，監査役などを離任することである。

② 役員退職給与の損金算入時期

役員に対する退職給与の額は，株主総会の決議などによりその額が具体的に確定した事業年度において損金の額に算入する。ただし，退職給与の額を実際に支給した事業年度において損金算入してもよい（基通9－2－28）。

したがって，役員退職給与の額が具体的に確定する事業年度前に取締役会などで内定した金額を未払金に計上しても，その損金算入は認められない。

(3) 使用人兼務役員の使用人分給与の損金算入

使用人兼務役員は役員と使用人の両面をもつ者であるから，その給与には役員部分と使用人部分のものがある。役員部分の給与は，前記(1)①から③までの給与に該当するかどうかにより損金算入の可否を判断する。

これに対し使用人部分の給与は，前記(1)①から③までの取扱いにかかわらず，損金の額に算入される（法法34①）。したがって，たとえば定期同額給与や事前確定届出給与に該当しない，使用人部分の賞与であっても，損金として認められる。これは使用人に対する給与と同様に取り扱う趣旨である。

(4) 過大役員給与の損金不算入

① 概要と趣旨

前記(1)①から③までの役員報酬・賞与，前記(2)の役員退職給与および上記(3)の使用人兼務役員の使用人給与は，原則として損金の額に算入される。しかしこれらの給与であっても，不相当に高額な部分の金額は，課税所得の計算上，損金の額に算入されない（法法34②）。

法人は役員に対する給与の額をある程度自由に決定することができる。そうすると，役員の経験や職務などに見合わない高額な給与を支給することがありうる。しかし，そのような役員の職務に対する対価として不相当に高額な部分の給与は，事業経営上の必要な費用とはいえない。そこで過大な役員給与は損金不算入とされている。

② 過大役員給与の額

過大な役員給与の額として損金の額に算入されない金額は，それぞれ次の金額である（法令70）。

イ 役員報酬・賞与……次の金額のうちいずれか多い金額

(イ) 実質基準……その役員の職務の内容，その法人の収益および使用人に対する給与の支給状況，同業種・同規模法人の役員に対する給与の支給状況等に照らし，その役員の職務の対価として相当であると認められる金額を超える部分の金額

(ロ) 形式基準……定款の規定または株主総会，社員総会などの決議により給与の支給限度額を定めている法人が，その役員に支給した給与の額の合計額がその支給限度額を超える場合のその超える部分の金額

ロ 役員退職給与……その役員の業務に従事した期間，退職の事情，同業種・同規模法人の役員に対する退職給与の支給状況等に照らし，その役員の退職給与として相当であると認められる金額を超える部分の金額

ハ 使用人兼務役員の使用人賞与……他の使用人に対する賞与の支給時期と異なる時期に支給したものの額

(5) 隠蔽・仮装経理による役員給与の損金不算入

　法人が事実を隠蔽し，または仮装して経理をすることによりその役員に支給する給与の額は，課税所得の計算上，損金の額に算入されない（法法34③）。定期的に同額を支給する給与であっても，損金算入はできない。これは法人が，収益の除外や費用の架空計上などにより捻出した資金から支給する給与である。

　このような隠蔽仮装行為から支給する給与の損金算入を認めることは不合理であるから，その給与は損金不算入とされている。

4．使用人に対する給与

(1) 使用人給与の損金算入

　使用人に対する給料，賞与および退職給与の額は，課税所得の計算上，原則として損金の額に算入される（法法22③二）。法人と使用人との法律関係は雇用契約であり，これら給与は雇用契約にもとづく労働の対価である。使用人給与には役員に対する給与と異なり，基本的に利益の分配といった性格はない。そこで役員に対する給与のような損金算入についての規制はなく，一般的に損金性が認められている。

(2) 過大使用人給与の損金不算入

　上記使用人給与の損金算入の原則に対して，特殊関係使用人に対する給与の額のうち不相当に高額な部分の金額は，損金の額に算入されない（法法36）。ここで特殊関係使用人とは次の者をいう（法令72，基通9－2－40，9－2－41）。
　① 役員の親族
　② 役員と事実上婚姻関係にある者
　③ ①および②以外の者で役員から生計の支援を受けているもの
　④ ②および③の者と生計を一にするこれらの者の親族

　そして特殊関係使用人に対する給料および賞与の額のうち不相当に高額である部分の金額は，その使用人の職務の内容，その法人の収益および他の使用人

に対する給与の支給状況，同業種・同規模法人の使用人に対する給与の支給状況等に照らし，その使用人の職務の対価として相当であると認められる金額を超える場合の，その超える部分の金額とする（法令72の2）。

また特殊関係使用人に対する退職給与については，その使用人の業務に従事した期間，退職の事情，同業種・同規模法人の退職給与の支給状況等に照らして，不相当に高額な部分の金額を判定する（法令72の2）。

これは，法人の経営者がその親族などに過大な給与を支払うことによる所得分散に対処しようとするものである。

(3) 使用人賞与の損金算入時期

使用人に対する給料，賞与および退職給与の額は，その額が具体的に確定したときに損金の額に算入するのが原則である。一般的には現に支給をしたときに損金算入することになろう。

ただし，使用人に対する賞与は，次に掲げる賞与の区分に応じ，それぞれ次の事業年度において損金算入を行う。これは使用人兼務役員の使用人分賞与についても適用される（法令72の3）。

① 労働協約または就業規則により定められる支給予定日が到来している賞与……その支給予定日または使用人に通知をした日とのいずれか遅い日の属する事業年度

　この取扱いがある賞与は，使用人に支給額の通知がされ，かつ，支給予定日またはその通知をした日の属する事業年度で損金経理をしているものに限られる。

② 次の要件のすべてを満たす賞与……使用人に支給額の通知をした事業年度

　イ　支給額を各人別に，かつ，すべての使用人に対して通知していること。

　ロ　その通知をした金額をすべての使用人に対して通知をした事業年度終了の日の翌日から1月以内に支払っていること。

　ハ　支給額をその通知をした事業年度において損金経理していること。

③ ①および②の賞与以外の賞与……その支給をした事業年度

(計算例)

1 当社の当期(令和6.4.1～令和7.3.31)における役員給与の支給状況は，次のとおりである。

役　　　　員	報酬の額	賞与の額	合　　計
代表取締役社長　A	30,000,000円	6,000,000円	36,000,000円
専務取締役　　B	18,000,000	4,000,000	22,000,000
取締役経理部長　C	9,600,000	2,400,000	12,000,000
監　査　役　　D	3,600,000	1,200,000	4,800,000
合　　　　計	61,200,000円	13,600,000円	74,800,000円

(注) 1　報酬の額はいずれも定期同額給与に該当する。
　　 2　専務取締役Bの賞与については事前に届出をしているが，その他の役員の賞与は事前に届出はしていない。
　　 3　取締役経理部長Cに対する賞与のうち2,000,000円は使用人分の賞与として支給した額である。

2 当社の当期末における株主構成は，次のとおりである。

株　主　名	続　柄	所有株数
代表取締役社長　A	本　　人	70,000株
専務取締役　　B	本　　人	5,500
取締役経理部長　C	Aの妻	4,500
監　査　役　　D	Aの母	20,000
合　　　　計		100,000株

(計　算)

1　取締役経理部長の給与

(1) 使用人兼務役員の判定

(A70,000株＋C4,500株＋D20,000株)÷100,000株＝94.5%

94.5%＞50%　　94.5%＞10%

(C4,500株＋A70,000株)÷100,000株＝74.5%＞5%

(2) 損金不算入額　　2,400,000円

2　損金不算入額合計

　　A 6,000,000円＋C 2,400,000円＋D 1,200,000円＝9,600,000円

（説　明）

1　取締役経理部長Cは，同族会社の判定上の基礎となる株主グループに属し，自己の株式の所有割合も配偶者であるAの持株を含めて5％を超えているので，使用人兼務役員になれない。したがって，その賞与2,400,000円は損金不算入である。

2　代表取締役社長Aおよび監査役Dは使用人兼務役員になれず，事前確定届出給与にも該当しないので，その賞与は損金不算入になる。

3　専務取締役Bの賞与は，事前確定届出給与に該当し，損金算入される。

❾　寄　附　金

1．概要と趣旨

　寄附金は一般に「経営目的に関連しない支出」であるから，そもそも寄附金の支出が法人の行為として認められるかどうか議論がある。しかし法人は社会的実在であるから寄附金を支出することは許されると解されており，企業会計では特に問題なく費用として処理される。

　これに対して，法人税では寄附金は次のとおり処理され，その損金算入につき規制を図っている。これを寄附金課税という。

① 法人が支出した一般寄附金の額のうち，資本金額等と所得金額とを基礎として計算した損金算入限度額を超える部分の金額は，損金の額に算入しない（法法37①）。

② 完全支配関係がある法人に対する寄附金の額は，全額損金の額に算入しない（法法37②）。

③ 国・地方公共団体に対する寄附金および財務大臣が指定した寄附金の額は，全額損金の額に算入する（法法37③一，二）。
④ 特定公益増進法人および認定特定非営利活動法人等に対する寄附金の額は，①の一般寄附金の損金算入限度額とは別枠で損金の額に算入する（法法37④，措法66の11の3②）。
⑤ 国外関連者に対する寄附金の額は，全額損金の額に算入しない（措法66の4③）。

　法人税が寄附金課税制度を設けているのは，二つの理由があげられる。第1には，法人が支出した寄附金の全額が損金算入されるとすれば，その寄附金に対応する分だけ納付すべき法人税額が減少し，これはその寄附金の一部は国が負担したと同様の結果になり，国は自己が関知しない者に補助金を出したに等しくなるから，これを排除する趣旨である。
　第2には，寄附金は直接の対価性がない支出であるから，必ずしも事業に関連する費用とはいい難く，多分に利益分配としての性格と事業に関連する費用としての性格を有しているが，両者の区分は困難であるから，形式的な基準により両者の区分を行うという理由である。

2．寄附金の範囲

(1) 寄附金の意義

　寄附金とは，寄附金，拠出金，見舞金その他いずれの名義をもってするかを問わず，金銭その他の資産の贈与または経済的な利益の無償の供与をいう。そして寄附金となる額は，贈与した金銭の額，金銭以外の資産の贈与の時における価額または経済的な利益の無償の供与の時における価額である。ただし，広告宣伝や見本品の費用，交際費，接待費，福利厚生費とされるべきものを除く（法法37⑦）。
　このように寄附金は，事業に関連するかどうかを問わず，直接的な対価を伴わない支出であるということができる。

なお，法人が寄附金として支出した金額であっても，その法人の役員等が個人として負担すべきものは，寄附金ではなくその負担すべき者に対する給与となる（基通9－4－2の2）。

(2) 資産の低廉譲渡等

法人が資産の譲渡または経済的な利益の供与を低額で行った場合には，その対価の額と資産の譲渡時の価額または経済的な利益の供与時の価額との差額のうち実質的に贈与または無償の供与をしたと認められる金額は，寄附金の額に含まれる（法法37⑧）。たとえば親会社が子会社に対して合理的な理由なく，資産を時価よりも低い価額で譲渡したり，資金を低利率で貸し付けた場合には，寄附金が生じることになる。

このように資産または経済的な利益を低廉な価額で譲渡し，または供与することは，資産または経済的な利益の時価との差額を贈与または無償で供与するのと実質的に同じである。そこでその実質に着目し，低廉譲渡などの形式による租税回避を規制しようとしている。

(3) みなし寄附金

公益法人等がその収益事業に属する資産のうちから収益事業以外の事業（公益事業）のために支出した金額は，寄附金の額とみなされる。ただし，事実を隠蔽し，または仮装して経理をすることにより支出した金額は，この限りでない（法法37⑥）。

公益法人等の収益事業から生じた所得に対しては法人税が課される（法法4①,5,7）。その課税所得の計算上，同じ法人内の資金の移動であり，社外に流出されていない金額について寄附金として認めるということである。公益法人等が収益事業を営むのは公益活動のための資金作りである面を考慮した，公益法人等に限った特例である。

3．寄附金の計上時期

　寄附金の支出は，課税所得の計算上，実際に支払がされるまでの間，なかったものとされる（法令78）。これは寄附金については，現実に支払ったときに寄附金として処理し，未払計上は認められないということである。したがって，未払である寄附金は損金算入限度額の計算に含めなくてよい。

　逆に実際に支払った寄附金を仮払金などに経理しているときは，その寄附金は支払った事業年度の寄附金として処理し，損金算入限度額の計算を行う（基通9－4－2の3）。

　このように寄附金を現金の支出ベースでとらえるのは，寄附金は贈与の一種であり，書面によらない贈与は履行の終わるまではいつでも取り消せるから（民法550），現実の支出時に寄附金の支出があったものと取り扱おうとする趣旨である。未払計上による利益調整を規制する目的も含まれている。

　なお，寄附金を手形で支払った場合には，現実に支払ったことにはならない（基通9－4－2の4）。

4．全額損金不算入の寄附金

(1) 完全支配関係法人に対する寄附金

　法人がその法人との間に完全支配関係（法人による100％の持株関係）がある法人に対して支出した寄附金の額は，課税所得の計算上，その全額が損金の額に算入されない（法法37②）。

　いわゆるグループ法人税制により完全支配関係がある法人間の資産の譲渡取引については，原則として譲渡損益は認識されない（法法61の11）。その一環として，完全支配関係がある法人間の寄附金について，それを受領した側では全額益金不算入とする一方（法法25の2），支出した側では全額損金不算入とするものである。

　なお，寄附金を支出した法人の親会社は，その保有する法人（子会社）の株

式の帳簿価額を減額する，簿価修正を行う（法令9七，119の3⑨，119の4①）。その子会社の純資産価額が減少するからである。

(2) 国外関連者に対する寄附金

　法人が国外関連者に対して支出した寄附金の額は，課税所得の計算上，損金の額に算入されない（措法66の4③）。国外関連者に対して支出した寄附金の額は，その内容のいかんを問わず，すべて損金不算入となる。ここで国外関連者とは，その内国法人と50％以上の株式の保有関係にある外国法人たる親会社または子会社をいう。

　法人が国外関連者との取引の価格を高く，あるいは低く設定して所得を海外に移転した場合には，独立の企業同士が取引をしたときに成立するであろう価格に引き直して課税する，いわゆる移転価格税制が適用される（措法66の4）。この移転価格税制を実効あるものとするため，国外関連者に対する寄附金は全額の損金算入が認められない。

　（注）　移転価格税制については，第7章の②を参照のこと。

5．全額損金算入の寄附金

(1) 国・地方公共団体に対する寄附金

　法人が国または地方公共団体（港務局を含む）に対して支出した寄附金の額は，課税所得の計算上，損金の額に算入される（法法37③一）。国または地方公共団体に対する寄附金は，公共性のあるものであり，いわば租税公課ともみられるから，その全額の損金算入が認められる。いわゆる企業版ふるさと納税の額も，地方公共団体に対する寄附金に該当する（措法42の12の2）。

　ただし，寄附をした法人がその寄附によって設けられた設備を専属的に利用することその他特別の利益を受ける場合には，その寄附金にはこの特例の適用はない。このような寄附金は，名目は寄附金であるが，実質的には繰延資産として処理すべきものであるからである。

なお、この特例の適用を受けるためには、確定申告書や修正申告書、更正請求書にこの特例を受ける寄附金額の記載および寄附金の明細を記載した書類の添付をしなければならない（法法37⑨、法規24）。

(2) 指定寄附金

法人が支出した指定寄附金の額は、課税所得の計算上、損金の額に算入される（法法37③二）。ここで指定寄附金とは、公益社団法人、公益財団法人等公益を目的とする法人または団体に対する寄附金のうち、次の要件を満たすと認められるものとして財務大臣が指定したものをいう（法令75，76）。

① 広く一般に募集されること。
② 教育または科学の振興、文化の向上、社会福祉への貢献その他公益の増進に寄与するための支出で緊急を要するものに充てられることが確実であること。

指定寄附金は国等に対する寄附金ではないが、公益性の高いものであり、損金算入に規制を加えなくても弊害はないから、その全額の損金算入が認められる。その例として、共同募金会や国立大学法人、学校法人設立準備法人等に対する寄附金がある。

なお、その損金算入につき確定申告書などへの寄附金額記載や書類の添付を要することは、国・地方公共団体に対する寄附金と同じである（法法37⑨）。

6. 一部損金不算入の寄附金

(1) 一般寄附金

法人が支出した一般寄附金（上記4．5．の寄附金および次項の特定公益増進法人等に対する寄附金以外の寄附金）の額のうち、法人の資本金額等（資本金の額と資本準備金の額の合計額もしくは出資金の額）または所得の金額を基準として計算した損金算入限度額を超える部分の金額は、課税所得の計算上、損金の額に算入されない（法法37①）。

ここで損金算入限度額は，次の法人の区分に応じ，それぞれ次の算式により計算した金額である（法令73，法規22の4）。

① 普通法人，協同組合等および人格のない社団等（②の法人を除く）

$$\left(期末資本金額等 \times \frac{当期の月数}{12} \times \frac{2.5}{1,000} + 所得金額 \times \frac{2.5}{100}\right) \times \frac{1}{4}$$

② ①の法人のうち資本（出資）を有しないもの，一般社団法人，一般財団法人

$$所得金額 \times \frac{1.25}{100}$$

③ 公益法人等

イ 公益社団法人，公益財団法人

$$所得金額 \times \frac{50}{100}$$

ロ 学校法人，社会福祉法人，更生保護法人，社会医療法人

$$所得金額 \times \frac{50}{100}（この金額が200万円に満たない場合には200万円）$$

ハ イ，ロ以外の公益法人等

$$所得金額 \times \frac{20}{100}$$

一般寄附金については，行政的な便宜と課税の公平維持の観点から一種の擬制をおき，事業に関連しないと認められる部分の金額を計算し，損金不算入にするものである。その事業関連部分と非事業関連部分の区分は，事業規模に応じたものとなるよう，資本金と所得金額を基準に行う。そのうち資本金基準は，

従来「資本金等の額」(法令2十六)とされていたが,令和4年4月のグループ通算制度の適用を契機に,より実態に則したものとするため,「資本金等の額」は「資本金額等」とすることに改められた。

(2) 特定公益増進法人等に対する寄附金

法人が支出した特定公益増進法人および認定特定非営利活動法人等(特定公益増進法人等)に対する寄附金の額のうち,その特定公益増進法人等に対する寄附金の合計額と次の算式により計算した損金算入限度額とのいずれか低いほうの金額を超える部分の金額は,課税所得の計算上,損金の額に算入されない(法法37④,法令77の2,措法66の11の3②)。

① 普通法人,協同組合等および人格のない社団等(②の法人を除く)

$$\left(期末資本金額等 \times \frac{当期の月数}{12} \times \frac{3.75}{1,000} + 所得金額 \times \frac{6.25}{100}\right) \times \frac{1}{2}$$

② ①の法人のうち資本(出資)を有しないもの,一般社団法人,一般財団法人

$$所得金額 \times \frac{6.25}{100}$$

これは特定公益増進法人等に対する寄附金については,一般寄附金の損金算入限度額とは別枠で損金算入を認めるということである。この場合,特定公益増進法人等に対する寄附金の額が,上記①・②の損金算入限度額を超えるときは,その超える部分の金額は,一般寄附金の額に含まれる。

ここで特定公益増進法人とは,公共法人,公益法人等(一般社団法人および一般財団法人を除く)その他特別の法律により設立された法人のうち,教育または科学の振興,文化の向上,社会福祉への貢献その他公益の増進に著しく寄与す

るものをいう。具体的には，独立行政法人，地方独立行政法人，自動車安全運転センター，日本赤十字社，公益社団（財団）法人，学校法人，社会福祉法人などが定められている（法法37④，法令77）。

また認定特定非営利活動法人等とは，特定非営利活動法人（NPO法人）のうち，その運営組織および事業活動が適正であって，公益の増進に資することなどの要件を満たすものとして所轄庁の認定または特例認定を受けたものをいう（措法66の11の3②，措規22の12）。

特定公益増進法人等はまさに公益の増進に関する事業を行っているから，その法人の主たる目的である業務に関連する寄附金について，特例を認めるものである。その損金算入のためには，明細の確定申告書や修正申告書，更正請求書への記載や証明書類の保存を要する（法法37⑨⑩，法規24）。

(3) 公益信託の信託財産とするための寄附金

法人が支出した寄附金の額のうちに公益信託の信託財産とするために支出した信託事務に関連する寄附金（出資に充てられるもの等を除く）の額がある場合には，その寄附金の損金算入限度額は，上記(2)の特定公益増進法人等に対する寄附金と一体として計算し，その限度額を超える部分の金額は損金の額に算入されない（法法37⑤）。これは，公益信託を公益法人と同列に取り扱うため，信託財産とするための寄附金は，特定公益増進法人に対する寄附金とみる，ということである。

ここで，「公益信託」とは，受益者の定めのない信託であって，公益事務のみを行うものをいい（公益信託法2①一），「公益事務」とは，学術の振興，福祉の向上その他の不特定かつ多数の者の利益の増進を目的とする事務をいう（公益信託法2①二）。

（計算例）

1　当社の当期（令和6.4.1～令和7.3.31）における損金経理により支出した寄附金の状況等は，次のとおりである。

寄　　附　　先	使　　　途	寄　附　金　額
A　　　　　　　　　市	中学体育館建設資金	500,000円
B　宗　教　法　人	本　堂　改　築　資　金	100,000
C　社　会　福　祉　法　人	業　務　運　営　資　金	1,300,000
D　　　　高　　　　校	野球大会出場資金	200,000
E　　　政　　　党	政　治　資　金	300,000
F　　　会　　　社	商　品　の　低　額　販　売	720,000
そ　　　の　　　他	一　般　寄　附　金	2,000,000

（注）1　「B宗教法人」に対する寄附金は，前期に仮払金として経理していたものを当期に寄附金として消却したものである。
　　　2　「C社会福祉法人」は，特定公益増進法人に該当する。
　　　3　「D高校」に対する寄附金は，社長個人が負担すべきと認められるものである。
　　　4　「E政党」に対する寄附金は，当期末には未払である。
　　　5　「F会社」は，当社と完全支配関係がある兄弟会社である。

2　上記の寄附金のほか，前期に未払計上し，当期に支出した一般寄附金400,000円がある。

3　当期の所得金額等は，次のとおりである。

(1)　当期所得金額（申告書別表四仮計）　　　79,799,262円
(2)　期末資本金額等　　　　　　　　　　　120,000,000円

（計　算）

1　当期の寄附金額の内訳

(1)　完全支配関係法人に対する寄附金　720,000円

(2)　国等に対する寄附金　500,000円

(3)　特定公益増進法人に対する寄附金　1,300,000円

(4)　一般寄附金額　2,000,000円＋400,000円＝2,400,000円

2 損金算入限度額

(1) 寄附金支出前の所得金額

79,799,262円＋720,000円＋500,000円＋1,300,000円＋2,400,000円
＝84,719,262円

(2) 国等に対する寄附金　500,000円

(3) 一般寄附金額

$(120,000,000円 \times \dfrac{12}{12} \times \dfrac{2.5}{1,000} + 84,719,262円 \times \dfrac{2.5}{100}) \times \dfrac{1}{4}$
＝604,495円

(4) 特定公益増進法人に対する寄附金

$(120,000,000円 \times \dfrac{12}{12} \times \dfrac{3.75}{1,000} + 84,719,262円 \times \dfrac{6.25}{100}) \times \dfrac{1}{2}$
＝2,872,476円

1,300,000円と2,872,476円とのいずれか低い金額　∴1,300,000円

3 損金不算入額

(720,000円＋500,000円＋1,300,000円＋2,400,000円)－(500,000円＋604,495円＋1,300,000円)＝2,515,505円

(説　明)

1　B宗教法人に対する寄附金100,000円は既に前期に寄附金課税の対象になっており，また，E政党に対する寄附金300,000円は未払であるから，当期の損金不算入の対象になる寄附金額には含まれない。

2　D高校に対する寄附金200,000円は，社長個人に対する給与（賞与）となり，寄附金には含まれない。

3　前期に未払計上し，当期に支出した一般寄附金400,000円は，当期の費用には計上されていないが，税務上は当期の寄附金となる。

10 交際費等

1．概要と趣旨

　法人が支出する交際費，接待費などは，収益を得るために必要な費用であるから，企業会計においては特に問題なく費用として処理される。

　これに対して法人税では，法人が平成26年4月1日から令和9年3月31日までの間に開始する各事業年度において支出する交際費等の額のうち接待飲食費の額の50％相当額を超える部分の金額は損金の額に算入されない。ただし，資本金が1億円以下の法人（資本金が5億円以上である法人の完全支配関係子会社等を除く）については，所定の金額までの全額損金算入が認められている（措法61の4）。これを一般に交際費課税という。

　この交際費課税は，法人の公私を混同した交際費等の濫費の支出を抑制するとともに，内部資本の蓄積の促進を目的とするものである。また法人の自由な交際費の支出を認めると，公正な取引を阻害し，商品などの正常な価格形成をゆがめるといった問題点も指摘されている。

2．交際費等の範囲

(1) 交際費等の意義

　交際費課税の対象となる交際費等とは，交際費，接待費，機密費その他の費用で，法人がその得意先，仕入先その他事業に関係のある者等に対する接待，供応，慰安，贈答その他これらに類する行為のために支出するものをいう（措法61の4⑥）。この定義からすれば，交際費等は支出の目的，支出の相手方および行為の態様の三つの要件を備えたものということができよう。

　ここで「得意先，仕入先その他事業に関係のある者等」には，直接法人の営む事業に取引関係のある者だけでなく，間接に法人の利害に関係ある者および

第4章　損金の額の計算

法人の役員，従業員，株主なども含まれる（措通61の4⑴-22）。たとえば，法人の特定役員だけが法人の費用で飲食をしたものも交際費等に該当する。

また法人が支出する交際費等は，法人が直接支出するものであると，間接に支出するものであるとを問わない。たとえば二以上の法人が共同で，あるいは同業者団体を通じて接待を行い，その費用を分担した場合のその分担費用は，交際費等に該当する（措通61の4⑴-23）。

このように法人税の交際費等は，相当に広い概念のものである。

(2) 交際費等に含まれる費用

上記交際費等の意義からみると，原則として次のような費用は交際費等に含まれる。ただし，後述する飲食行為のために要する費用で，1人当たり10,000円以下のものは交際費等に含まれない（措通61の4⑴-15）。

交際費等は，事業経営の遂行上，必要であるかどうかは基本的に問わないのである。

① 会社の何周年記念または社屋新築記念における宴会費，交通費および記念品代ならびに新船建造または土木建築等における進水式，起工式，落成式等におけるこれらの費用
② 下請工場，特約店，代理店等となるため，またはするための運動費等の費用
③ 得意先，仕入先等社外の者の慶弔，禍福に際して支出する金品等の費用
④ 得意先，仕入先その他の事業に関係のある者等を旅行，観劇等に招待する費用
⑤ 製造業者または卸売業者がその製品または商品の卸売業者に対し，その卸売業者が小売業者を旅行，観劇等に招待する費用の全部または一部を負担した場合のその負担額
⑥ いわゆる総会対策等のために支出する費用で，総会屋等に対して会費，賛助金，寄附金，広告料，購読料等の名目で支出する金品の費用
⑦ 建設業者等が高層ビル，マンション等の建設にあたり，周辺の住民の同

意を得るためにその住民またはその関係者を旅行，観劇等に招待し，または酒食を提供した場合におけるこれらの行為のために要した費用
⑧　スーパーマーケット業，百貨店業等を営む法人が既存の商店街等に進出するにあたり，周辺の商店等の同意を得るために支出する運動費等の費用
⑨　得意先，仕入先等の従業員に対して取引の謝礼等として支出する金品の費用
⑩　建設業者等が工事の入札等に際して支出するいわゆる談合金その他これに類する費用

(3)　交際費等に含まれない費用

次のような費用は交際費等に含まれない（措法61の4⑥，措令37の5，措規21の18の4）。
①　もっぱら従業員の慰安のために行われる運動会，演芸会，旅行等のために通常要する費用
②　飲食その他これに類する行為のために要する費用（もっぱら法人の役員，従業員またはこれらの親族に対する接待等の費用を除く）で，1人当たり10,000円以下の費用
③　カレンダー，手帳，扇子，うちわ，手ぬぐいその他これらに類する物品を贈与するために通常要する費用（措通61の4⑴-20）
④　会議に関連して，茶菓，弁当その他これらに類する飲食物を供与するために通常要する費用（措通61の4⑴-21）
⑤　新聞，雑誌等の出版物または放送番組を編集するために行われる座談会その他記事の収集のために，または放送のための取材に要する費用

これらの費用も上記交際費等の定義からすれば，理論的には交際費等に含まれる。しかしこれらの費用は，福利厚生費や広告宣伝費，会議費等の性格を有し，または業務上必要不可欠と認められる費用であるから，交際費等の範囲から除外されている。

3．交際費等の損金不算入額

(1) 原　　則

　法人が支出する交際費等の額のうち，接待飲食費の額の50％相当額を超える部分の金額は，課税所得の計算上，損金の額に算入されない（措法61の4①）。

　ここで接待飲食費とは，交際費等のうち飲食その他これに類する行為のために要する費用（もっぱら法人の役員，従業員またはこれらの親族に対する接待等の費用を除く）であって，その旨が帳簿書類により明らかにされているものをいう（措法61の4⑥，措規21の18の4）。

　ただし，期末資本（出資）金の額が100億円を超える法人については，接待飲食費の50％相当額の損金算入の特例の適用はない（措法61の4①）。

(2)　中小企業者の定額控除

　法人のうち期末資本（出資）金の額が1億円以下であるものは，次の場合に応じそれぞれの金額をもって，損金不算入額とすることができる（措法61の4②）。中小企業者は，上記(1)の原則と有利な方を選択適用してよい。

　①　交際費等の額が800万円以下である場合……零
　②　交際費等の額が800万円を超える場合………その超える部分の金額

　この800万円を定額控除限度額といい，中小企業者にあっては，当期の支出交際費等の額が800万円以下である限り，交際費課税は行われない。これは中小企業経営における交際費等の必要性を考慮したものである。

　なお，資本金が5億円以上の法人や相互会社等による完全支配関係（100％の持株関係）がある法人については，仮に期末資本金が1億円以下であっても，この定額控除の適用はない。

(3)　取得価額に算入した交際費等の調整

　法人が土地，建物等の取得のために支出した交際費等の額は，その土地，建物等の取得価額に算入する。たとえば，土地や建物の取得に際して，売主など

を接待するためのような費用である。

　一方，交際費課税にあたっては，このように資産の取得価額に算入した交際費等であっても，損金不算入額の計算の対象に含めなければならない（措通61の4⑴－24）。そうすると，資産の取得価額に算入されて損金になっていない交際費等についても損金不算入額が算出されて，いわば二重課税が生じる。

　そこで固定資産や繰延資産，棚卸資産の取得価額に算入した交際費等のうちに損金不算入額があるときは，その取得価額に算入した交際費等のうち損金不算入額からなる部分の金額は，固定資産や繰延資産，棚卸資産の取得価額から減額し，損金の額に算入してよい（措通61の4⑵－7）。

(計算例)

1　当社の当期（令和6.4.1～令和7.3.31）において損金経理により接待交際費勘定に計上した金額は17,600,000円であり，その内訳は次のとおりである。
　⑴　新工場の近隣の神社の秋祭りの寄贈金　　　　　50,000円
　⑵　抽選による一般消費者の海外旅行招待費用　　1,000,000円
　⑶　得意先と飲食した1人当たり10,000円以下の費用　1,200,000円
　⑷　取引先に対する台風被害の見舞金　　　　　　200,000円
　⑸　得意先との商談の際の通常程度の昼食の費用　　400,000円
　⑹　得意先への贈答費用の期末未払分　　　　　　300,000円
　⑺　前期の仮払交際費の当期における消却額　　　100,000円
　⑻　その他の接待交際費　　　　　　　　　　　14,350,000円
　　（うち接待飲食費　　　　　　　　　　　　　11,000,000円）
2　新工場用地を取得するため，地主および近隣住民を接待した費用500,000円は，土地の取得価額に算入している。
3　当社の当期末の資本金は1億円であり，大会社の子会社ではない。

（計　算）

1　支出交際費等の額

17,600,000円－50,000円－1,000,000円－1,200,000円－200,000円
－400,000円－100,000円＋500,000円＝15,150,000円

2　交際費等の損金不算入額

(1)　原　　　則

15,150,000円－11,000,000円×50％＝9,650,000円

(2)　中小企業者の定額控除

$15,150,000円－8,000,000円×\dfrac{12}{12}=7,150,000円$

3　土地の帳簿価額の損金算入

$7,150,000円×\dfrac{500,000円}{15,150,000円}=235,973円$

（説　明）

1　新工場の近隣の神社の秋祭りの寄贈金50,000円（措通61の4(1)－2），一般消費者を海外旅行に招待した費用1,000,000円（措通61の4(1)－9），10,000円以下の飲食の費用1,200,000円（措令37の5），台風被害の見舞金200,000円（措通61の4(1)－10の3）および商談の際の昼食の費用400,000円（措通61の4(1)－21）は，いずれも交際費等に含まれない。

2　交際費等は仮払または未払であっても，現に交際接待をしたときに交際費課税の対象にする（措通61の4(1)－24）。したがって，前期の仮払交際費100,000円は，既に前期に交際費課税の対象になっているので，当期の支出交際費等の額から除外する。

3　土地の取得価額に算入した500,000円は損金の額に算入されていないので，損金不算入額に対応する金額235,973円は土地の取得価額から減額し，損金の額に算入することができる（措通61の4(2)－7）。

11　使途不明金

1．概要と趣旨

　法人が支出した金銭でその費途が明らかでないものは，損金の額に算入されない（基通9－7－20）。一方，役員等に対して支給した渡切交際費のうち，その法人の業務のために使用されたことが明らかでないものは，その役員に対する給与とする（基通9－2－9(9)）。これらを一般に使途不明金課税という。

　使途不明金が損金にならないのは，使途不明金はそもそも原価，販売費・一般管理費その他の費用および損失のいずれに該当するのかわからないからである。法人税の損金は一般に公正妥当な会計処理の基準により計算されるが（法法22④），このような使途不明金の損金算入を認めることは公正妥当な会計処理とはいえない。

　また法人が使途秘匿金を支出した場合には，通常の法人税のほか，その使途秘匿金の支出額の40％相当額の法人税を追加して納付しなければならない（措法62）。これを使途秘匿金課税と呼ぶ。

　法人が課税当局に対し相手方の氏名や住所等を秘匿するような支出は，違法ないし不当な支出につながりやすく，それがひいては公正な取引を阻害することにもなる。これをそのまま放置することは社会的な問題があることにかんがみ，使途秘匿金の支出の抑制を目的に追加課税が行われる。

　このように，法人税には使途不明金をめぐって，使途不明金課税と使途秘匿金課税と二つの制度がある。

2．使途不明金課税

(1)　使途不明金の損金不算入

　法人が交際費，機密費，接待費等の名義をもって支出した金銭でその費途が

第4章　損金の額の計算

明らかでないものは，損金の額に算入されない（基通9－7－20）。これは社外に流出された金銭の取扱いである。

　一方，法人が役員等に対して機密費，接待費，交際費，旅費等で支給したもののうち，その法人の業務のために使用されたことが明らかでないものは，その役員に対する給与とされる（基通9－2－9(9)）。これは一般に渡切交際費といわれるもので，その使途の調査や金額の精算を要しないのが普通である。この渡切交際費が臨時的に支給されれば役員賞与になり，毎月定額で支給されれば役員報酬になる（基通9－2－11(3)）。

(2)　使途不明金の範囲

　法人が支出した金銭の費途が不明であるといっても，何が不明であれば使途不明金に該当するかである。この点，使途が不明であるというのは，課税当局の立場からすれば，法人が支出した金銭の相手方に対する課税ができないという状態であろう。そうすれば，相手方の氏名（名称），住所（所在地）または支出の事由のいずれかがわからない支出が使途不明金ということになる。

　ただ，たとえば商品の売上げに直接対応する仕入れの相手方の氏名，住所または支出の事由が不明であるからといって，すべて使途不明金として損金不算入になるというのは実情にあわない。仮にその仕入れが使途不明金であるとして損金算入が認められないとすれば，原価なしで売上金額そのものに法人税を課す結果になるからである。

3．使途秘匿金課税

　法人はその使途秘匿金の支出について法人税を納める義務があり，法人が平成6年4月1日以後に使途秘匿金を支出した場合には，各事業年度の所得に対する法人税の額は，その使途秘匿金の支出額の40％相当額を加算した金額とされる（措法62）。これを一般に使途秘匿金課税という。

　使途秘匿金課税にあっては，「使途秘匿金」という用語が使われている（措

法62)。これは，法人自身が支出した金銭の使途がわからないということはあり得ず，法人が自己の都合により使途を隠すものである，という法人の側からみた概念である。しかし，基本的には前述の使途不明金と同じといってよい。

使途秘匿金課税の詳細については，第8章の4を参照されたい。

12 租税公課等

1．概要と趣旨

租税公課は，国その他の公共団体がその目的達成のために強制的に賦課徴収するものの総称である。法人が納付する租税公課は，企業会計では一般に「販売費及び一般管理費」として，あるいは当期純利益の控除項目として，それぞれ処理される。

これに対して，法人税の課税所得の計算上は，すべての租税公課の損金算入が認められることにはなっていない。すなわち法人税や住民税のように法人の所得を課税標準として課されるものは，損金の額に算入されない（法法38～41）。一方，事業税や固定資産税，不動産取得税のように事業経営上のコストとみられるものは，損金の額に算入される。

このように，法人税では租税公課の性格や制度的，政策的な理由により，租税公課を損金になるものとならないものとに区分けしている。

2．損金不算入の租税公課

法人が納付する租税公課のうち次に掲げるものは，課税所得の計算上，損金の額に算入されない（法法38～41の2，法令78の2，78の3）。

なお，各種加算税や罰科金などは，別途損金不算入の規定が置かれている（法法55）。本章の13を参照のこと。

(1) 所得を課税標準とする租税

① 法人税（退職年金等積立金に対する法人税，還付加算金に相当する法人税および利子税を除く）および地方法人税

② 道府県民税および市町村民税（都民税を含み，退職年金等積立金に対する法人税にかかるものを除く）

法人税および住民税は，法人の所得を課税標準として課されるものである。このような租税は負担の公平の観点から，本来的に利益（所得）のなかから支払われるべきであると考えられている。そこで，これらの租税は損金不算入である。

なお，当該事業年度にかかる法人税等および住民税を未払法人税等として計上しても，もちろん損金にならない。

(2) 課税技術上の理由による租税

① 人格のない社団等が納付する贈与税および相続税

個人から財産の贈与または遺贈を受けた代表者等の定めのある人格のない社団等や一般社団法人等は，贈与税または相続税を納めなければならない場合がある。この場合の納付すべき贈与税または相続税の額は，これら社団等や一般社団法人等に課されるべき法人税額等を控除した金額とする（相法66，66の2）。

そこで，この贈与税や相続税は，財産の受贈に伴うあらかじめ予定された負担とみて損金不算入とされる（法法38②一）。

② 第二次納税義務により納付する国税および地方税

法人は所定の事由が生じた場合には，本来の納税義務者に代わって，第二次納税義務を負い，国税または地方税を納めなければならないことがある。たとえば，同族会社の判定株主の有する株式が市場性を欠いているため，その株式から滞納税金を徴収することが困難である場合には，その同族会社が第二次納税義務を負い，滞納者に代わって税金を納めなければならない（徴法33～40，41，地法11の2～11の9，12の2）。

この第二次納税義務により納付する国税，地方税およびこれらに準ずる国税，地方税は，実質的にみずからが支払う法人税または住民税とみられることから，損金の額に算入されない（法法39，法令78の2）。

③ 外国子会社からの配当等に係る外国源泉税等

法人が外国子会社から受ける剰余金の配当等については，益金の額に算入しないことができる（法法23の2）。この益金不算入の適用を受ける場合には，その外国子会社から受ける剰余金の配当等にかかる外国源泉税等の額は，損金の額に算入されない（法法39の2）。

外国子会社から受ける剰余金の配当等は益金不算入としたうえ，その剰余金の配当等に課される外国源泉税等を損金算入すると，二重の特例を適用することになるので，これを排除する趣旨である。

ここで外国源泉税等とは，剰余金の配当等の額を課税標準として源泉徴収の方法により課される外国法人税および剰余金の配当等の額の計算の基礎とされる金額を課税標準として課される外国法人税をいう（法法39の2，法令78の3）。

④ 法人税額から控除する所得税額等

法人が他の法人から利子や配当などの支払を受ける際に源泉徴収される所得税および復興特別所得税（所得税等）の額は，納付すべき法人税の額から控除される（法法68，復興財源確保法33②）。そして，控除しきれない所得税等の額は，還付を受けることができる（法法78）。この法人税額から控除する所得税等の額は，二重課税を排除するという課税技術上の趣旨から損金とはならない（法法40）。

所得税額等の控除の詳細については，第8章の6を参照のこと。

⑤ 法人税額から控除する外国税額等

法人が国外において納付する外国法人税額または分配時調整外国税相当額は，わが国の納付すべき法人税額から控除することができる（法法69，69の2）。これも上述の所得税額と同じように，二重課税を排除するという課税技術上の理由から損金の額に算入されない（法法41，41の2）。

外国税額控除の詳細については，第8章の7を参照のこと。

第4章　損金の額の計算

3．損金算入の租税公課

(1) 種　　類

　法人が納付する租税公課のうち上記2．以外のものは，課税所得の計算上，損金の額に算入される。たとえば次に掲げるような租税公課である。これらの租税公課は，通常の販売費や一般管理費と同じように，事業経営上のコストとしての性格を有しているから，損金性が認められる。

① 　法人税のうち次に掲げるもの（法法38①）
　　イ　退職年金等積立金に対する法人税
　　ロ　過大に還付を受けた場合に納付する還付加算金に相当する法人税
　　ハ　申告期限が延長されている場合に納付する利子税
② 　道府県民税および市町村民税のうち退職年金等積立金に対するもの（法法38②二）
③ 　地方税の納期限が延長されている場合に納付する延滞金（法法55④二）
④ 　酒税，印紙税，登録免許税
⑤ 　事業税，特別法人事業税，不動産取得税，自動車税，固定資産税，自動車取得税，特別土地保有税，事業所税，都市計画税
⑥ 　汚染負荷量賦課金，障害者雇用納付金等（基通9－5－7）

(2) 損金算入時期

① 　原　　則

　損金の額に算入される租税の損金算入の時期は，次に掲げる区分に応じ，それぞれ次の日の属する事業年度である（基通9－5－1）。
　　イ　申告納税方式による租税……納税申告書に記載された税額はその納税申告書が提出された日，更正・決定にかかる税額はその更正・決定があった日
　　ロ　賦課課税方式による租税……賦課決定のあった日。ただし，その納期の開始の日または実際に納付した日としてもよい。

ハ　特別徴収方式による租税……納入申告書にかかる税額はその申告の日，更正・決定にかかる税額はその更正・決定があった日
　ニ　利子税および納期限延長の場合の延滞金……納付の日
　これは，いずれも他の販売費や一般管理費と同じように，債務として確定したときに損金算入するものである。

②　事業税と特別法人事業税の特例

　事業税および特別法人事業税は申告納税方式による租税であるから，その損金算入時期は上記①イによるのが原則である。しかし，その事業年度の直前の事業年度分の事業税および特別法人事業税については，その事業年度末までにその全部または一部につき申告または更正・決定がされていない場合であっても，その事業年度の損金の額に算入してよい（基通9－5－2）。

　これは，事業税および特別法人事業税は原則として法人税の課税所得を課税標準とするものであるから（地法72の23①），法人税の更正・決定などに連動してその税額が異動することからくる特例である。

4．消費税・地方消費税の処理

(1)　消費税等の経理処理方法

　法人が支払い，または受け取る消費税および地方消費税を，法人税の課税所得の計算上，どのように経理処理するかにつき，税抜経理方式と税込経理方式との二つの方法がある（平成元.3.1直法2－1通達）。

　税抜経理方式とは，仕入れや費用の支払，資産の取得にかかる消費税額等を仮払消費税等と，売上げにかかる消費税額等を仮受消費税等とそれぞれ処理し，課税期間中の仮払消費税等と仮受消費税等とを相殺し，その差額を納付または還付を受ける消費税額等とする方法をいう。

　一方，税込経理方式は，仕入れにかかる消費税額等は資産の取得原価または費用に含め，売上げにかかる消費税額等は収益に含めて処理し，納付する消費税額等は租税公課として費用に，還付を受ける消費税額等は収益に，それぞれ

計上する方法である。

　法人は自由にいずれかの方法を選択して適用すればよい。消費税および地方消費税は付加価値に課する税で，最終的な負担者は一般消費者であり，企業にとってみれば一種の仮払金ないし仮受金にすぎない。このような消費税等の性格からすれば，消費税等が費用または収益として計上されず，企業の損益計算に影響を与えない税抜経理方式が理論的といえる。

(2)　控除対象外消費税額等の処理
①　控除対象外消費税額等の意義

　法人が納付すべき消費税額等は，一課税期間中における売上げにかかる消費税額等から仕入れにかかる消費税額等を控除して計算される。しかしその計算にあたって，仕入れにかかる消費税額等のうち非課税売上げに対応するものは控除できない（消法30）。その控除ができない仕入れにかかる消費税額等を控除対象外消費税額等という（法令139の4⑤）。

②　控除対象外消費税額等の処理

　法人が税込経理方式を採用している場合には，消費税額等はすべて資産の取得価額や費用の額に含めて処理されるので，控除対象外消費税額等をどうするかという問題は生じない。

　一方，税抜経理方式を採用している場合には，資産の取得価額や費用の額と消費税額等はわけて処理されるので，控除対象外消費税額等は資産の取得価額や費用の額に含めなければならない。この場合，費用にかかる控除対象外消費税額等は，その費用に含めて損金として処理すればよい。

　これに対して，資産にかかる控除対象外消費税額等は，その資産の取得価額に含め，償却の方法により，あるいは譲渡原価として費用化を図る必要がある。しかし資産にかかる控除対象外消費税額等をいちいち資産の取得価額に含め，償却を行うのは事務の手数を要する。そこで資産にかかる控除対象外消費税額等については，資産の取得価額と切り放して処理することが認められている。すなわち資産にかかる控除対象外消費税額等は，次に掲げる区分に応じ，それ

ぞれ次に掲げる金額を限度として損金の額に算入する（法令139の4）。

イ 消費税の課税売上割合が80％以上である事業年度に生じた資産にかかる控除対象外消費税額等……その控除対象外消費税額等のうちその事業年度において損金経理をした金額

　イの控除対象外消費税額等は，金額の多寡を問わず，その生じた事業年度において全額損金算入ができるということである。

ロ 消費税の課税売上割合が80％未満である事業年度に生じた資産にかかる控除対象外消費税額等のうち次に掲げるもの……その控除対象外消費税額等のうちその事業年度において損金経理をした金額

　(イ) 棚卸資産にかかる控除対象外消費税額等
　(ロ) 特定課税仕入れにかかる控除対象外消費税額等
　(ハ) 20万円未満である控除対象外消費税額等

　ロの控除対象外消費税額等についても，その生じた事業年度において全額損金算入ができるということである。

ハ イおよびロの資産にかかる控除対象外消費税額等のうち損金経理しなかった金額ならびにイおよびロ以外の資産にかかる控除対象外消費税額等（繰延消費税額等）……次の(イ)または(ロ)の事業年度の区分に応じて損金経理をしたそれぞれ次に掲げる金額

　(イ) 繰延消費税額等が生じた事業年度

$$繰延消費税額等の額 \times \frac{その事業年度の月数}{60} \times \frac{1}{2}$$

　(ロ) 繰延消費税額等が生じた事業年度後の事業年度

$$繰延消費税額等の額 \times \frac{その事業年度の月数}{60}$$

　ハの控除対象外消費税額等は，原則として5年間で均等償却をするということである。ただし，その控除対象外消費税額等が生じた事業年度においては，資産を取得した時期にかかわらず，すべて期央に生じたものとし

て償却する。

(計算例)

1 当社は消費税等の処理につき税抜経理方式を採用しており，当期（令和6.4.1～令和7.3.31）末において仮受消費税等と仮払消費税等を次のように経理した。

(借) 売 上・収 益 18,000,000　(貸) 仮受消費税等 18,000,000
(借) 仮払消費税等 16,000,000　(貸) 仕 入・経 費 12,000,000
　　　　　　　　　　　　　　　　　　棚 卸 資 産 1,500,000
　　　　　　　　　　　　　　　　　　建　　　物 2,000,000
　　　　　　　　　　　　　　　　　　器 具 備 品 500,000
(借) 仮受消費税等 18,000,000　(貸) 仮払消費税等 16,000,000
　　　租 税 公 課 4,800,000　　　　未払消費税等 6,800,000

2 当期における課税売上割合は70％であり，控除対象外消費税額等は仕入・経費が3,600,000円，棚卸資産が450,000円，建物が600,000円，器具備品が150,000円である。

(計　算)

1 繰延消費税額等の損金算入限度額

$$600,000円 \times \frac{12}{60} \times \frac{1}{2} = 60,000円$$

2 限度超過額

600,000円 − 60,000円 = 540,000円

(説　明)

1 控除対象外消費税額等のうち，仕入・経費の3,600,000円，棚卸資産の450,000円および器具備品の150,000円は，全額当期の損金の額に算入することができる。

2 建物にかかる控除対象外消費税額等の限度超過額540,000円は，当期の損金の額には算入されないので，申告書別表四で所得金額に加算する。

13 不正行為の費用等

1．概要と趣旨

　法人が隠蔽仮装行為により法人税の負担を減少させるために要する費用および損失の額は，損金の額に算入されない（法法55①）。これはいわゆる脱税経費の損金性を否定するものであり，法人税以外の租税の脱税経費も同様に取り扱われる（法法55②）。証拠書類のない簿外経費も損金とはならない（法法55③）。

　また，法人が納付する国税にかかる延滞税や各種加算税，過怠税も損金算入はできない。地方税にかかる延滞金や各種加算金も同様である（法法55④）。

　さらに，法人が納付する罰金や科料，過料，課徴金なども損金算入は認められない（法法55⑤）。また，公務員に対する賄賂等も損金の額に算入されない（法法55⑥）。

　いわゆる脱税経費の損金算入を認めることは，刑罰をもって脱税を禁止している税法（法法159等）の自己矛盾で不合理であり，公正妥当な会計処理とはいえない。また納税義務違反や法令違反に対して制裁的に課される租税公課の損金算入を認めると，実質的に国が一部を負担する結果となり，制裁効果が減殺される。このような趣旨により不正行為等にかかる費用等は，損金不算入とされている。

2．脱税経費の損金不算入

　法人が所得金額，欠損金額または法人税額の計算の基礎となるべき事実を隠蔽または仮装すること（隠蔽仮装行為）により法人税の負担を減少させ，または減少させようとする場合には，その隠蔽仮装行為に要する費用または損失の額は，損金の額に算入しない（法法55①）。この取扱いは，法人税以外の租税の負担を減少させ，または減少させようとする場合も同様である（法法55②）。

第4章　損金の額の計算

　これは，たとえば架空仕入れを計上するために仕入先に支払う謝礼や領収証の購入費などの，いわゆる脱税経費の損金算入を認めないものである。従来，脱税経費の損金算入の可否をめぐっては，積極説，消極説の議論の対立があった。これが平成18年の税制改正により，立法的に解決された。

3．簿外経費の損金不算入

　法人が，隠蔽仮装行為に基づき確定申告書を提出し，または無申告であった場合には，簿外の売上原価の額，販売費・一般管理費等の費用の額および損失の額の損金算入は認められない（法法55③）。証拠書類のない簿外経費を主張するような行為を防止する，適切な租税環境整備の一環である。

　ただし，次に掲げるものは，簿外経費に該当せず，損金算入ができる（法令111の4①，法規25の10，基通9－5－8～9－5－11）。

① 　資産の販売・譲渡および役務の提供のための資産の取得に直接要した費用の額
② 　法人の保存する帳簿書類等により，その取引が行われたことおよびその金額が明らかである売上原価の額または費用の額
③ 　法人の保存する帳簿書類等から明らかである取引の相手方に対する調査等により税務署長が認めた売上原価の額または費用の額

4．加算税等の損金不算入

　法人が納付する次に掲げるものの額は，損金の額に算入できない（法法55④，法令111の4②）。

① 　国税にかかる延滞税，過少申告加算税，無申告加算税，不納付加算税および重加算税ならびに印紙税法による過怠税
② 　地方税にかかる延滞金（納期限の延長の場合の延滞金を除く），過少申告加算金，不申告加算金および重加算金

③　地方消費税にかかる延滞税および加算税

これらの租税は納税義務違反に対して課されるものである。

延滞税および加算税の詳細については，第10章の③を参照されたい。

5．罰金，課徴金等の損金不算入

法人が納付する次に掲げるものの額は，損金の額に算入しない（法法55⑤）。
① 　罰金および科料ならびに過料

　罰金および科料には，通告処分による罰金または科料に相当するものおよび外国またはその地方公共団体が課する罰金または科料に相当するものを含む（基通9－5－13）。
② 　国民生活安定緊急措置法による課徴金および延滞金
③ 　独占禁止法による課徴金および延滞金

　課徴金および延滞金には，外国もしくはその地方公共団体または国際機関が納付を命ずるこれらに類するものを含む（基通9－5－14）。
④ 　金融商品取引法による課徴金および延滞金
⑤ 　公認会計士法による課徴金および延滞金
⑥ 　不当景品類及び不当表示防止法による課徴金および延滞金
⑦ 　医薬品，医療機器等の品質，有効性及び安全性の確保等に関する法律による課徴金および延滞金

これら罰金，課徴金等は，法令違反や秩序違反に対して課されるものであるから，損金不算入とされる。

6．賄賂等の損金不算入

法人が供与する刑法198条に規定する賄賂または不正競争防止法18条1項に規定する金銭その他の利益に当たるべき金銭の額および金銭以外の資産の価額ならびに経済的な利益の額の合計額は，損金の額に算入しない（法法55⑥）。

刑法によるものは公務員に対する賄賂,不正競争防止法によるものは,外国公務員等に対する不正の利益の供与である。

賄賂等の損金性についても議論があったが,平成18年の税制改正によりその損金不算入が明確にされた。

14 貸倒損失

1．概要と趣旨

法人の有する売掛金,未収入金,貸付金などの金銭債権が回収不能の状態になった場合には,企業会計ではその金銭債権は貸倒損失に計上する。法人税においても,貸倒損失の額は,課税所得の計算上,損金の額に算入される。

ところが,法人税法に貸倒損失を損金にする旨の明文の規定はない。しかし資本等取引以外の取引にかかる損失は損金になるから（法法22③三）,貸倒損失も資本等取引以外の取引にかかる損失として損金算入が認められる。貸倒損失は,売上原価や販売費・一般管理費などと異なり,収益の獲得になんら役立たなかったものである。にもかかわらず損金算入が認められるのは,企業の価値を絶対的に減少させるものだからである。

貸倒損失は,金銭債権が回収不能で無価値になった場合に計上することができる。しかし金銭債権がどのような状態になれば,回収不能で無価値になったといえるのか,その判断はむずかしい。法人税では,基本的に法律的または経済的に金銭債権が消滅したかどうかにより貸倒れの判断を行う。

2．法律的な債権の消滅

法人の有する金銭債権について,次に掲げる事実が発生した場合には,その金銭債権のうちそれぞれ次に掲げる金額は,貸倒れとして損金の額に算入する

ことができる。損金の額に算入する時期は，それぞれの事実が発生した日の属する事業年度である（基通9－6－1）。

① 更生計画認可の決定または再生計画認可の決定があった場合……これらの決定により切り捨てられることとなった部分の金額
② 特別清算に係る協定の認可の決定があった場合……この決定により切り捨てられることとなった部分の金額
③ 法令による整理手続でない関係者の協議決定で，次に掲げるものがあった場合……これらの決定により切り捨てられることとなった部分の金額
　イ　債権者集会の協議決定で合理的な基準により債務者の負債整理を定めているもの
　ロ　行政機関または金融機関その他の第三者の斡旋による当事者間の協議により締結された契約でその内容がイに準ずるもの
④ 債務者の債務超過の状態が相当期間継続し，その金銭債権の弁済を受けることができないと認められる場合……その債務者に対し書面により明らかにされた債務免除額

これらの事実が生じ金銭債権が切り捨てられた場合には，金銭債権は法律的，絶対的に消滅してしまうので，貸倒損失として認められる。

上記①から③までの場合は，法的または私的な債務整理であり合理的な基準により金銭債権が切り捨てられる。その点で貸倒損失を計上することが特に問題となることは少ない。

これに対して④の場合には，債権者たる法人が独自の判断にもとづき債務免除を行うものである。そこで，たとえば親会社が子会社に対して有する貸付金につきまだ回収の可能性があるにもかかわらず，債務免除をするようなことがありうる。その場合には，子会社に対して経済的利益を与えたものとして，貸倒損失ではなく寄附金として処理すべきことになる（法法37⑦⑧）。金銭債権が消滅したからといって，単純に貸倒損失として損金にはならない場合があることに留意する。

3．経済的な債権の消滅

　法人の有する金銭債権につき，その債務者の資産状況，支払能力等からみて全額が回収できないことが明らかになった場合には，その明らかになった事業年度において貸倒れとして損金経理をしてよい（基通9－6－2）。

　これは法的にはまだ債権として残っているが，債権が経済的に無価値になり実質的に消滅したものであるから，貸倒償却が認められる。経済的に債権が消滅したかどうかは，債務者の資力，事業の性質，信用，事業上の手腕・力量や債権者の債権額，取立手段，担保物の有無，回収の努力，債務者の態度などを総合勘案して判断する。

　ただし，金銭債権について担保物があるときは，その担保物を処分した後でなければ，貸倒れとすることはできない。担保物を処分してみなければ，最終的にいくら貸倒れになるのかわからないからである。

　なお，保証債務は現実にこれを履行してはじめて貸倒れの対象にすることができる（基通9－6－2（注））。現実の履行がない段階の保証債務は，抽象的な偶発債務であるにすぎないからである。

4．取引停止後弁済がない場合の特例

　法人の有する売掛債権について，その債務者に次に掲げる事実が生じた場合には，備忘価額を残して貸倒れとして損金経理をすることができる。ここで売掛債権とは，売掛金，未収請負金その他これらに準ずる債権をいい，貸付金その他これに準ずる債権を含まない（基通9－6－3）。

① 債務者との取引を停止した時以後1年以上経過した場合

　　ここに取引の停止とは，継続的な取引を行っていた債務者につき，その資産状況，支払能力等が悪化したためその後の取引を停止するに至った場合をいう。したがって，たとえば不動産取引のようにたまたま取引を行った債務者に対するその売掛債権は，この特例の対象にならない。また，売

掛債権に担保物があるときも，この特例の適用はない。

なお，「1年以上経過」したかどうかの判定にあたって，最後の弁済期または最後の弁済の時が取引を停止した時以後であるときは，これらのうち最も遅い時を起算点とする。

② 法人の同一地域の債務者に対して有する売掛債権の総額がその取立てのための旅費その他の費用に満たない場合において，その債務者に支払を督促したにもかかわらず弁済がないとき

運賃や宿泊料，飲食費等の債権は1年，商品販売の代金債権は2年の消滅時効にかかっていた。これら売掛債権は短期の消滅時効にかかり，また，相対的に小口のものが多いから，取引停止後相当期間が経過すれば，回収率が低くなる。この特例は，そのような事情を考慮したものである。

5．災害による売掛債権の免除の特例

法人が火災，震災等の災害を受けた取引先に対して，その復旧を支援することを目的として災害発生後相当の期間内に売掛金，未収請負金，貸付金その他これらに準ずる債権の全部または一部を免除した場合には，その免除による損失は寄附金に該当しない。すでに契約で定められたリース料や貸付利息，割賦販売の賦払金等で災害発生後に授受するものの免除なども同様に取り扱われる（基通9－4－6の2）。

この場合の「取引先」には，得意先，仕入先，下請工場，特約店，代理店等のほか，実質的な取引関係にある者が含まれる。

債務者の資産状況が悪化したこと等の合理的な理由がなく行う債務免除は，原則として寄附金に該当する。しかしこの特例における売掛債権の免除は，災害を受けた取引先の復旧を支援するのが目的であり，いわば取引条件の修正ともいえる。そこで，その債務免除は寄附金に該当しないこととされている。

第4章　損金の額の計算

15　圧縮記帳

1．概要と趣旨

　法人税の課税所得の計算上，固定資産を取得するために交付を受ける国庫補助金や工事負担金，災害に伴い生じる保険差益や固定資産の譲渡に伴う譲渡益などはすべて益金に含まれる（法法22②）。しかし，たとえば国から研究開発用の機械を取得するために補助金の交付を受けた場合，その補助金を益金として課税対象にすると，その課される法人税額分だけ機械の取得ができなくなる。それだけ補助金交付の目的である研究開発の促進が阻害される。

　また法人が固定資産を譲渡し譲渡益を得たとしても，その譲渡代金でもって同種の固定資産を取得するような場合には，実体的には固定資産の保有状況には変化がなく，その譲渡はなかったとみることができる。このような場合に，その譲渡益に対してただちに課税することは必ずしも適当でない。ただちに課税するとすれば，法人の事業の継続を危うくすることにもなりかねない。

　そこで法人税においては，これらの益金で一定の要件を満たすものについて，その発生時にただちに課税せず，課税を繰り延べる制度が設けられている。これが圧縮記帳である。

　たとえば帳簿価額1,000のａ固定資産を3,000で譲渡し，その譲渡代金3,000でもって同種のｂ固定資産を取得した場合，次のように処理する。

　①　ａ固定資産を譲渡したとき

　　（借）現　金　預　金　　3,000　　（貸）ａ　固　定　資　産　　1,000
　　　　　　　　　　　　　　　　　　　　　　固定資産譲渡益　　2,000

　②　ｂ固定資産を取得したとき

　　（借）ｂ　固　定　資　産　　3,000　　（貸）現　金　預　金　　3,000

　③　圧縮記帳をするとき

　　（借）固定資産圧縮損　　2,000　　（貸）ｂ　固　定　資　産　　2,000

つまり圧縮記帳というのは，新たに取得した固定資産の帳簿価額を圧縮するために「圧縮損」を計上し，その圧縮損と譲渡益や受贈益とを相殺して課税関係が生じないようにする課税上のテクニックである。

2．課税上の効果

税務上，圧縮記帳の適用を受けた固定資産の取得価額は，圧縮記帳後の価額とされる（法令54③，措法64⑧，65の7⑧等）。上述の例における b 固定資産の税法上の取得価額は，実際に取得のために要した3,000ではなく，その3,000から圧縮損2,000を差し引いた1,000である。

したがって，圧縮記帳の適用を受けた固定資産の減価償却費や譲渡損益などは，圧縮記帳後の金額を基礎にして計算する。これを減価償却費についてみれば，圧縮記帳の適用を受けなかった固定資産に比して，その償却費が少なく計算される。逆に譲渡損益については，譲渡原価が小さくなる分，譲渡益は大きくなる。その結果，法人税の課税所得は，圧縮記帳の適用を受けた場合のほうが，その適用を受けなかった場合にくらべて多くなるのである。

これは，損金の額に算入された圧縮損はその後の減価償却や譲渡損益の計算を通じて取り戻され，最終的には圧縮記帳の適用を受けて課税されなかった受贈益や譲渡益などは課税の対象になることを意味する。それゆえ圧縮記帳制度は受贈益や譲渡益などの絶対的な免税措置ではなく，課税の繰延制度であるといわれる。

3．圧縮記帳の種類

現行法においては13種類の圧縮記帳制度が設けられている。それは次のとおりである。

(1) 法人税法の規定によるもの

① 国庫補助金等で取得した固定資産等の圧縮記帳（法法42～44）
② 工事負担金で取得した固定資産等の圧縮記帳（法法45）
③ 非出資組合が賦課金で取得した固定資産等の圧縮記帳（法法46）
④ 保険金等で取得した固定資産等の圧縮記帳（法法47～49）
⑤ 交換により取得した資産の圧縮記帳（法法50）

(2) 租税特別措置法の規定によるもの

⑥ 農用地等を取得した場合の圧縮記帳（措法61の3）
⑦ 収用等に伴い代替資産を取得した場合の圧縮記帳（措法64, 64の2）
⑧ 換地処分等に伴い資産を取得した場合の圧縮記帳（措法65）
⑨ 特定の資産の買換えの場合等の圧縮記帳（措法65の7～65の9）
⑩ 特定の交換分合により土地等を取得した場合の圧縮記帳（措法65の10）
⑪ 特定普通財産とその隣接する土地等の交換の場合の圧縮記帳（措法66）
⑫ 技術研究組合が賦課金で試験研究用資産を取得した場合の圧縮記帳（措法66の10）
⑬ 転廃業助成金等で固定資産等を取得した場合の圧縮記帳（措法67の4）

(3) 圧縮記帳の類型

　これら圧縮記帳を類型化すれば，贈与型，交換型および売買型に分類されよう。贈与型（上記①，②，③，⑥，⑫，⑬）は，補助金や賦課金などの交付を受け資産を取得した場合の圧縮記帳である。交換型（上記⑤，⑧，⑩，⑪）は，同種資産の交換であるため実質的には資産の譲渡はなかったとして圧縮記帳が認められる。売買型（上記④，⑦，⑨）は，資産の売買があり譲渡益は実現したが，政策的に課税を繰り延べようとするものである。

4．国庫補助金等で取得した固定資産等の圧縮記帳

(1) 概要と趣旨

　法人が，固定資産の取得または改良に充てるための国庫補助金等の交付を受け，その国庫補助金等をもってその交付の目的に適合した固定資産の取得または改良をした場合には，その固定資産につき取得等に充てた国庫補助金等の額の範囲内で圧縮記帳をすることができる（法法42～44）。

　法人が交付を受ける国庫補助金等は，受贈益としてすべて益金に含まれ法人税の課税対象になる。しかし国や地方公共団体などが補助金を交付するのは，所定の政策目的があってのことである。その補助金に課税することは，国や地方公共団体などが達成しようとしている政策目的を阻害することになりかねない。そこで圧縮記帳の適用を認め，課税の延期を図ることとしている。

(2) 国庫補助金等の範囲

　この圧縮記帳の適用対象となる国庫補助金等は，固定資産の取得または改良に充てるための国または地方公共団体の補助金のほか，独立行政法人高齢・障害・求職者雇用支援機構の助成金，国立研究開発法人新エネルギー・産業技術総合開発機構の助成金，独立行政法人エネルギー・金属鉱物資源機構の助成金，独立行政法人農畜産業振興機構の補助金，独立行政法人鉄道建設・運輸施設整備支援機構の補助金・一定の使途に充てられる助成金および日本たばこ産業株式会社の助成金で所定のものである（法法42①，法令79）。

　これらの法人の助成金等は限定列挙であるから，仮に公共性等の高い法人からの助成金等であっても，これらの法人以外の者からの助成金等は，国庫補助金等には該当しない。

　単なる経費や利益を補てんするための補助金や助成金は，圧縮記帳の対象にならない。

(3) 国庫補助金等の交付年度に返還不要が確定している場合

　法人が交付を受けた国庫補助金等が，その返還を要しないことが確定している場合には，その交付を受けた事業年度において，対象となる固定資産をいつ取得または改良するかに応じ次のように処理する。

① 国庫補助金等の交付年度に固定資産を取得等したとき

　国庫補助金等の交付を受けた事業年度でその国庫補助金等をもって交付の目的に適合した固定資産を取得または改良した場合には，その交付を受けた事業年度において圧縮記帳をすることができる（法法42①）。

　この場合の圧縮限度額は，固定資産の取得等に充てた国庫補助金等の額に相当する金額である。ここに圧縮限度額とは，圧縮記帳により損金の額に算入することができる圧縮損の限度額をいう。

② 国庫補助金等の交付年度前に固定資産を取得等したとき

　この圧縮記帳は，国庫補助金等の交付と固定資産の取得または改良が同一の事業年度で行われた場合に適用するのが原則である。しかし実務的には，国庫補助金等の交付を受ける事業年度前にあらかじめ固定資産の取得等をしておくことも少なくない。

　そこで，国庫補助金等の交付を受けた事業年度前の事業年度でその交付の目的に適合した固定資産の取得等をしている場合には，その交付を受けた事業年度において，その固定資産につき圧縮記帳をすることができる。ただし，この場合の圧縮限度額は，次の算式によって計算した金額である（法法42①，法令79の2）。

$$\text{国庫補助金等の交付を受けた日における固定資産の帳簿価額} \times \frac{\text{交付を受けた国庫補助金等の額（分母の額が限度）}}{\text{その固定資産の取得等に要した金額}}$$

　固定資産を先行取得した場合には，国庫補助金等の交付を受けるまでの間，その固定資産につき実際の取得価額を基礎に減価償却を行う。そうすると上記

①の場合にくらべて減価償却費が過大になる。そこで上記算式により圧縮限度額を縮減し，既往の過大な減価償却費を取り戻すのである。

③ 国庫補助金等の交付年度後に固定資産を取得等するとき

上記②の場合とは逆に，国庫補助金等の交付を受けた事業年度において固定資産の取得または改良ができず，翌事業年度以降になることもありうる。その場合には，国庫補助金等の交付を受けた事業年度ではその国庫補助金等を仮勘定として経理し，実際に固定資産を取得等した事業年度において圧縮記帳ができる。そして仮勘定に経理している金額は，法人がその固定資産につき圧縮記帳をするか否かにかかわらず，固定資産を取得した事業年度において取崩し，益金の額に算入する。

④ 国庫補助金等の交付に代えて現物の交付を受けたとき

国や地方公共団体などから国庫補助金等の交付に代えて，固定資産そのものの交付を受けることがある。これは，実体的には国庫補助金等の交付を受け，それでもって固定資産を取得するのとなんら変わらない。

そこで法人が国庫補助金等の交付に代わるべきものとして固定資産の交付を受けた場合には，その取得した事業年度において，その固定資産につき時価相当額の圧縮記帳をすることができる（法法42②）。

(4) 国庫補助金等の交付年度に返還不要が確定していない場合

法人が交付を受けた国庫補助金等をもって固定資産の取得または改良を行っても，その国庫補助金等が将来返還することがあるといった不確定なものである場合には，そのような不確定な状態のまま圧縮記帳をすることは適当でない。そこで国庫補助金等の返還を要しないことが確定していない場合には，次のように処理する（基通10－2－1参照）。

① 交付年度における特別勘定経理

法人が交付を受けた国庫補助金等が返還を要しないことが交付を受けた事業年度末までに確定していない場合には，返還をすべきことまたは返還を要しないことが確定するまでの間，その国庫補助金等の額を特別勘定に経理し，その

第4章　損金の額の計算

経理した金額を損金の額に算入することができる（法法43）。

②　返還を要しないことが確定したとき

上記①による特別勘定の金額を有する法人が，国庫補助金等をもって交付の目的に適合した固定資産の取得または改良をした後，その国庫補助金等の全部または一部の返還を要しないことが確定した場合には，その返還を要しないことが確定した事業年度において，その固定資産につき圧縮記帳をすることができる。この場合の圧縮限度額は，その返還を要しないことが確定した時の特別勘定の金額のうち，次の算式により計算した金額である（法法44，法令82）。

$$
\begin{array}{c}
\text{国庫補助金等の返還を要しないことが確}\\
\text{定した日における固定資産の帳簿価額}
\end{array}
\times \frac{\text{返還を要しないことが確定した国庫補助金等}}{\text{その固定資産の取得等に要した金額}}
$$

この算式の意味するところは，前記(3)の②と同じである。

なお，国庫補助金等の返還を要しないことが確定した場合には，その返還を要しないことが確定した国庫補助金等の額相当額の特別勘定の金額は取り崩して，益金の額に算入する（法法43②③，法令81）。

③　返還をすべきことが確定したとき

交付を受けた国庫補助金等の全部または一部について返還すべきことが確定し，その返還をした場合には，その返還した国庫補助金等の額は損金の額に算入される。一方，上記①による特別勘定の金額を有するときは，返還すべきことが確定した国庫補助金等の額に相当する金額は益金の額に算入する（法法43②③，法令81）。この結果，国庫補助金等の返還に伴って格別の課税関係は生じない。

(計算例)

1　当社は当期（令和6.4.1～令和7.3.31）において，○○県から研究開発用機械の取得のための補助金10,000,000円の交付を受けた。
　令和6年10月25日に，この補助金に自己資金5,000,000円を加え

167

て15,000,000円の機械（耐用年数8年，定率法の償却率0.250）を取得し，ただちに事業の用に供した。

　　ただし，この補助金は当期末までに○○県に返還すべきかどうかが確定していない。
 2　この補助金は，翌期（令和7.4.1～令和8.3.31）において返還する必要のないことが確定した。

（計　算）

1　当期の処理

　(1)　特別勘定繰入限度額　10,000,000円

　(2)　機械の償却限度額

$$15,000,000円 \times 0.250 \times \frac{6}{12} = 1,875,000円$$

　(3)　仕　　訳

　　　（借）現 金 預 金　10,000,000　　（貸）補 助 金 収 入　10,000,000
　　　（借）特別勘定繰入額　10,000,000　　（貸）特 別 勘 定　10,000,000

2　翌期の処理

　(1)　圧縮限度額

$$(15,000,000円 - 1,875,000円) \times \frac{10,000,000円}{15,000,000円} = 8,750,000円$$

　(2)　機械の償却限度額

$$(15,000,000円 - 1,875,000円 - 8,750,000円) \times 0.250 = 1,093,750円$$

　(3)　特別勘定の取崩額　10,000,000円

　(4)　仕　　訳

　　　（借）機 械 圧 縮 損　8,750,000　　（貸）機 械 装 置　8,750,000
　　　（借）特 別 勘 定　10,000,000　　（貸）特別勘定取崩益　10,000,000

（説　明）

1　当期における機械の償却限度額は，交付を受けた補助金を考慮することなく，実際の取得価額である15,000,000円を基礎に計算してよい。

2 翌期の圧縮限度額は，交付を受けた補助金10,000,000円ではなく，1,250,000円縮減した8,750,000円となる。これは前期に圧縮記帳を受けていれば，機械の償却限度額は625,000円（(15,000,000円－10,000,000円)×$0.250×\frac{6}{12}$）であったのに，1,875,000円の償却を行っているから，その差額1,250,000円だけ圧縮限度額を縮減するのである。
3 翌期においては，特別勘定10,000,000円は取り崩して益金の額に算入しなければならない。

5．保険金等で取得した固定資産等の圧縮記帳

(1) 概要と趣旨

　法人が，その有する固定資産の滅失または損壊により保険金，共済金または損害賠償金の支払を受け，その保険金等をもって滅失をした固定資産に代わる固定資産の取得をし，または損壊した固定資産の改良をした場合には，その固定資産につき圧縮記帳をすることができる（法法47～49）。

　法人の有する固定資産が火災や風水害にあったことにより支払を受ける保険金等であっても，益金の額に算入され法人税の課税対象になる。しかし法人の予期しない火災や風水害，震災などの事故にもとづき保険金等の支払を受けたからといって，ただちに固定資産の含み益が実現したとみるのは，いかにも実情にあわない。またその保険金等に課税するとすれば，法人の事業の継続を困難にすることにもなる。

　そこで保険金等をもって新たに固定資産を取得等する場合には，圧縮記帳の適用を認め，保険差益に対する課税の延期を図ることとされている。

(2) 保険金等の範囲

　この圧縮記帳の適用対象となる保険金等は，法人の有する固定資産の滅失または損壊により支払を受ける保険金，農業協同組合，漁業協同組合などが行う

共済の共済金または損害賠償金で，滅失等のあった日から3年以内に支払の確定したものである（法法47①，法令84）。固定資産の滅失等により支払を受ける損害賠償金も，圧縮記帳の対象になることに留意を要する。

保険金等の範囲を3年以内に支払の確定したものに限っているのは，次のような理由による。すなわち，保険金等の支払が訴訟などによって3年を超える長期にわたって確定しないような場合には，その確定まで保険金等の収益計上は繰り延べられる反面，新たに取得した固定資産の減価償却は実際の取得価額を基礎にして行われて不合理であること，保険金等と新たな固定資産の取得との関係が希薄になることなどによるものと考えられる。

(3) 保険金等と滅失損の計上時期

法人が支払を受ける保険金等と固定資産の滅失損とは収支対応するものである。したがって，滅失損は保険金等の支払が確定するまでは仮勘定として処理すべきであろう。企業会計においても，火災未決算として仮勘定経理が行われている。

また保険金等をもって取得した固定資産に圧縮記帳を認めている趣旨が保険差益に対する課税の特例であることからすれば，保険金等と滅失損とは同一のタイミングで計上すべきである。

そこで，法人が支払を受ける保険金等につき圧縮記帳の適用を受けようとする場合には，その滅失損の額は，保険金等の見積計上をするときを除き，その保険金等の額が確定するまでは仮勘定とし損金の額に算入することはできない。ただし，支払を受けるのが損害賠償金のみである場合には，その滅失損は仮勘定とすることなく，ただちに損金としてよい（基通10-5-2）。

(4) 保険金等の支払を受けた場合

① 保険金等の受取年度に固定資産を取得等したとき

法人がその有する固定資産の滅失または損壊により保険金等の支払を受け，その支払を受けた事業年度においてその保険金等をもって次のような固定資産

第4章　損金の額の計算

の取得または改良をした場合には，これらの固定資産につきその支払を受けた事業年度において圧縮記帳をすることができる（法法47①）。

　イ　その滅失等をした固定資産に代替する同一種類の固定資産（代替資産）を取得した場合
　ロ　その損壊した固定資産または代替資産となるべき資産の改良をした場合

ロは資本的支出にも圧縮記帳の適用が認められるということである。この場合の資本的支出は，損壊した固定資産自身に対するもののほか，別の代替資産となるべき資産に対するものでもよい。

この圧縮記帳における圧縮限度額は，次の算式により計算した金額である（法令85①）。

$$保険差益金の額 \times \frac{代替資産の取得等に充てた保険金等の額のうち分母の金額に達するまでの金額}{保険金等の額 - 固定資産の滅失等により支出する経費の額}$$

ここで保険差益金の額とは，次の算式により計算した金額をいう（法令85②）。

$$保険金等の額 - 固定資産の滅失等により支出する経費の額 - 滅失等をした固定資産の帳簿価額のうち被害部分の対応額$$

ただし，保険金等の支払とともに代替資産の交付を受ける場合の保険差益金の額は，次の算式により計算した金額である。

$$保険金等の額 - 固定資産の滅失等により支出する経費の額 \times \frac{保険金等の額}{保険金等の額 + 代替資産の時価}$$
$$- 滅失等をした固定資産の帳簿価額のうち被害部分の対応額 \times \frac{保険金等の額}{保険金等の額 + 代替資産の時価}$$

固定資産の滅失等により支出する経費とは，その固定資産の滅失等に直接関連して支出される経費をいう。たとえば滅失等をした固定資産の取壊費，焼跡

の整理費，消防費はこれに含まれるが，類焼者に対する賠償金，けが人への見舞金，被災者への弔慰金は，これに含まれない（基通10－5－5）。

② 保険金等の受取年度前に固定資産を取得等したとき

この圧縮記帳は，保険金等の交付と固定資産の取得または改良が同一の事業年度で行われた場合に適用するのが原則である。しかし実務的には，事業を継続するため滅失した固定資産に代わる資産を保険金等の額が確定する前に取得することも少なくない。

そこで，保険金等の額が確定する前に滅失等した固定資産の代替資産を取得等した場合には，その代替資産につき保険金等の額が確定した事業年度において圧縮記帳をすることができる。ただし，この場合の圧縮限度額は，次の算式によって計算した金額である（法法47①，法令85①）。

$$\text{上記①により計算した圧縮限度額} \times \frac{\text{取得等をした固定資産の帳簿価額}}{\text{取得等をした固定資産の取得等に要した金額}}$$

固定資産を先行取得した場合には，保険金等の交付を受けるまでの間，その固定資産につき実際の取得価額を基礎に減価償却を行う。そうすると上記①の場合にくらべて減価償却費が過大になる。そこで上記算式により圧縮限度額を縮減し，既往の過大な減価償却費を取り戻すのである。

③ 保険金等の受取年度後に固定資産を取得等するとき

イ　受取年度における特別勘定経理

法人が保険金等の支払を受けるのは予期しない事故にもとづくから，その支払を受けた事業年度ですぐ代替資産を取得等するのは困難なことが多い。このような場合に，代替資産の取得等がないからといって，即保険金等に課税するのは実情にあわない。

そこで保険金等の支払を受ける法人が，その支払を受ける事業年度終了の日の翌日から2年を経過した日の前日までの期間（指定期間）内に，その保険金等をもって代替資産の取得等をしようとする場合には，その支払を受けた事業年度において保険差益金の額以下の金額を特別勘定として経理し，その経理した

第4章　損金の額の計算

金額を損金の額に算入することができる（法法48）。

ただし，災害その他やむをえない事由により2年内に代替資産の取得をすることが困難である場合には，法人の申請にもとづき所轄税務署長が指定した日まで特別勘定を設定しておくことができる（法法48①，法令88，法規24の9）。

特別勘定として経理することができる金額は，次の算式により計算した金額である（法令89）。

$$
保険差益金の額 \times \frac{代替資産の取得等に充てようとする保険金等の額のうち分母の金額に達するまでの金額}{保険金等の額 - 固定資産の滅失等により支出する経費の額}
$$

ロ　固定資産を取得等した場合の圧縮記帳

特別勘定を有する法人が，指定期間内に代替資産の取得等をした場合には，その取得等をした代替資産につきその取得等をした事業年度において圧縮記帳をすることができる（法法49）。

この場合の圧縮限度額は，代替資産を取得等した日における特別勘定の金額のうち，次の算式により計算した金額である（法法49①，法令91）。

$$
保険差益金の額 \times \frac{分母の金額のうち代替資産の取得等に充てた金額}{保険金等の額 - 固定資産の滅失等により支出する経費の額}
$$

一方，この圧縮限度額に相当する金額の特別勘定の額を取り崩して益金の額に算入する（法法48②③，法令90）。

(5)　保険金等の受取に代えて固定資産の交付を受けた場合

固定資産に加えられた損害に対する賠償の場合には，損害賠償金に代えて現物の資産の交付を受けるようなことがある。これは，実体的には保険金等の交付を受け，それでもって固定資産を取得するのとなんら変わりない。

そこで法人が保険金等の支払に代わるべきものとして代替資産の交付を受け

た場合には，その固定資産につきその取得した事業年度において圧縮記帳をすることができる（法法47②）。

この場合の圧縮限度額は，次の算式により計算した金額である（法令87）。

$$（代替資産の時価－固定資産の滅失等により支出する経費の額）\\ －滅失等をした固定資産の帳簿価額のうち被害部分の対応額$$

ただし，代替資産の交付を受けるとともに保険金等の支払を受けた場合の圧縮限度額は，次の算式により計算した金額である。

$$代替資産の時価－固定資産の滅失等により支出する経費の額\\ \times \frac{代替資産の時価}{保険金等の額＋代替資産の時価}\\ －滅失等をした固定資産の帳簿価額のうち被害部分の対応額\\ \times \frac{代替資産の時価}{保険金等の額＋代替資産の時価}$$

(計算例)

1　当社は当期（令和 6.4.1～令和 7.3.31）において工場火災により建物と機械装置の全部が焼失した。その保険金額，帳簿価額等は次のとおりであるが，当期末には保険金はまだ受け取っていない。

区　　分	保険金額	帳簿価額	備　　　考
建　　物	80,000,000円	25,000,000円	機械装置には償却超過額
機械装置	20,000,000	5,000,000	2,000,000円がある。
合　　計	100,000,000円	30,000,000円	

（注）この火災に伴い，建物と機械装置の取壊費，焼跡の整理費800,000円を支出した。

2　翌期（令和 7.4.1～令和 8.3.31）において上記保険金100,000,000円の支払を受けた。

ただし，新工場と機械装置は，まだ建設中で取得していない。
3　翌々期（令和8.4.1～令和9.3.31）において，建物90,000,000円および機械装置40,000,000円を取得し，事業の用に供した。

（計　算）

1　当期の処理

（借）火 災 未 決 算　30,000,000　　（貸）建　　　　　物　25,000,000
　　　　　　　　　　　　　　　　　　　　　機　械　装　置　 5,000,000
（借）火 災 未 決 算　　 800,000　　（貸）現　金　預　金　　 800,000

2　翌期の処理

(1)　特別勘定繰入限度額

　①　譲渡経費のあん分

　　イ　建　　　物　$800,000円 \times \dfrac{80,000,000円}{100,000,000円} = 640,000円$

　　ロ　機 械 装 置　$800,000円 \times \dfrac{20,000,000円}{100,000,000円} = 160,000円$

　②　保険差益金

　　イ　建　　　物　(80,000,000円－640,000円)－25,000,000円
　　　　　　　　　　＝54,360,000円

　　ロ　機 械 装 置　(20,000,000円－160,000円)－(5,000,000円
　　　　　　　　　　＋2,000,000円)＝12,840,000円

　③　特別勘定繰入限度額

　　イ　建　　　物　$54,360,000円 \times \dfrac{79,360,000円}{80,000,000円－640,000円}$
　　　　　　　　　　＝54,360,000円

　　ロ　機 械 装 置　$12,840,000円 \times \dfrac{19,840,000円}{20,000,000円－160,000円}$
　　　　　　　　　　＝12,840,000円

(2) 仕　訳

(借) 現　金　預　金　100,000,000　　（貸）火　災　未　決　算　30,800,000
　　　　　　　　　　　　　　　　　　　　　　保　険　差　益　69,200,000

(借) 特別勘定繰入額　67,200,000　　（貸）特　別　勘　定　67,200,000

3　翌々期の処理

(1) 圧縮限度額

① 建　物　54,360,000円 × $\dfrac{79,360,000円}{80,000,000円 - 640,000円}$
　　　＝54,360,000円

② 機械装置　12,840,000円 × $\dfrac{19,840,000円}{20,000,000円 - 160,000円}$
　　　＝12,840,000円

(2) 仕　訳

(借) 建 物 圧 縮 損　54,360,000　　（貸）建　　　　　物　54,360,000
　　　機械装置圧縮損　12,840,000　　　　　機　械　装　置　12,840,000

(借) 特　別　勘　定　67,200,000　　（貸）特別勘定取崩益　67,200,000

(説　明)

1　当期においては，まだ保険金を受け取っていないので，全焼した建物および機械装置の帳簿価額30,000,000円および取壊費，焼跡の整理費800,000円は火災未決算として処理する。

2　翌期においては，保険金を受け取ったが建物および機械装置を取得していないので，特別勘定を設定する。

　なお，機械装置の償却超過額2,000,000円は，帳簿外で損金の額に算入されるので，申告書別表四において所得金額から減算する。

3　翌々期において建物および機械装置を取得したので，圧縮記帳を行う。その結果，税務上の建物の取得価額は35,640,000円（90,000,000円－54,360,000円），機械装置の取得価額は27,160,000円（40,000,000円－

12,840,000円）となり，この金額を基礎に減価償却を行うことになる。

6．資産の交換をした場合の圧縮記帳

(1) 概要と趣旨

　法人が有していた固定資産と他の者が有していた同一種類の固定資産とを交換し，その交換により取得した固定資産（取得資産）を同一の用途に供した場合には，その取得資産につき圧縮記帳をすることができる（法法50）。

　法人が他の者と固定資産の交換をした場合，法人税の課税上は時価でもって固定資産の譲渡と取得があったものとされる。そうすると，交換により譲渡した固定資産（譲渡資産）の時価と帳簿価額との差額は，譲渡益（交換差益）として法人税の課税対象になる。

　しかし同種の固定資産を交換し，その取得資産が従来と同じ用途に使われるとすれば，実体的には資産の譲渡はなかったともいえる。そのような場合に固定資産の交換があったことをもって，ただちに譲渡益が実現したとみるのは実情にあわない。

　そこで法人が一定の要件に適合する固定資産の交換をした場合には，取得資産につき圧縮記帳の適用を認め，交換差益に対する課税の延期を図っている。

(2) 交換対象資産

　この圧縮記帳の適用対象になる資産は，次に掲げる固定資産（交換対象資産）である（法法50①）。

① 土地（建物または構築物の所有を目的とする地上権および賃借権ならびに耕作権を含む）
② 建物（これに附属する設備および構築物を含む）
③ 機械および装置
④ 船舶

⑤　鉱業権（租鉱権，採石権および土石採取権を含む）

棚卸資産や有価証券，ここに掲げられていない固定資産は交換対象資産にならない。したがって，航空機や車両運搬具，器具備品，特許権などの工業所有権を交換しても，この圧縮記帳の適用はできない。これは，これらの資産は通常交換差益の発生が考えられないか，または耐用年数が短く短期間に費用化ができるからである。

(3) 適用要件

この圧縮記帳の適用が認められる交換は，次に掲げる要件のすべてを満たすものである（法法50①～③）。

① 取得資産および譲渡資産は，交換対象資産に該当するものであること。
② 譲渡資産は，法人が1年以上有していたものであること。
③ 取得資産は，交換の相手方が1年以上有していたもので，その相手方が交換のために取得したものでないこと。
④ 取得資産は，譲渡資産と同一種類のものであること。
⑤ 取得資産を譲渡資産の譲渡直前の用途と同一の用途に供したこと。
⑥ 交換差金等の額が取得資産と譲渡資産の価額のいずれか多いほうの価額の20％相当額を超えないこと。

このように厳格な要件が付されているのは，圧縮記帳の対象を実体的に資産の譲渡はなかったとみられるような交換に限定する趣旨である。特に上記⑥の要件は，交換差金等として金銭で授受される部分が多くなれば，それはもはや資産の交換とはみられないということを表している。ここで交換差金等とは，取得資産と譲渡資産の時価が等しくない場合にその差額を補うために交付される金銭その他の資産をいう（法令92②一）。

たとえば土地付建物と土地付建物とを交換した場合には，土地は土地と建物は建物とそれぞれ交換したものとする。したがって，土地と建物が一体としては等価であっても，土地と土地，建物と建物とのそれぞれの時価が異なる場合には，それぞれの時価の差額は交換差金となる（基通10－6－4）。

(4) 圧縮限度額

　この圧縮記帳における圧縮限度額は，次に掲げる場合に応じ，それぞれ次の算式により計算した金額である（法法50①，法令92）。

　① 交換差金等の授受がない場合

> 取得資産の取得時の価額－（譲渡資産の譲渡直前の帳簿価額＋譲渡経費）

　② 交換差金等の授受がある場合
　　イ 交換差金等を取得したとき

> 取得資産の取得時の価額－（譲渡資産の譲渡直前の帳簿価額＋譲渡経費）
> $\times \dfrac{\text{取得資産の取得時の価額}}{\text{取得資産の取得時の価額＋交換差金等}}$

　　ロ 交換差金等を交付したとき

> 取得資産の取得時の価額－（譲渡資産の譲渡直前の帳簿価額
> 　　　　　　　　　　　　＋譲渡経費＋交換差金等）

　要するにその圧縮限度額は，交換により生じた差益金の額に相当する金額である。上記②のイの算式の意味は，譲渡資産の帳簿価額と譲渡経費とを取得資産と交換差金等にそれぞれ対応する部分の額にあん分し，交換差金等に対応する交換差益は実現したものとして課税対象にするということである。

　なお，譲渡経費には，交換にあたり支出した仲介手数料，取りはずし費，荷役費，運送保険料その他その譲渡に要した経費のほか，土地の交換に際して土地の上の建物を取り壊した場合のその取壊費が含まれる（基通10－6－9）。

（計算例）

　当社はA社との間において，令和6年9月16日，次のような交換を行った。
1　当　　　社
　(1)　譲渡した土地　　時価　100,000,000円（帳簿価額70,000,000円）
　(2)　譲渡した土地の取得日　平成29.5.25
　(3)　譲渡に要した経費　1,000,000円
　(4)　取得した交換差金　20,000,000円
2　A　　　社
　(1)　譲渡した土地　　時価　80,000,000円（帳簿価額40,000,000円）
　(2)　譲渡した土地の取得日　平成28.1.16
　(3)　譲渡に要した経費　2,000,000円
　(4)　交付した交換差金　20,000,000円

（計　算）
1　交換差金の判定
　　$100,000,000円 \times 20\% \geqq 20,000,000円$
2　当社の圧縮限度額
　(1)　圧縮限度額
　　　$80,000,000円 - \left\{(70,000,000円 + 1,000,000円) \times \dfrac{80,000,000円}{80,000,000円 + 20,000,000円}\right\} = 23,200,000円$
　(2)　仕　　訳

　　（借）土　　　　　地　80,000,000　　（貸）土　　　　　地　70,000,000
　　　　　現　金　預　金　20,000,000　　　　　土 地 譲 渡 益　30,000,000
　　　　　譲　渡　経　費　 1,000,000　　　　　現　金　預　金　 1,000,000
　　（借）圧　　縮　　損　23,200,000　　（貸）土　　　　　地　23,200,000

3　A社の圧縮限度額

(1) 圧縮限度額

100,000,000円－(40,000,000円＋2,000,000円＋20,000,000円)
＝38,000,000円

(2) 仕　訳

(借)土　　　　地　100,000,000　　(貸)土　　　　地　40,000,000
　　　　　　　　　　　　　　　　　　　現　金　預　金　20,000,000
　　　　　　　　　　　　　　　　　　　土 地 譲 渡 益　40,000,000
(借)譲　渡　経　費　　2,000,000　　(貸)現　金　預　金　　2,000,000
(借)圧　　縮　　損　　38,000,000　　(貸)土　　　　地　38,000,000

(説　明)

1　交換差金20,000,000円は，交換した土地のうち価額が高いほうの価額100,000,000円の20％相当額を超えないので，交換差金の要件を満たす。

2　当社は交換差益金29,000,000円（土地譲渡益30,000,000円－譲渡経費1,000,000円）のうち23,200,000円しか圧縮記帳ができないから，その差額5,800,000円は課税対象になる。この5,800,000円は取得した交換差金20,000,000円に対応する交換差益金の額（29,000,000円×$\frac{20,000,000円}{100,000,000円}$）である。

3　A社には格別の課税関係は生じないが，支払った交換差金と譲渡経費は新たな土地の取得価額に含まれることになる。

7．収用等に伴い資産を取得した場合の圧縮記帳

(1) 概要と趣旨

　法人の有する資産が土地収用法その他の法律の規定にもとづいて収用，買取りなどされ，補償金や対価などを取得した場合において，その補償金等をもって収用等された資産に代わるべき資産（代替資産）を取得したときは，その取得

した代替資産につき圧縮記帳をすることができる（措法64，64の2）。

　法人の有する資産が土地収用法等にもとづく収用権を背景に買い取られたような場合，それが強制的なものとはいえ，資産の譲渡であることに変わりはない。したがって，収用等により取得した補償金等の額と収用等された資産の帳簿価額との差額は，資産の譲渡損益として法人税の課税対象になる。

　しかし収用等による資産の譲渡は，法人の意思にかかわらずなかば強制的に行われるから，その譲渡益に対して即課税するというのも実情にあわない。また土地収用法等にもとづく資産の収用は道路や鉄道の建設など公共目的のために行われるから，その目的達成のためには税制上の特例を設けておくことが有効である。

　そこで収用等に伴って補償金等を取得し，その補償金等で代替資産を取得した場合には圧縮記帳が認められている。

(2) 収用等の範囲

　この圧縮記帳は，資産の土地収用法や都市計画法，道路法，土地区画整理法，都市再開発法，農地法などにもとづく収用，買取り，換地処分，権利変換，買収または消滅（これらを総称して「収用等」という）により補償金，対価または清算金を取得する場合に適用がある（措法64①）。この収用等には，土地収用法にもとづく収用だけでなく，その収用権を背景とした公共事業の施行者との間における任意売買も含まれる。

　また，①土地等が土地収用法等にもとづいて強制的に使用され補償金を取得する場合または②土地等について使用の申し出を拒むときは土地収用法にもとづいて使用されるため，その申し出に応じて契約を締結し，その契約にもとづいて土地等が使用され，対価を取得する場合において，その使用に伴い土地等の価値が著しく減少するときは，収用等による譲渡があったものとみなされる。収用等された土地の上にある建物や構築物などの移設が困難であるため，その取り壊し等をしなければならなくなったことに伴い，その対価や補償金を取得する場合も同様である（措法64②）。

(3) 補償金等の範囲

　この圧縮記帳の適用対象となる補償金，対価または清算金（これらを総称して「補償金等」という）は，名義のいかんを問わず，収用等による譲渡の目的となった資産の収用等の対価たる金額である（措法64④，措通64(2)−1）。これを対価補償金という。

　法人の有する資産が収用等された場合には，いろいろな名義や内容の補償金等を収受する。しかしそのすべての補償金等についてこの圧縮記帳の適用があるわけではなく，その適用は対価補償金に限られる。

　補償金の種類・内容ごとに課税上の取扱いをまとめると，次のとおりである（措通64(2)−1，64(2)−2）。

補償金の種類	内　　容	課税上の取扱い
① 対価補償金	譲渡の目的となった資産の収用等の対価たる補償金	収用等の場合の課税の特例の適用がある。
② 収益補償金	減少することとなる収益または生ずることとなる損失の補てんに充てるものとして交付を受ける補償金	収用等の場合の課税の特例の適用はない。ただし，対価補償金として取り扱うことができる場合がある（措通64(2)−5）。
③ 経費補償金	休廃業等により生ずる費用の補てんまたは譲渡資産以外の資産について実現した損失の補てんに充てるものとして交付を受ける補償金	収用等の場合の課税の特例の適用はない。ただし，対価補償金として取り扱うことができる場合がある（措通64(2)−7）。
④ 移転補償金	資産の移転に要する費用の補てんに充てるものとして交付を受ける補償金	収用等の場合の課税の特例の適用はない。ただし，曳家補償等の名義で交付を受ける補償金または移設困難な機械装置の補償金を対価補償金として取り扱うことができる場合がある（措通64(2)−8，64(2)−9）。
⑤ その他対価補償金たる実質を有しない補償金	その他対価補償金たる実質を有しない補償金	収用等の場合の課税の特例の適用はない。

(4) 収用年度に代替資産を取得した場合

　法人が対価補償金等をもって収用等のあった事業年度において代替資産を取得した場合には，その代替資産につきその事業年度において圧縮記帳をすることができる（措法64①）。収用等のあった事業年度において代替資産を取得すること，これがこの圧縮記帳の基本型である。

　この場合の圧縮限度額は，次の算式により計算した金額である（措法64①）。要するに，収用等による資産の譲渡益相当額が圧縮限度額となる。

$$代替資産の取得価額 \times 差益割合$$

$$差益割合 = \frac{改訂補償金額 - 譲渡資産の譲渡直前の帳簿価額}{\left(\begin{matrix}対価補\\償金等\\の額\end{matrix}\right) - \left(\begin{matrix}譲渡に要\\した経費\\の額\end{matrix} - \begin{matrix}譲渡に要した経費\\に充てるため取得\\した補償金の額\end{matrix}\right) = \begin{matrix}改訂\\補償\\金額\end{matrix}}$$

　ここで「代替資産の取得価額」については，代替資産の取得価額が対価補償金等の額を超える場合には，その超える金額を控除した金額とする。

　なお，「譲渡に要した経費」には，次に掲げるような経費が含まれる（措通64(2)-30）。

① 譲渡に要したあっせん手数料，謝礼
② 譲渡をした資産の借地人または借家人に対して支払った立退料
③ 資産が取壊しまたは除去を要するものである場合における取壊しまたは除去の費用
④ 資産の譲渡に伴って支出しなければならない，建物等の移転費用，動産の移転費用，仮住居の使用に要する費用，立木の伐採または移植に要する費用

(5) 収用年度前に代替資産を取得した場合

　収用等があった場合の圧縮記帳は，上記(4)によるのが原則である。しかし実際問題として，工場や事務所などの移転を円滑に行うために，収用等がある前

にあらかじめ土地や建物を取得しておくことも少なくない。

そこで，代替資産となるべき資産を収用等のあった事業年度開始の日から起算して1年（工場等の建設期間が1年を超えるような場合には3年）前の日から取得した場合には，その資産を代替資産とみなして圧縮記帳をすることができる（措法64③，措令39⑳）。

この場合において，その代替資産が減価償却資産であるときは，その圧縮限度額は，次の算式により計算した金額とする（措令39㉑）。

$$\text{上記(4)により計算した圧縮限度額} \times \frac{\text{代替資産の帳簿価額}}{\text{代替資産の取得価額}}$$

代替資産を先行取得した場合には，すでに代替資産の実際の取得価額を基礎に減価償却費が計上され，代替資産の取得時に圧縮記帳をするのにくらべ減価償却費が過大になっている。そこで，この算式は圧縮限度額を少なくすることにより，過大な減価償却費の取戻しをしようとするものである。

(6) 収用年度後に代替資産を取得する場合
① 収用年度における特別勘定経理

上記(4)(5)の圧縮記帳は，収用等のあった事業年度またはその事業年度前1年間（または3年間）に代替資産を取得しなければ適用がない。しかし法人の有する資産について収用等があり補償金等の支払を受けたとしても，その収用等があった事業年度にただちに代替資産を取得することは困難な場合が少なくない。

そこで，法人の有する資産が収用等された場合において，法人が収用等のあった事業年度後，原則として2年，最長8年6か月内（指定期間）に補償金等をもって代替資産を取得する見込みであるときは，収用等のあった事業年度において，代替資産の取得に充てようとする補償金等のうち所定の金額を特別勘定として経理し，その経理した金額を損金とすることができる（措法64の2）。

特別勘定として経理することができる金額（特別勘定繰入限度額）は，次の算式により計算した金額である（措法64の2①）。

> 補償金等のうち代替資産の取得に充てようとする金額×差益割合

差益割合は，前記(4)の場合の差益割合と同じである。

② 代替資産を取得した場合の圧縮記帳

資産の収用等に伴い特別勘定を設けている法人が，指定期間内に補償金等でもって代替資産の取得をした場合には，その取得した代替資産につきその取得した事業年度において，前記(4)の場合に準じて圧縮記帳をすることができる。この場合の圧縮限度額は，前記(4)の場合と同じである（措法64の2⑦）。

③ 特別勘定の取崩し

法人が設定している特別勘定の金額は，代替資産を取得した場合や指定期間が経過した場合，解散・合併した場合などには取り崩して益金の額に算入しなければならない。その益金算入時期は，それぞれ取崩事由に該当することとなった事業年度である（措法64の2⑨⑫）。

(7) 収用等の場合の特別控除

法人の有する資産が収用等され補償金等を取得する場合において，その譲渡資産につき圧縮記帳の適用を受けないときは，その収用等による譲渡益のうち5,000万円までの金額は，損金の額に算入される。ただし，次に掲げる要件を満たす場合に限る（措法65の2）。これは資産が収用等されて補償金等を取得しても，事業の縮小や転廃業などのため代替資産を取得しないような場合の救済的な特例である。

① 資産の収用等による譲渡が，その資産の最初の買取り等の申出があった日から6月以内に行われたこと。

② 一の収用事業につき資産の収用等による譲渡が2以上あった場合には，その譲渡が同一の年において行われること。

③ 資産の収用等による譲渡が最初に買取り等の申出を受けた者からされること。

第4章　損金の額の計算

(計算例)

1　当社は当期（令和6.4.1〜令和7.3.31）において，次の資産が収用され対価補償金の支払を受けた。その補償金をもって当期に代替資産となる土地を100,000,000円で取得し，残額は翌期にその土地の上に建設中の工場用建物の取得に充てる予定である。

(1)　土　　地　補償金額　120,000,000円　　帳簿価額　30,000,000円

(2)　建　　物　補償金額　 35,000,000円　　帳簿価額　 8,250,000円

(3)　譲渡経費　2,000,000円

2　翌期（令和7.4.1〜令和8.3.31）において建物が完成した。その取得価額は60,000,000円である。

(計　算)

1　当期の処理

(1)　土地の圧縮記帳

① 差 益 割 合

$$\frac{153,000,000円-(30,000,000円+8,250,000円)}{(120,000,000円+35,000,000円)-2,000,000円}=0.75$$

② 圧縮限度額

100,000,000円×0.75＝75,000,000円

③ 仕　　訳

(借)現　金　預　金	155,000,000	(貸)土　　　　　地	30,000,000
		建　　　　　物	8,250,000
		譲　　渡　　益	116,750,000
(借)譲　渡　経　費	2,000,000	(貸)現　金　預　金	2,000,000
(借)土　　　　　地	100,000,000	(貸)現　金　預　金	100,000,000
(借)圧　　縮　　損	75,000,000	(貸)土　　　　　地	75,000,000

(2)　特別勘定への繰入れ

① 繰入限度額

(153,000,000円－100,000,000円)×0.75＝39,750,000円

② 仕　訳

（借）特別勘定繰入額　39,750,000　　（貸）特　別　勘　定　39,750,000

2　翌期の処理

(1)　圧縮限度額

153,000,000円－100,000,000円＜60,000,000円

53,000,000円×0.75＝39,750,000円

(2)　仕　訳

（借）建　　　　　　物　60,000,000　　（貸）現　金　預　金　60,000,000

（借）圧　　縮　　損　39,750,000　　（貸）建　　　　　　物　39,750,000

（借）特　別　勘　定　39,750,000　　（貸）特別勘定取崩益　39,750,000

（説　明）

1　差益割合は，収用等により譲渡した資産ごとに計算するのが原則である。しかし，2以上の資産で一の効用を有する一組の資産または事業用資産を代替資産とする場合には，2以上の資産を総合して差益割合を計算する（措通64(3)－1）。

2　土地の補償金額のうち20,000,000円は，建物の取得に充てたものとして建物につき圧縮記帳をすることができる。

8．特定資産の買換えをした場合の圧縮記帳

(1)　概要と趣旨

　法人が，昭和45年4月1日から令和8年3月31日までの期間（対象期間）内に，一定の政策目的に適合する資産の買換えをし，その買換えにより取得した資産を取得の日から1年以内に事業の用に供し，または供する見込みである場合には，その取得した資産につき圧縮記帳をすることができる（措法65の7）。

　資産の買換えは，資産の譲渡と取得であるから，その譲渡益は法人税の課税対象になる。しかし工場の移転や拡張のため，従来から有する工場用地を売却

第4章　損金の額の計算

して，その売却代金でもって新たな工場用地を取得するような場合，実体的には工場用地の売却はなかったとみることもできる。このような場合，その売却益に対してただちに課税するというのは実情にあわない。

また，国土の過密化や過疎化，環境問題を解消するための好ましい資産の買換えについては，税制上の特典を設けておくことが公共政策を達成するために有効であろう。

そこで法人が公共の政策目的に合致するような資産の買換えをした場合には，圧縮記帳の適用が認められ，譲渡益に対する課税の延期を図ることができる。

(2) 適用対象となる買換えの範囲

この圧縮記帳は，次の表の左欄に掲げる資産（譲渡資産）の譲渡をし，右欄に掲げる資産（買換資産）の取得をした場合に適用することができる（措法65の7①，措令39の7②～⑦）。この場合，譲渡資産と買換資産とは，次の表の各欄ごとに「対」でなければならない。たとえば，①の譲渡資産を譲渡して，②の買換資産を取得しても，その適用は認められない。

譲　渡　資　産	買　換　資　産
①　航空機騒音障害区域（令和2年4月1日前に航空機騒音障害防止特別地区等となった区域を除く）内にある土地等（平成26年4月1日以後に取得等されたものを除く），建物（その附属設備を含む）又は構築物	左欄の区域以外の地域内（国内に限る）にある土地等，建物，構築物又は機械装置（農林業用のものは市街化区域外にあるものに限る）
②　既成市街地等（首都圏の既成市街地，近畿圏の既成都市区域，名古屋市の一部，都市計画区域のうち人口集中地区）内にある土地等，建物又は構築物	既成市街地等内にある土地等，建物，構築物又は機械装置で，市街地再開発事業（施行面積が5,000㎡以上であるものに限る）に関する都市計画の実施に伴い，その施策に従って取得をされるもの
③　国内にある土地等，建物又は構築物で当該法人による継続した所有期間（その取得をされた日の翌日から資産の譲渡日の属する年の1月1日までの所有期間）が10年を超えるもの	国内にある土地等（事務所，事業所等の敷地用のもの又は所定の駐車場用のもので，その面積が300㎡以上のものに限る），建物又は構築物

④ 船舶（日本船舶に限り，漁業用のものを除く）のうち，船齢が23年未満の運搬船，船齢が30年未満の作業船（平成23年1月1日以後に建造されたものを除く）	船舶（環境負荷の低減船舶等に該当し，譲渡船舶と同一の事業の用に供されるものに限る）

　従来，この圧縮記帳の適用がある買換えは20を超えるパターンのものが認められていたが年々縮小され，現在では4つのパターンのものに限られている。実現した資産の譲渡益に対する課税をあまり幅広く延期するのは適当でない，と考えられることによるものであろう。

(3) 適用対象資産の範囲
① 譲渡資産の範囲

　棚卸資産については，この圧縮記帳の適用はないから，棚卸資産は譲渡資産に含まれない。

　また，法人が所有期間5年以下の土地等を譲渡した場合には，その譲渡利益金額について10％の割合による，いわゆる土地譲渡益重課税が行われるが（措法63），この土地譲渡益重課税制度の対象になる土地等は，「譲渡資産」から除かれ，この圧縮記帳の適用はない（措法65の7①）。

　さらに，収用等による譲渡や贈与，交換，出資，現物分配または代物弁済による譲渡，合併または分割による資産の移転に伴う譲渡資産についても，この圧縮記帳の適用はない（措法65の7⑯一，措令39の7⑯）。

　(注)　土地譲渡益重課税制度は，令和8年3月31日までに行った土地等の譲渡については適用が停止されている（措法63⑧）。したがって，所有期間が5年以下の土地等の譲渡であっても，圧縮記帳の対象になる。

② 買換資産の範囲

　棚卸資産は，譲渡資産と同様，買換資産とはならない。

　また，合併，分割，贈与，交換，出資，現物分配，所有権移転外リース取引または代物弁済による取得資産についても，買換資産とはならず，この圧縮記帳の適用はない（措法65の7⑯二，措令39の7⑯）。

さらに，法人が取得した買換資産のうち土地等については，譲渡した土地等の面積の 5 倍を超える面積の部分は買換資産に該当しない（措法65の 7 ②，措令39の 7 ⑧）。これは，法人が不用不急の土地を買い占める仮需要を抑制する趣旨である。

　なお，買換資産については，原則として譲渡資産の譲渡の日を含む 3 月期間（いわゆる各四半期）の末日の翌日から 2 月以内に，既に取得し，または取得見込みの買換資産の種類，構造・用途，所在地，取得（予定）年月日などを所轄税務署長に届け出なければならない（措法65の 7 ①⑨，措令39の 7 ②，措通65の 7 (1)－16）。

(4)　譲渡年度に買換資産を取得した場合

　法人が譲渡資産の譲渡をした事業年度において買換資産の取得をし，その買換資産を取得の日から 1 年以内に事業の用に供したときまたは供する見込みであるときは，その買換資産につきその事業年度において圧縮記帳をすることができる（措法65の 7 ①）。譲渡資産の譲渡があった事業年度において買換資産を取得すること，これがこの圧縮記帳の基本型である。

　この場合の圧縮限度額は，次の算式により計算した金額である（措法65の 7 ①）。要するに，譲渡資産の譲渡益の一定割合相当額が圧縮限度額となる。

> 圧縮基礎取得価額×差益割合×80%（70%，90%，75%又は60%）

(注) 1　航空機騒音障害区域の買換え（前記(2)①）のうち防衛施設周辺区域のものである場合には，70%を適用する（措法65の 7 ①）。
　　 2　長期所有資産の買換え（前記(2)③）のうち地域再生法の集中地域（産業や人口の過度の集中を防止する必要がある地域等）をめぐる買換えについては，次の場合に応じ，次の割合による（措法65の 7 ⑭）。
　　　① 東京23区内から集中地域外への本社の買換え……90%
　　　② 集中地域外から集中地域内への買換え（③を除く）……75%
　　　③ 集中地域外から東京23区内への買換え……70%
　　　④ 集中地域外から東京23区内への本社の買換え……60%

　このように，「80%」等の割合を乗ずるのは，東京への一極集中を排除する

等の政策的なもので，譲渡資産の譲渡益の全額の圧縮記帳は認めず，その一部は課税対象にする趣旨である。

ここで「圧縮基礎取得価額」とは，買換資産の取得価額と譲渡資産の譲渡対価とのいずれか少ない金額をいう（措法65の7⑯三）。

また，「差益割合」は，次の算式により計算した金額である（措法65の7⑯四）。

$$\frac{譲渡資産の譲渡対価の額 - (譲渡資産の譲渡直前の帳簿価額 + 譲渡経費の額)}{譲渡資産の譲渡対価の額}$$

「譲渡経費」には，次に掲げるような経費が含まれる（措通65の7(3)-5）。
① 譲渡に要したあっせん手数料，謝礼
② 譲渡をした資産が建物である場合の借家人に対して支払った立退料
③ 譲渡資産の測量，所有権移転に伴う諸手続，運搬，修繕等の費用で譲渡資産を相手方に引き渡すために支出したもの。

(5) 譲渡年度前に買換資産を取得した場合

特定資産の買換えをした場合の圧縮記帳は，上記(4)によるのが原則である。しかし実際問題として，資産の買換えを円滑に行うために，譲渡資産を譲渡する前にあらかじめ買換資産を先行取得しておくことも少なくない。

そこで，法人が譲渡資産の譲渡をした事業年度開始の日前1年（やむを得ない事情があるときは3年）以内に買換資産の取得をし，その買換資産を取得の日から1年以内に事業の用に供したときまたは供する見込みであるときは，その先行取得した買換資産につき圧縮記帳をすることができる（措法65の7③）。

この場合の圧縮限度額は，先行取得した買換資産が土地等であるか減価償却資産であるかに応じ，それぞれ次の算式により計算した金額である（措法65の7⑯三，措令39の7⑰⑱）。

① 土地等である場合

圧縮基礎取得価額×差益割合×80％（70％，90％，75％又は60％）

差益割合は，上記(4)の場合の差益割合と同じである。

② 減価償却資産である場合

$$\text{圧縮基礎取得価額} \times \frac{\text{譲渡年度の直前年度末日の買換資産の帳簿価額}}{\text{譲渡年度の直前年度末日の買換資産の取得価額}} \times \text{差益割合}$$
$$\times 80\%\ (70\%,\ 90\%,\ 75\%\text{又は}60\%)$$

買換資産を先行取得した場合には，すでに買換資産の実際の取得価額を基礎に減価償却費が計上され，買換資産の取得時に圧縮記帳をするのにくらべ減価償却費が過大になっている。そこで，この算式は圧縮限度額を少なくすることにより，過大な減価償却費の取戻しをしようとするものである。

(6) 譲渡年度後に買換資産を取得する場合

① 譲渡年度における特別勘定経理

上記(4)(5)の圧縮記帳は，譲渡資産の譲渡をした事業年度またはその事業年度前1年（または3年）以内に買換資産を取得しなければ適用がない。しかし譲渡資産の譲渡をした後ただちに，あるいはその譲渡を見越してあらかじめ買換資産を取得することは困難な場合が少なくない。

そこで，法人が譲渡資産の譲渡をした場合において，その譲渡した事業年度の翌事業年度以後1年（やむを得ない事情があるときは3年）以内に買換資産を取得する見込みであり，かつ，その取得の日から1年以内に事業の用に供する見込みであるときは，その譲渡をした事業年度において，譲渡対価の額のうち所定の金額を特別勘定として経理し，その経理した金額を損金とすることができる（措法65の8）。

特別勘定として経理することができる金額（特別勘定繰入限度額）は，次の算式により計算した金額である（措法65の8①）。

> 譲渡対価のうち買換資産の取得に充てようとする金額×差益割合
> ×80％（70％，90％，75％又は60％）

差益割合は，前記(4)の場合の差益割合と同じである。

② 買換資産を取得した場合の圧縮記帳

特定資産の買換えに伴い特別勘定を設けている法人が，指定期間内に買換資産の取得をした場合において，その買換資産を取得の日から1年以内に事業の用に供したときまたは供する見込みであるときは，その買換資産につき圧縮記帳をすることができる（措法65の8⑦）。

この場合の圧縮限度額は，前記(4)の場合と同じである。ただし，「圧縮基礎取得価額」は，買換資産の取得価額と特別勘定の設定の対象とした譲渡資産の譲渡対価の額とのいずれか少ない金額とする。

③ 特別勘定の取崩し

法人が設定している特別勘定の金額は，買換資産を取得した場合や指定期間が経過した場合，解散・合併した場合などには取り崩して益金の額に算入しなければならない。その益金算入時期は，それぞれ取崩事由に該当することとなった事業年度である（措法65の8⑨⑫）。

(7) 特定資産の交換をした場合

上記(4)から(6)までの圧縮記帳は，譲渡資産の譲渡をするとともに買換資産を取得した場合に適用がある。しかし金銭の授受を伴わない譲渡資産と買換資産との交換が行われる事例もみられる。このような資産の交換は，実体的には資産の譲渡と取得となんら異なるところはない。

そこで，法人が譲渡資産と買換資産との交換をした場合には，その交換の日において譲渡資産の譲渡および買換資産の取得をしたものとみなして，上記(4)から(6)までの圧縮記帳をすることができる（措法65の9）。

第4章　損金の額の計算

(計算例)

　当社は当期（令和6.4.1〜令和7.3.31）において，所有期間が25年の事務所用の土地と建物を譲渡し，事務所用の土地と建物を取得した。その内訳は次のとおりである。ただし，集中地域での買換えではない。

1　譲渡資産
　(1)　土　地　譲渡価額　50,000,000円
　　　　　　　　帳簿価額　10,000,000円
　　　　　　　　面　　積　150㎡
　(2)　建　物　譲渡価額　20,000,000円
　　　　　　　　帳簿価額　16,000,000円
2　買換資産
　(1)　土　地　取得価額　60,000,000円
　　　　　　　　面　　積　700㎡
　(2)　建　物　取得価額　40,000,000円
3　譲渡経費　2,000,000円

(計　算)

1　差益割合

$$\frac{(50,000,000円+20,000,000円)-(10,000,000円+16,000,000円+2,000,000円)}{(50,000,000円+20,000,000円)}$$

＝0.6

2　圧縮限度額
　(1)　土　地　60,000,000円×0.6×0.8＝28,800,000円
　(2)　建　物　10,000,000円×0.6×0.8＝　4,800,000円

3　仕　訳

　　（借）現　金　預　金　70,000,000　　（貸）土　　　　　地　10,000,000
　　　　　　　　　　　　　　　　　　　　　　　建　　　　　物　16,000,000
　　　　　　　　　　　　　　　　　　　　　　　譲　　渡　　益　44,000,000

195

(借)譲 渡 経 費	2,000,000	(貸)現 金 預 金	2,000,000
(借)土　　　　地	60,000,000	(貸)現 金 預 金	100,000,000
建　　　　物	40,000,000		
(借)圧　　縮　　損	33,600,000	(貸)土　　　　地	28,800,000
		建　　　　物	4,800,000

(説　明)

1 　土地とその土地の上にある建物を一括して譲渡した場合には，差益割合は土地と建物を一括して計算してよい（措通65の7(3)－1）。
2 　建物の譲渡対価のうち10,000,000円は，土地の取得に充てたものとして圧縮限度額を計算してよい。
3 　土地と建物のいずれから圧縮記帳するかは法人の任意であるが，土地から先に圧縮記帳したほうが，課税繰延べの効果が長く，有利である。

16　引当金と準備金

1．概要と趣旨

　法人税の課税所得の計算上，販売費，一般管理費その他の費用の額は，当期末までに債務の確定しているものに限って損金の額に算入される（法法22③）。そのため，たとえ将来発生する可能性が高い費用または損失であっても，これを見越して当期の損金とすることはできない。

　しかし適正な期間損益を計算するためには，将来発生することが見込まれる費用または損失であっても，当期に生じた事象に基因するものは当期の費用または損失として計上することが合理的である。このような場合，企業会計では借方・費用（損失）に見合って，貸方に引当金を計上することが健全な慣行とされている。

第4章　損金の額の計算

　そこで，法人税の課税所得の計算にあたっても，「別段の定め」として引当金を設定し，その繰入額の損金算入が認められている。ただし，法人税で設定が認められているのは2種類の引当金のみであり，企業会計上の引当金のすべてが認められているわけではない。法人税は法人の恣意性を排除し，課税の公平性，明確性の観点から，できるだけ不確実な費用または損失の見越し計上は抑制しようとしている。

　一方，法人税では多くの準備金の設定が認められている。準備金も将来発生する費用または損失の見越し計上である点では，引当金と同じである。しかし準備金は，産業政策や環境政策などの観点からの，もっぱら税制上の特例と位置づけられる。

2．引当金と準備金の種類

　現行の法人税において設定が認められている引当金および準備金は，次のとおりである。

(1) 引　当　金

　①貸倒引当金（法法52），②返品調整引当金（旧法法53）

(2) 準　備　金

　①海外投資等損失準備金（措法55），②中小企業事業再編投資損失準備金（措法56），③特定原子力施設炉心等除去準備金（措法57の4），④保険会社等の異常危険準備金（措法57の5），⑤原子力保険又は地震保険に係る異常危険準備金（措法57の6），⑥関西国際空港用地整備準備金（措法57の7），⑦中部国際空港整備準備金（措法57の7の2），⑧特定船舶に係る特別修繕準備金（措法57の8），⑨探鉱準備金又は海外探鉱準備金（措法58），⑩農業経営基盤強化準備金（措法61の2）

　これら準備金の名称をみれば，どのような政策目的を達成しようとしているのかがわかる。

(注) 震災特例法においても，福島再開投資等準備金が認められている（震災特例法18の8）。

3．引当金と準備金の差異

引当金と準備金とには，その性格や適用要件に違いがみられる。その差異をまとめてみると，おおむね次のとおりである。

項　　目	引　当　金	準　備　金
①　性　　　　格	適正・合理的な期間損益計算のため設定する。	政策的・特典的なもので利益留保の性格が強い。
②　根　拠　法　令	法人税法	租税特別措置法
③　適用対象法人	青色申告法人のほか白色申告法人も適用できる。	青色申告法人に限る。
④　経　理　方　法	損金経理に限る。	損金経理のほか剰余金の処分経理でもよい。
⑤　清算中の取扱い	清算中も設定できる。	清算中は設定できない。
⑥　申　告　要　件	計算明細の記載がない場合のゆうじょ規定がある。	計算明細の記載がない場合のゆうじょ規定がない。

4．貸倒引当金

(1) 概要と趣旨

① 適用対象法人は，更生計画認可の決定にもとづいて金銭債権（債券を除く）の弁済を猶予され，または賦払により弁済される場合などに，その一部につき貸倒れその他これに類する事由による損失が見込まれる金銭債権の損失の見込額として，取立てまたは弁済の見込みがない部分の金額を損金経理により貸倒引当金勘定に繰り入れることができる（法法52①）。これを個別評価による貸倒引当金という。

② 適用対象法人は，その有する売掛金，貸付金その他これらに準ずる金銭

債権（債券を除く）の貸倒れによる損失の見込額として，当期末における金銭債権の額および最近における貸倒損失の額を基礎として計算した金額までの金額を，損金経理により貸倒引当金勘定に繰り入れることができる（法法52②）。これを一括評価による貸倒引当金と呼ぶ。

今日のような信用取引経済のもとにおいては，事業を行っていくうえで債権が貸倒れになることは，ある程度避けられない。そこで，法人税では将来発生するかもしれない貸倒損失の見込額を損金算入するため，性格の異なる二つの貸倒引当金の設定が認められている。

(2) 適用対象法人

貸倒引当金の適用対象法人は，次に掲げる法人である（法法52①，法令96④⑤，法規25の4の2）。

① その事業年度終了の時において，次に掲げる法人に該当する法人
 イ 普通法人うち，資本金（出資金）の額が1億円以下であるもの（資本金が5億円以上の大法人の完全支配関係子会社を除く）または資本（出資）を有しないもの
 ロ 公益法人等または協同組合等
 ハ 人格のない社団等
② 次に掲げる法人
 イ 銀行（銀行法2①）
 ロ 保険会社（保険業法2②）
 ハ 無尽会社，証券金融会社，長期信用銀行，銀行持株会社，債権回収会社，株式会社商工組合中央金庫，株式会社日本政策投資銀行など
③ リース債権を有する法人，質屋，登録包括（個別）信用購入あっせん業者，銀行の子会社・保険会社の子会社等で金融関連業務を営むもの，貸金業者，信用保証業者など

金融・保険業等を営む法人以外の法人で，資本金の額が1億円を超えるものは，貸倒引当金の繰入れはできないことに留意する。

(3) 個別評価による貸倒引当金
① 概　　要
　個別評価による貸倒引当金は，税法所定の事実が生じた場合に，金銭債権のうち取立てまたは弁済の見込みがないと見込まれる部分の金額を貸倒引当金に繰り入れるものである（法法52①）。個別評価による貸倒引当金は，個々の金銭債権ごとに，回収可能性を評価し回収が見込まれない部分の金額を貸倒引当金に繰り入れる。いわば部分的な貸倒償却を行うものといってよい。

　個別評価による貸倒引当金の繰入対象になる金銭債権（完全支配関係がある法人に対する金銭債権を除く）を，個別評価金銭債権という。ただし，上記(2)③の法人にあっては，リース債権や質契約の金銭債権，他の事業者からの買取債権，貸金業者の貸付債権など，金融取引に係る金銭債権に限られる（法法52⑨，法令96⑨）。

② 設定の対象事実
　個別評価による貸倒引当金は，次のイからニまでの事実が生じた場合に限って，貸倒れその他これに類する損失の見込額を設定することができる（法法52①，法令96①，法規25の2，25の3）。ただし，これらの事実が生じていることの証明書類の保存をしなければならない（法令96②③，法規25の4）。
　イ　個別評価金銭債権につき，その債務者に次の事由が生じたことにもとづいて弁済を猶予され，または賦払により弁済されること。
　　(イ)　更生計画認可の決定
　　(ロ)　再生計画認可の決定
　　(ハ)　特別清算にかかる協定の認可の決定
　　(ニ)　再生計画認可の決定に準ずる事実
　　(ホ)　法令の規定による整理手続によらない関係者の協議決定で次に掲げるもの
　　　(a)　債権者集会の協議決定で合理的な基準により債務者の負債整理を定めているもの

(b)　行政機関，金融機関その他第三者のあっせんによる当事者間の協議により締結された契約でその内容が(a)に準ずるもの
　ロ　個別評価金銭債権の債務者につき，債務超過の状態が相当期間継続し，かつ，その営む事業に好転の見通しがないこと，災害，経済事情の急変等により多大な損害が生じたことその他の事由が生じていることにより，個別評価金銭債権の一部に取立てまたは弁済の見込みがないこと。
　ハ　個別評価金銭債権の債務者につき，次に掲げる事由が生じていること。
　　(イ)　更生手続開始の申立て
　　(ロ)　再生手続開始の申立て
　　(ハ)　破産手続開始の申立て
　　(ニ)　特別清算開始の申立て
　　(ホ)　手形交換所（手形交換所のない地域にあっては，その地域において手形交換業務を行う銀行団）または電子債権記録機関による取引停止処分
　ニ　外国の政府，中央銀行または地方公共団体に対する個別評価金銭債権につき，これらの者の長期にわたる債務の履行遅滞によりその経済的な価値が著しく減少し，かつ，その弁済を受けることが著しく困難であると認められること。

③　繰入限度額

個別評価による貸倒引当金の繰入限度額は，上記②のイからニまでの設定の対象事由ごとに次のとおりである（法令96①）。
　イ　債務者に法的整理手続がとられた場合（上記②イ）……設定の対象事由が生じた事業年度終了の日の翌日から5年経過後に弁済される個別評価金銭債権の額（法令96①一）
　ロ　債務者の資産状態等が悪化した場合（上記②ロ）……取立て等の見込みがない個別評価金銭債権の額（法令96①二）
　ハ　債務者に法的整理手続の申立てがあった場合（上記②ハ）……期末の個別評価金銭債権の額の50％相当額。ただし，債務者から受け入れた金額があるため実質的に債権とみられない金額，担保権の実行，金融機関等による

保証債務の履行その他により取立て等の見込みがある部分の金額は，繰入れの対象とならない（法令96①三）。

ニ　外国の公的債務者に履行遅滞があった場合（上記②ニ）……期末の個別評価金銭債権の額の50％相当額。ただし，公的債務者から受け入れた金額があるため実質的に債権とみられない金額，担保権の実行，保証債務の履行その他により取立て等の見込みがある部分の金額は，繰入れの対象にならない（法令96①四）。

(4)　一括評価による貸倒引当金

①　概　　要

一括評価による貸倒引当金は，期末における売掛金，貸付金その他これらに準ずる金銭債権の残高総額に最近における貸倒実績率（または法定繰入率）を乗じて，一括して繰入限度額を計算するものである（法法52②，措法57の9①）。一括評価による貸倒引当金は，個々の金銭債権ごとではなく，期末の金銭債権総額について一括して貸倒れの見込額を計上する。

一括評価による貸倒引当金の繰入対象になる金銭債権（完全支配関係がある法人に対する金銭債権を除く）を，一括評価金銭債権という。ただし，上記(2)③の法人にあっては，リース債権や質契約の金銭債権，他の事業者からの買取債権，貸金業者の貸付債権など，金融取引に係る金銭債権に限られる（法法52⑨，法令96⑨）。

②　設定対象の売掛債権等

イ　総　　説

一括評価による貸倒引当金への繰入れの対象になるのは，売掛金，貸付金その他これらに準ずる金銭債権である（法法52②）。これを売掛債権等という。ただし，中小企業者等が法定繰入率により繰入限度額を計算する場合には，金銭債権のうち債務者から受け入れた金額があるため実質的に債権とみられないものを除く（措法57の9①，措令33の7②③）。

ロ　売掛債権等に該当する債権

　一括評価による貸倒引当金への繰入れの対象になる売掛債権等には，次に掲げるような債権が含まれる（基通11－2－16）。

(イ)　未収の譲渡代金，未収加工料，未収請負金，未収手数料，未収保管料，未収地代家賃等または貸付金の未収利子で，益金の額に算入されたもの

(ロ)　他人のために立替払をした場合の立替金

(ハ)　未収の損害賠償金で益金の額に算入されたもの

(ニ)　保証債務を履行した場合の求償権

(ホ)　先日付小切手

　なお，法人がその有する売掛金，貸付金等について取得した受取手形につき裏書譲渡（割引を含む）をした場合には，その売掛金，貸付金等の既存債権を売掛債権等とする（基通11－2－17）。

ハ　売掛債権等に該当しない債権

　次に掲げるようなものは売掛債権等に該当せず，一括評価による貸倒引当金の繰入れの対象にならない（基通11－2－18）。

(イ)　預貯金およびその未収利子，公社債の未収利子，未収配当その他これらに類する債権

(ロ)　保証金，敷金（借地権，借家権等の取得等に関連して無利息または低利率で提供した建設協力金等を含む），預け金その他これらに類する債権

(ハ)　手付金，前渡金等のように資産の取得の代価または費用の支出に充てるものとして支出した金額

(ニ)　前払給料，概算払旅費，前渡交際費等のように将来精算される費用の前払として一時的に仮払金，立替金等として経理されている金額

　なお，完成工事の工事未収入金は，当然，売掛債権等に該当する。また，工事進行基準の適用により計上される工事未収入金についても，その発注者を債務者として，売掛債権等に該当する（法令130）。

③ 繰入限度額

イ 原　　則

一括評価による貸倒引当金の繰入限度額は，次の算式によって計算した金額である（法令96⑥）。

$$\text{期末一括評価金銭債権の帳簿価額の合計額} \times \text{貸倒実績率}$$

$$\text{貸倒実績率} = \frac{\text{過去３事業年度における貸倒損失の平均額}}{\text{過去３事業年度における一括評価金銭債権の期末残高の平均額}} \quad \text{（小数点４位未満切上げ）}$$

ロ　中小企業等の特例

（イ）内　　容

　　資本金が１億円以下の中小企業等（資本金が５億円以上の法人や相互会社等による完全支配関係がある法人を除く）については，上記の貸倒実績率に代えて法定繰入率により繰入限度額を計算することができる。この場合には，繰入れ対象となる一括評価金銭債権の帳簿価額から債務者から受け入れた金額があるため実質的に債権とみられない金銭債権を控除する（措法57の9，措令33の7）。すなわち，次の算式により計算した金額が繰入限度額となる。

$$\left(\text{期末一括評価金銭債権の帳簿価額の合計額} - \text{実質的に債権とみられない金額} \right) \times \text{法定繰入率}$$

（ロ）　実質的に債権とみられない金銭債権の計算

　　ここで，実質的に債権とみられない金銭債権とは，典型的には同一人に対して債権と債務の双方を有し，両者が相殺適状にあるような場合のその債権をいう。その実質的に債権とみられない金銭債権の額の計算方法には，実額計算と簡便計算との二つがある。

　　実額計算は，個々の債権・債務ごとに対応関係を調査し計算する方法である（措令33の7②，措通57の9－1）。一方，簡便計算は法人の事務の簡素化のため次の算式により計算した金額をもって，実質的に債権とみられな

い金額とする。ただし，この簡便計算は，平成27年4月1日に存する法人に限って適用がある（措令33の7③）。

$$期末の一括評価金銭債権の額 \times \frac{平成27年4月1日から平成29年3月31日までの間に開始した各事業年度の期末における実質的に債権とみられない金銭債権の合計額}{同上の期間に開始した各事業年度の期末における一括評価金銭債権の合計額}$$

(ハ) 法定繰入率

法定繰入率は，事業の種類ごとに次のとおりである（措令33の7④）。

事　業　の　種　類	繰入率
(a) 卸売および小売業（飲食店業および料理店業を含み，割賦販売小売業を除く）	$\frac{10}{1,000}$
(b) 製造業（電気業，ガス業，熱供給業，水道業および修理業を含む）	$\frac{8}{1,000}$
(c) 金融および保険業	$\frac{3}{1,000}$
(d) 割賦販売小売業，包括信用購入あっせん業および個別信用購入あっせん業	$\frac{7}{1,000}$
(e) その他の事業	$\frac{6}{1,000}$

(5) 翌期の洗替え等

損金算入した貸倒引当金の金額は，その損金算入をした事業年度の翌事業年度の益金の額に算入する（法法52⑩）。つまり，貸倒引当金はすべて毎期洗い替えを行うのである。そして，翌事業年度には翌事業年度末の状況に応じ，新たに貸倒引当金の設定を行う。これは個別評価による貸倒引当金も同じである。

なお，貸倒引当金の損金算入をするためには，確定申告書に明細の記載をしなければならない（法法52③④）。

(計算例)

1 当社（製造業・資本金1億円）の当期（令和6.4.1～令和7.3.31）末における売掛金，貸付金などの状況は，次のとおりである。

科　目	金　　額	備　　考
売　掛　金	55,000,000円	A社に対する売掛金は5,000,000円であるが，同社からは借入金3,000,000円がある。
受　取　手　形	65,000,000	このほか，割引手形35,000,000円があり，貸借対照表の注記により表示されている。
貸　付　金	45,000,000	(1) B社に対する貸付金10,000,000円には，同社の土地に抵当権が設定してある。 (2) C社に対する貸付金は20,000,000円であるが，同社は当期中に民事再生手続の開始申立てがあった。なお，同社からは営業保証金2,000,000円を受け入れている。
未　収　入　金	20,000,000	内訳は未収土地譲渡代金15,000,000円，未収配当金3,000,000円および貸付金の未収利子2,000,000円である。
仮　払　金	2,000,000	内訳はD社に対する立替金1,500,000円および旅費の未精算額500,000円である。

2 過去3事業年度における貸倒損失等の状況は，次のとおりである。

事　業　年　度	一括評価 金銭債権の額	貸倒損失の額
令和3.4.1～令和4.3.31	170,000,000円	800,000円
令和4.4.1～令和5.3.31	180,000,000	1,000,000
令和5.4.1～令和6.3.31	190,000,000	1,200,000

3 当期において損金経理により，個別評価による貸倒引当金に8,000,000円，一括評価による貸倒引当金に2,000,000円をそれぞれ繰り入れた。

4 前期(令和5.4.1～令和6.3.31)において損金経理により,貸倒引当金に7,000,000円を繰り入れた。ただし,繰入限度超過額1,500,000円があった。

(計 算)

1 **個別評価による貸倒引当金**

 C社に対する貸付金 (20,000,000円−2,000,000円)×50%
 =9,000,000円

2 **一括評価による貸倒引当金**

 (1) 対象債権の額

 55,000,000円+(65,000,000円+35,000,000円)+(45,000,000円−20,000,000円)+(15,000,000円+2,000,000円)+1,500,000円
 =198,500,000円

 (2) 貸倒実績率による繰入限度額

 ① 貸倒実績率

 $$\frac{(800,000円+1,000,000円+1,200,000円) \div 3}{(170,000,000円+180,000,00円+190,000,000円) \div 3}$$
 =0.00555→0.0056

 ② 繰入限度額

 198,500,000円×0.0056=1,111,600円

 (3) 法定繰入率による繰入限度額

 ① 実質的に債権とみられないものの額 3,000,000円

 ② 繰入限度額

 (198,500,000円−3,000,000円)×0.008=1,564,000円

3 **繰入限度超過額**

 (1) 個別評価による貸倒引当金

 8,000,000円−9,000,000円=△1,000,000円

(2)　一括評価による貸倒引当金

　　　　2,000,000円－1,564,000円＝436,000円

(説　明)

1　個別評価による貸倒引当金の繰入限度額の計算にあたり，C社に対する貸付金20,000,000円から受入れている保証金2,000,000円は控除する。

2　B社に対する貸付金10,000,000円には抵当権が設定されているが，一括評価による貸倒引当金の繰入対象になる債権からは控除する必要はない。

3　個別評価による貸倒引当金には1,000,000円の繰入不足があり，一括評価による貸倒引当金には436,000円の繰入超過があるが，両者は通算することはできない（基通11－2－1の2）。一括評価による貸倒引当金の繰入超過額436,000円は，当期の損金の額には算入されず，申告書別表四で所得金額に加算する。

4　前期に貸倒引当金に繰り入れた7,000,000円は，当期において全額益金の額に戻し入れる。その結果，前期の繰入限度超過額1,500,000円は，前期の損金の額に算入されていないので，当期の申告書別表四で所得金額から減算する。

5．返品調整引当金

(1)　概要と趣旨

　出版業，医薬品の製造業や卸売業などの対象事業を営む法人で，常時，その販売する棚卸資産の大部分につき当初の販売価額による買戻特約を結んでいるものは，その買戻しによる損失の見込額として，最近における買戻しの実績を基礎として計算した繰入限度額までの金額を，損金経理により返品調整引当金勘定に繰り入れることができる（旧法法53）。

　出版業，医薬品の製造業や卸売業などの業界においては，いったん商品を販

売した後その商品が売れ残った場合には，無条件で買い戻す旨の特約を結んだ販売方法がとられている。このような買戻特約付の販売であっても，販売収益は商品を引渡したときに計上しなければならない。しかし，その販売収益は必ずしも最終的に確定したものとはいえない。商品が売れ残れば必ず返品され，収益は取り消されることになるからである。

そこで，そのような返品による損失の見込額を返品調整引当金勘定へ繰り入れ，損金とすることが認められている。

> (注) 返品調整引当金は，平成30年度の税制改正により廃止されたが，平成30年4月1日において対象事業を営む法人にあっては，令和6年4月1日から令和7年3月31までに開始する事業年度については改正前の繰入限度額の60％相当額の引当てができる（平成30年改正法法附則25）。

(2) 対象事業

返品調整引当金の設定対象となる事業として，次に掲げるものが指定されている（旧法法53①，旧法令99）。

① 出版業
② 出版にかかる取次業
③ 医薬品（医薬部外品を含む），農薬，化粧品，既製服，蓄音機用レコード，磁気音声再生機用レコード（録音済みカセットテープ）またはデジタル式の音声再生機用レコード（コンパクト・ディスク）の製造業
④ ③に掲げる物品の卸売業

これらの業界では，買戻特約による販売が慣行になっているから，対象事業とされている。

(3) 買戻特約等の意義

返品調整引当金を設定するためには，上記(2)の対象事業を営むとともに，常時，その販売する対象事業にかかる棚卸資産の大部分につき買戻特約等を結んでいなければならない（旧法法53①）。

ここで買戻特約等とは，次に掲げる事項を内容とする特約をいう（旧法令100）。

① 販売先からの求めに応じ，その販売した棚卸資産を当初の販売価額によって無条件に買い戻すこと。
② 販売先においては，棚卸資産の送付を受けた場合にその注文によるものかどうかを問わずこれを購入すること。

(4) 繰入限度額
① 売掛金基準方式と売上高基準方式
返品調整引当金の繰入限度額の計算方法には，①売掛金基準方式と②売上高基準方式との二つがある（旧法令101①）。指定事業における業種・業態による売上代金の決済方法や返品の生じ方などの違いに対応できるよう，二つの方法が認められている。

売掛金基準方式は，次の算式により計算した金額を繰入限度額とするものである（旧法令101①一）。売掛金の回収に2月以上を要するような場合に適用す

> 当期末の指定事業の売掛金合計額×返品率×売買利益率

ればよい。

一方，売上高基準方式は，次の算式により計算した金額を繰入限度額とするものである（旧法令101①二）。売上代金が2月以内に決済され，期末に売掛金が

> 当期末以前2月間の指定事業にかかる棚卸資産の販売対価の合計額×返品率×売買利益率

残らないような場合に適用すれば合理的である。

② 返品率
売掛金基準方式および売上高基準方式，いずれの繰入限度額の計算方法にも共通する計算要素のひとつが返品率である。ここでいう返品率とは，次の算式により計算した割合をいう（旧法令101②）。

$$\frac{\text{分母の事業年度における対象事業にかかる棚卸資産の買戻対価の合計額}}{\text{その事業年度およびその事業年度開始の日前１年以内に開始した各事業年度における対象事業にかかる棚卸資産の販売対価の合計額}}$$

　事業年度が１年の法人であれば，２年間の返品の実績により返品率を計算する。２年間とするのは，１年間の実績だけでは返品率が偶発性等に左右されるおそれがあるので，これを避け平均化するためである。

　③　売買利益率

　売掛金基準方式および売上高基準方式，いずれの繰入限度額の計算方法にも共通する，もうひとつの計算要素が売買利益率である。ここで売買利益率とは，次の算式により計算した割合をいう（旧法令101③）。

$$\frac{\text{当期の対象事業にかかる棚卸資産の純売上高} - \text{売上原価} - \text{販売手数料}}{\text{当期の対象事業にかかる棚卸資産の純売上高}}$$

(5)　翌期の洗替え等

　損金算入した返品調整引当金の金額は，その損金算入をした事業年度の翌事業年度の益金の額に算入する（旧法法53⑦）。つまり，返品調整引当金は毎期洗い替えを行うのである。

　なお，返品調整引当金の損金算入をするためには，確定申告書に明細の記載をしなければならない（旧法法53②③）。

(計算例)

1 当社（医薬品製造業）の最近における売上高，返品高等の状況は，次のとおりである。

区　　　分	令和5.4.1～令和6.3.31	令和6.4.1～令和7.3.31
売　上　高	253,000,000円	347,000,000円
返　品　高	45,500,000	62,500,000
売上原価	180,000,000	207,600,000
販売手数料	15,000,000	20,000,000

2 当期における期末以前2月間の売上高は57,500,000円で，同期間の返品高は11,000,000円である。
3 当期末における売掛金残高は，45,000,000円である。
4 当期において損金経理により返品調整引当金に繰り入れた金額は，2,070,000円である。
5 前期において損金経理により返品調整引当金に繰り入れた金額2,000,000円（うち繰入限度超過額400,000円）は，当期において全額益金の額に戻し入れた。

（計　算）

1 返　品　率 $\dfrac{45,500,000円+62,500,000円}{253,000,000円+347,000,000円}=0.18$

2 売買利益率
$\dfrac{347,000,000円-62,500,000円-(207,600,000円+20,000,000円)}{347,000,000円-62,500,000円}$
$=0.2$

3 繰入限度額
　(1) 売掛金基準方式　45,000,000円×0.18×0.2×0.6＝972,000円
　(2) 売上高基準方式　57,500,000円×0.18×0.2×0.6＝1,242,000円

4 繰入限度超過額
　2,070,000円－1,242,000円＝828,000円

（説　明）
1　売買利益率の計算にあたり，販売手数料20,000,000円は売上原価に加算しなければならない（旧法令101③）。
2　前期における繰入限度超過額400,000円は，当期の益金にならないので，申告書別表四で所得金額から減算する。

6．海外投資等損失準備金

(1)　概要と趣旨

　青色申告法人が，昭和48年4月1日から令和8年3月31日までの各事業年度において，国内外における石油や金属鉱物等の探鉱や開発，採取などを行っている法人あるいはその法人に投融資を行っている法人の新株式を取得し，その取得した事業年度末まで引き続き有している場合には，その新株式の価格の低落による損失に備えるため，海外投資等損失準備金を積み立て損金とすることができる（措法55）。

　資源の乏しいわが国にとって，資源の探鉱や開発などを促進し，資源の安定的供給を図ることが重要な課題である。しかし資源の探鉱や開発には相当のリスクが伴うから，法人が取得した新株式が無価値になる可能性も考えられる。そこで，その損失に備えるため，海外投資等損失準備金の積立てが認められている。

(2)　対象株式等と積立限度額

　海外投資等損失準備金は，次の表の「法人」欄に掲げる法人の「株式等」欄に掲げる株式等の取得価額に「割合」欄の割合を乗じて計算した金額を限度として，積み立てることができる（措法55①）。

法　　　　人	株　式　等	割　合
①　資源開発事業法人（③に該当する法人を除く）	特定株式等	20%

② 資源開発投資法人（④に該当する法人を除く）	特定株式等	20%
③ 資源探鉱事業法人	特定株式等	50%
④ 資源探鉱投資法人	特定株式等	50%

　上記表における「法人」は，国内外における石油や金属鉱物等の資源の探鉱や開発，採取などの事業を行っている法人（資源開発事業法人と資源探鉱事業法人）またはこれらの法人に出資や長期資金の貸付けなどの事業を行っている法人（資源開発投資法人と資源探鉱投資法人）である（措法55②，措令32の2）。

　また，特定株式等とは，これらの法人の設立時や増資時に発行された株式等のうちその払込みまたは取得をすることが資源の探鉱または開発を促進し，資源の安定的供給に寄与するものをいう。ただし，独立行政法人エネルギー・金属鉱物資源機構の助成金の交付を受けた法人が，その助成金をもって取得した交付目的に適合した株式等を除く（措法55②六，措令32の2⑦）。

(3) 取 崩 し

　法人が積み立てた海外投資等損失準備金については，その積立てをした事業年度終了の日の翌日から5年を経過するまでは，そのまま据え置き積み立てておく。そして，その5年を経過した準備金は，積立事業年度別に区分した金額ごとに6年目から5年間で均等額ずつを取り崩し，益金の額に算入する（措法55③）。

　その他，特定株式等を有しなくなった場合，評価損を計上した場合，任意に取り崩した場合などには，それぞれ所定の金額を取り崩して益金の額に算入しなければならない（措法55④⑤）。

(計算例)

1　当社は当期（令和6.4.1～令和7.3.31）において，資源開発事業法人の株式を取得したので，次のとおり剰余金の処分により海外投資等損失準備金を積み立てた。

資源開発事業法人	取得価額	積立額
A　社	5,000,000円	5,000,000円
B　社	8,000,000	1,600,000

2　前期以前に積み立てた海外投資等損失準備金は，当期において剰余金の処分により次のとおり取り崩した。

積立事業年度	積立額	積立限度額	取崩額
平30. 4. 1～平31. 3.31	4,000,000円	3,000,000円	800,000円
平31. 4. 1～令 2. 3.31	4,500,000	4,500,000	―

（計　算）

1　当期の積立額

　(1)　積立限度額

　　①　A　社　分　5,000,000円×20％＝1,000,000円

　　②　B　社　分　8,000,000円×20％＝1,600,000円

　(2)　積立限度超過額

　　　（5,000,000円＋1,600,000円）－（1,000,000円＋1,600,000円）
　　　＝4,000,000円

2　当期の取崩額

　(1)　要取崩額

　　　$3,000,000円 \times \dfrac{12}{60} = 600,000円$

　(2)　取崩超過額

　　　800,000円－600,000円＝200,000円

（説　明）

1　剰余金の処分により積み立てた海外投資等損失準備金6,600,000円は申告書別表四により所得金額から減算するとともに，積立超過額4,000,000円は申告書別表四で所得金額に加算する。

2　剰余金の処分により取り崩した海外投資等損失準備金800,000円は申

告書別表四により所得金額に加算するとともに、取崩超過額200,000円は過去（平30.4.1～平31.3.31期）の積立超過額1,000,000円の認容として申告書別表四で所得金額から減算する。

繰越欠損金

1. 概要と趣旨

　法人の各事業年度開始の日前10年以内に開始した事業年度において生じた所定の欠損金額は，各事業年度の課税所得の計算上，損金の額に算入する（法法57）。これは欠損金の繰越控除と呼ばれる。

　一方，法人の青色申告書である確定申告書を提出する事業年度において生じた欠損金額を，その欠損金額が生じた事業年度開始の日前1年以内に開始した事業年度に繰り戻して，その事業年度の所得と相殺して，すでに納付した法人税の還付を請求することができる（法法80）。これを青色欠損金の繰戻し還付という。

　法人税は，各事業年度に生じた課税所得を各事業年度ごとに独立して課税の対象とする。前事業年度からの繰越利益金や繰越欠損金は，翌事業年度以降の課税所得の計算には関係させないのが原則である。これを事業年度独立の原則という。

　しかし，継続企業である法人の一生の所得は事業年度を越えて一体を成しているから，ある事業年度で生じた欠損金額は，他の事業年度の利益金額と通算するのが理論的であろう。また，人為的に定めた事業年度という期間を基礎に課税所得を計算する結果，利益金や欠損金の発生状況いかんにより税負担に著しい不均衡の生じることが考えられる。たとえば資産の譲渡益と譲渡損とが生じた場合，それが同じ事業年度内であれば両者は通算されるが，事業年度が異

なれば譲渡益だけに課税されることになる。
そこで，以下のような繰越欠損金の取扱いが認められている。

2．欠損金の繰越控除

(1) 繰越控除の原則

　青色申告書である確定申告書を提出する法人の各事業年度開始の日前10年以内に開始した事業年度において生じた欠損金額（当期前に損金算入されたものおよび繰戻し還付の基礎になったものを除く）は，その事業年度の所得金額の50％相当額を限度として，損金の額に算入する。ただし，その法人が欠損金額の生じた事業年度に確定申告書を提出し，かつ，その後において連続して確定申告書を提出するとともに，欠損年度に帳簿書類を保存していなければならない（法法57）。

　ここに欠損金額とは，各事業年度の損金の額が益金の額を超える場合のその超える部分の金額をいう（法法二十九）。

　なお，適格合併または完全支配関係がある法人の残余財産が確定した場合には，合併法人または完全支配関係法人は，被合併法人または被完全支配関係法人の欠損金額を引継ぎ損金の額に算入することができる（法法57②）。ただし，その適格合併などが欠損金額の引継ぎだけを目的とするような場合には，その引継ぎは認められない（法法57③④）。

　（注）1　平成30年4月1日以後開始する事業年度において生じる欠損金額について，繰越控除が10年間認められる（平成27年改正法法附則27①）。
　　　　2　当期の控除限度額の50％相当額は，平成29年4月1日から平成30年3月31日までの間に開始する事業年度は55％相当額，平成30年4月1日以後に開始する事業年度から50％相当額である（平成27年改正法法附則27②）。

(2) 中小企業者等の特例

　上述したように，青色欠損金の損金算入額は，その事業年度の所得金額の50％相当額が原則である（法法57①）。しかし，次に掲げる法人については，その事業年度の所得金額まで損金算入することができる（法法57⑪）。

イ　普通法人のうち，資本金（出資金）の額が1億円以下であるもの（資本金が5億円以上の大法人の完全支配関係子会社を除く）または資本（出資）を有しないもの（相互会社を除く）
　ロ　公益法人等または協同組合等
　ハ　人格のない社団等

(3) 繰越控除の不適用

　欠損法人が，特定株主等によってその発行済株式総数（出資総額）の50％超の株式（出資）を保有され支配された場合において，その支配日から5年以内に，休眠法人が事業を開始すること，従前から営む事業を廃止し，かつ，その事業規模を大幅に超える事業を開始したことなどの一定の事由に該当するときは，その該当する日の属する事業年度（適用年度）前において生じた欠損金額については，上記(1)の繰越控除は適用できない（法法57の2）。

　また，欠損法人の適用年度開始の日から3年以内（50％超の株式等を保有された日から5年を限度）に生ずる特定資産の譲渡等損失額は，損金の額に算入されない（法法60の3）。

　これらの特例は，欠損金の繰越控除の利用を目的に欠損金額を有する休眠法人を買収するなどの租税回避行為の防止を図る趣旨で設けられている。

(4) 災害損失金の繰越控除

　法人の各事業年度開始の日前10年以内に開始した事業年度のうち青色申告書を提出する事業年度でない年度において生じた欠損金額のうち，棚卸資産，固定資産または所定の繰延資産について震災，風水害，火災などの災害により生じた損失金額を超える部分の金額は，ないものとする（法法58①，法令114～116）。

　これは青色申告書を提出しなかった事業年度の欠損金額は，災害により生じた欠損金額のみについて，繰越控除を認めるとするものである。

　なお，適格合併または完全支配関係がある法人の残余財産が確定した場合，合併法人または完全支配関係法人は，被合併法人または被完全支配関係法人の

災害損失金額は無条件で引き継ぎ,損金の額に算入することができる(法法58②)。

(5) 会社更生等による債務免除等があった場合の欠損金の控除

　法人について更生手続開始の決定があった場合において,その法人が債権者から債務の免除や役員等から金銭その他の資産の贈与を受け,あるいは評価益の計上を行ったときは,これらに該当する事業年度前の事業年度において生じた欠損金額で控除期限切れのもののうち債務免除益等に達するまでの金額は,その事業年度の課税所得の計算上,損金の額に算入する(法法59①,法令116の2,116の3)。ここで債務の免除には,債務の株式化(DES)に伴い債務消滅益が生じる場合が含まれる。

　また,再生手続開始の決定や特別清算開始の命令,破産手続開始の決定などの事実が生じた場合においても,これらの事実に該当する事業年度前の事業年度において生じた欠損金額のうち債務免除益等に達するまでの金額は,その事業年度の課税所得の計算上,損金の額に算入する(法法59②③,法令117～117の4)。

　法人が債権者から債務の免除を受け,あるいは役員等から私財の提供を受けたような場合,それが法人の更生や再生,特別清算などにあたって受けるものであっても,その債務免除益等は益金として課税の対象になる。しかし,その債務免除益等に課税することは,法人の更生や再生,特別清算などを阻害することになって適当でない。そこで前事業年度までに生じていた欠損金額の損金算入が認められている。

　さらに,法人が解散した場合において,残余財産がないと見込まれるときは,清算中に終了する事業年度前の各事業年度で生じた欠損金額で控除期限切れのものは,清算中に終了する事業年度の課税所得の計算上,損金の額に算入される(法法59④,法令117の5)。平成22年の税制改正で清算所得課税が廃止されたことに伴い,清算中に生じる債務免除益等に対する課税を緩和する趣旨の特例である。

3．青色欠損金の繰戻し還付等

(1) 確定申告による還付

　法人の青色申告書である確定申告書を提出する事業年度において生じた欠損金額がある場合には，その確定申告書の提出と同時に，その欠損金額が生じた事業年度（欠損事業年度）の開始の日前1年以内に開始したいずれかの事業年度（還付所得事業年度）の所得に対する法人税の還付を請求することができる。この場合の還付を請求することができる金額は，次の算式により計算した法人税額である（法法80）。

$$還付所得事業年度の法人税額 \times \frac{欠損事業年度の欠損金額}{還付所得事業年度の所得の金額}$$

　ただし，この青色欠損金の繰戻し還付を受けるためには，還付所得事業年度から欠損事業年度の前事業年度まで連続して青色申告書を提出し，かつ，欠損事業年度は青色申告書である確定申告書を提出期限までに提出しなければならない（法法80③）。

　青色欠損金の繰戻し還付は，上記2．の青色欠損金の繰越控除とは逆に，当期に生じた欠損金額を前期に繰り戻して前期の損金の額に算入すると観念する。その結果，前期の所得金額が減少し納付した法人税が過大になるので，その過大になる法人税の還付を請求するものである。

　この特例は，将来的に欠損続きになると見込まれる法人など，欠損金額を翌期以降に繰り越していっても控除する機会がないような場合のために設けられている。もちろん，青色欠損金の繰越控除とこの特例は選択適用であり，同じ欠損金額について両制度を重複して適用することはできない。

　　（注）　青色欠損金の繰戻し還付制度は，資本金が1億円以下である場合（資本金が5億円以上の法人の子会社である場合等を除く）や解散した場合など所定の場合を除き，平成4年4月1日から令和8年3月31日までの間に終了する事業年度において生じた欠損金額については，適用されない（措法66の12）。

(2) 中間申告による還付

　上述したところにより，欠損金の繰戻しによる法人税の還付請求は，確定申告書を提出した場合に行うのが原則である（法法80①）。

　ただし，法人が災害（震災，風水害，火災等）に遇い，その災害のあった日から6月を経過する日までの間に終了する中間期間につき仮決算による中間申告書（法法72①）を提出する場合には，中間期間に生じた災害損失欠損金額をその中間期間開始の日前1年（青色申告の場合は2年）以内に開始した事業年度に繰り戻して法人税の還付を請求することができる（法法80⑤，法令156②～④）。

　これは災害に関する特例として，中間申告段階で繰戻し還付の請求ができる，ということである。

18　その他の費用等

1．譲渡制限付株式を対価とする費用

　法人が個人から受ける役務の提供の対価として譲渡制限付株式を交付した場合には，その役務の提供にかかる費用の額（法令111の2④）は，その役務の提供につき個人に給与所得等として課税が行われる事業年度において損金の額に算入する（法法54①，34①）。ただし，個人においてその役務の提供につき給与所得等の課税が生じない場合には，譲渡制限付株式を交付した法人は，その役務の提供にかかる費用の額を損金の額に算入することはできない（法法54②）。

　このような個人から受ける役務の提供の対価の損金算入時期の特例等については，その対価として譲渡制限付新株予約権を交付した場合にも定められている（法法54の2）。

　これら譲渡制限付株式または譲渡制限付新株予約権の交付が，役員の役務提供の対価として行われた場合には，役員給与として所定の手続をすることにより，事前確定届出給与として損金算入ができる（法法34①二）。

2．生命保険料

(1) 養老保険の保険料

　生命保険のうち，被保険者の死亡または生存を保険事故とするものを養老保険という。法人が自己を契約者とし，役員または使用人を被保険者とする養老保険に加入して支払う保険料は，次の区分に応じそれぞれ次のように処理する（基通9－3－4）。

① 死亡保険金（被保険者が死亡した場合に支払われる保険金をいう）および生存保険金（被保険者が保険期間の満了の日など一定の時期に生存している場合に支払われる保険金をいう）の受取人が法人である場合……支払った保険料の額は，保険事故の発生または保険契約の解除・失効により保険契約が終了する時までは資産に計上する。

② 死亡保険金および生存保険金の受取人が被保険者またはその遺族である場合……支払った保険料の額は，役員または使用人に対する給与とする。

③ 死亡保険金の受取人が被保険者の遺族で，生存保険金の受取人が法人である場合……支払った保険料の額のうち，その2分の1は資産に計上し，残額は保険期間の経過に応じて損金の額に算入する。ただし，役員や部課長など特定の者だけを被保険者にしている場合には，その残額はその役員や部課長などに対する給与とする。

(2) 定期保険及び第三分野保険の保険料

① 原　　　則

　生命保険のうち，一定期間内における被保険者の死亡を保険事故とするものを定期保険といい，第三分野保険とは，疾病保険，傷害保険，医療保険などの保険業法3条4項2号に掲げる保険をいう。法人が自己を契約者とし，役員または使用人を被保険者とする定期保険または第三分野保険に加入して支払う保険料は，次の区分に応じそれぞれ次のように処理する（基通9－3－5）。

イ　保険金または給付金の受取人が法人である場合……支払った保険料の額

は，原則として保険期間の経過に応じて損金の額に算入する。
　ロ　保険金または給付金の受取人が被保険者またはその遺族である場合……支払った保険料の額は，原則として保険期間の経過に応じて損金の額に算入する。ただし，役員，部課長など特定の者だけを被保険者としている場合には，その保険料の額はその役員や部課長などに対する給与とする。

② 　保険料に相当多額の前払部分がある場合

　法人が自己を契約者とし，役員または使用人を被保険者とする保険期間が3年以上の定期保険または第三分野保険で最高解約返戻率（保険期間を通じて解約返戻率が最も高い割合となる期間におけるその割合）が50％を超えるものに加入して支払う保険料については，おおむね次のとおり処理する（基通9－3－5の2）。
　イ　最高解約返戻率が50％超70％以下の場合……保険期間の4割相当期間までは支払保険料の40％相当額を資産計上し，残額を損金算入する。
　ロ　最高解約返戻率が70％超85％以下の場合……保険期間の4割相当期間までは支払保険料の60％相当額を資産計上し，残額を損金算入する。
　ハ　最高解約返戻率が85％超の場合……最高解約返戻率となる期間までは支払保険料の最高解約返戻率相当額の70％（保険期間開始日から10年経過日までは90％）相当額を資産計上し，残額を損金算入する。

　このようにして資産計上した支払保険料は，その後所定の取崩期間において均等に取崩し，損金算入していく。

　この取扱いは，多額の解約返戻金のある定期保険等に加入し，支払保険料を損金算入した後，途中解約して返戻金を得るような利益調整に対処する趣旨によるものである。

(3)　定期付養老保険等の保険料

　生命保険のうち，養老保険に定期保険または第三分野保険を付したものを定期付養老保険等という。法人が自己を契約者とし，役員または使用人を被保険者とする定期付養老保険等に加入して支払う保険料は，次の区分に応じそれぞれ次のように処理する（基通9－3－6）。

① 支払う保険料の額が生命保険証書等において養老保険にかかる保険料の額と定期保険または第三分野保険にかかる保険料の額とに区分されている場合……それぞれの保険料の額について上記(1)または(2)の取扱いによる。
② ①以外の場合……支払った保険料の全額について上記(1)の取扱いによる。

3．損害保険料

(1) 原　　則

　法人が自己の建物や自動車などに付した損害保険契約について支払う保険料の額は，保険期間の経過に応じて損金の額に算入する。ただし，保険期間が1年以内の損害保険契約にかかる保険料の額を前払いした場合には，保険期間の経過に応ずることなく，その支払ったときに保険料の全額を損金の額に算入してよい（基通2－2－14）。この特例は，法人の事務手数を考慮した重要性の原則にもとづくものである。

(2) 長期損害保険の保険料

　法人が保険期間が3年以上で，かつ，その保険期間満了後に満期返戻金を支払う旨の損害保険契約について支払う保険料の額は，積立保険料に相当する部分の金額は保険期間の満了または保険契約の解除・失効の時までは資産に計上し，その他の部分の金額は保険期間の経過に応じて損金の額に算入する（基通9－3－9）。

　この場合，支払った保険料のうち，積立保険料に相当する部分とその他の部分との区分は，保険料払込案内書，保険証券添付書類等により区分されたところによる。

4．海外渡航費

(1) 原　　則

　法人がその役員または使用人の海外渡航に際して支給する旅費（支度金を含む）は，その海外渡航が法人の業務遂行上必要なものであり，かつ，その渡航のために通常必要と認められる部分の金額にかぎり，旅費として損金の額に算入される。したがって，法人の業務と関係ない，役員や使用人の個人的な海外渡航の旅費や法人の業務のための海外渡航であっても不相当に高額な旅費は，その役員または使用人に対する給与とする（基通9－7－6）。

　この場合，法人の業務の遂行上必要な海外渡航であるかどうかは，その旅行の目的，旅行先，旅行経路，旅行期間等を総合勘案して実質的に判定する。ただし，観光渡航の許可を得て行う旅行や旅行業者が主催する団体旅行などは，原則として業務の遂行上必要な海外渡航に該当しない（基通9－7－7）。

　なお，役員の海外渡航の際の同伴者の旅費は，原則としてその役員に対する給与とする。ただし，国際会議への出席などその同伴が真に必要なものであれば，旅費として損金の額に算入してよい（基通9－7－8）。

(2) 業務と観光等とを併せて行った旅行

　法人の役員または使用人が海外渡航をした場合において，その旅行期間にわたり法人の業務としての旅行と観光などの旅行とを併せて行ったときは，その旅費を業務としての旅行期間と観光などの旅行期間との比等によりあん分する。そして観光などの旅行期間に対応する部分の旅費は，その役員または使用人に対する給与とする。

　ただし，海外渡航の直接の動機が特定の取引先との商談，契約の締結など法人の業務のためであり，その機会に観光を併せて行う場合には，往復の旅費は先取りで損金の額に算入し，残額をあん分してそれぞれの処理を行う（基通9－7－9）。

5．ゴルフクラブの入会金・会費

(1) ゴルフクラブの入会金
法人が支出したゴルフクラブの入会金は，次に掲げる場合に応じそれぞれ次により処理する（基通9－7－11）。

① 法人会員として入会する場合
入会金は資産として計上する。ただし，記名式の法人会員で名義人たる特定の役員または使用人がもっぱら法人の業務に関係なく利用するためこれらの者が負担すべきであると認められるときは，その入会金はこれらの者に対する給与とする。

② 個人会員として入会する場合
入会金は個人会員たる特定の役員または使用人に対する給与とする。ただし，無記名式の法人会員制度がないため個人会員として入会し，その入会金を法人が資産として計上した場合において，その入会が法人の業務の遂行上必要であるため法人が負担すべきであると認められるときは，その経理が是認される。

(2) 資産に計上した入会金の処理
法人が資産に計上した入会金については償却はできない。そこで，ゴルフクラブを脱退してもその返還を受けられない入会金および会員たる地位を他に譲渡したことにより生じた譲渡損失は，その脱退し，または譲渡した日の属する事業年度の損金の額に算入する（基通9－7－12）。

なお，預託金制ゴルフクラブの会員権については，退会の届出，預託金の一部切捨て，破産宣告などの事実にもとづき預託金返還請求権の全部または一部が顕在化した場合には，その顕在化した部分については金銭債権として貸倒損失および貸倒引当金の対象にしてよい（基通9－7－12(注)）。

(3) 年会費その他の費用
法人が他の者から会員権を購入する際に支払う名義書換料は，ゴルフクラブ

の入会金に含まれる（基通9－7－11(注)）。

一方，ゴルフクラブに支出する年会費や年決めロッカー料などについては，その入会金が資産として計上されている場合には交際費とし，その入会金が給与とされる場合には特定の役員または使用人に対する給与とする。

なお，ゴルフのプレー費は，入会金を法人の資産に計上しているかどうかにかかわらず，そのプレー費が法人の業務のために必要な場合は交際費となるが，そうでない場合には，特定の役員または使用人に対する給与となる（基通9－7－13）。

6．損害賠償金

法人が業務の遂行上他の者に与えた損害につき支払う損害賠償金は，その額が確定した事業年度において損金の額に算入する。ただし，当該事業年度末までに賠償すべき額が確定していない場合であっても，事業年度末までに賠償額として相手方に申し出た金額は，その申し出た事業年度において未払金として計上し損金の額に算入してよい（基通2－2－13）。

相手方に申し出た金額は，法人として最低限支払うべきことが確定するからである。

損害賠償金を年金として支払う場合には，その年金の額は，これを支払うべき日の属する事業年度の損金の額に算入する（基通2－2－13(注)）。

第5章

利益・損失の額の計算

1 この章では，法人税の課税所得計算における，純額としての利益の額または損失の額の取扱い，計算方法などを述べる。
2 短期売買商品・暗号資産取引，有価証券取引およびデリバティブ取引については，その実現損益はもとより期末評価損益や期末未決済損益も課税対象になる場合がある。
3 外貨建取引および外貨建債権・債務はその取引時または期末時において合理的に円換算をして課税所得を計算する。
4 完全支配関係法人間における譲渡損益調整資産の譲渡による損益は，計上しない。

1 総　　説

　法人税の各事業年度の所得の金額は，その事業年度の益金の額から損金の額を控除して計算する（法法22①）。その所得計算に関して，第3章では益金の額の，第4章では損金の額の，それぞれの取扱いを述べた。それはグロスの概念のものであって，また，その発生時から益金または損金として一義的に確定した性質の項目であった。

　これに対して，本章で述べるのは収益から費用ないし原価を減算したネットの利益または損失の取扱いである。また利益（益金）になる場合もあれば損失（損金）になる場合もあるといった，いわば中立的な性質の項目である。

　たとえば短期売買商品等や有価証券の譲渡損益についていえば，その譲渡対価の額が譲渡原価の額を超える場合にはその差額を譲渡利益額として益金の額に，逆に譲渡原価の額が譲渡対価の額を超える場合にはその差額を譲渡損失額として損金の額に，それぞれ算入する（法法61，61の2）。

2 短期売買商品等の損益

1．概要と趣旨

　今日では，金や銀，白金等の短期的な価格の変動を利用して売買を行い，利益を得ている法人も少なくない。その売買の対象となる金や銀，白金等の資産を，法人税では短期売買商品という。また，最近では暗号資産の売買を行っている法人もみられる。これら短期売買商品等（短期売買商品および暗号資産）を譲渡したことにより生じた損益は，課税所得の計算上，益金の額または損金の額に算入される（法法61①）。

　また，期末に保有する短期売買商品等については，原則として期末に時価評

価を行い，その評価損益も課税対象に含まれる（法法61②③）。

　短期売買商品等を実際に譲渡したことに伴う実現損益が，課税対象になることはいうまでもない。しかし短期売買商品等にあっては，次項に述べる有価証券と同じように，いわば未実現の期末の評価損益も課税対象に含まれる。

　これは有価証券と同じく時価会計の導入といってよい。企業会計と同じ考え方に立つものといえよう。税務の立場からは，譲渡時期を操作することなどによる租税回避行為を防止するという趣旨がある。

2．短期売買商品等の意義

(1) 短期売買商品

　法人税法上，短期売買商品とは，法人が取得した金，銀，白金その他の資産のうち，次に掲げるものをいう（法法61①，法令118の4，法規26の7）。
① 　短期売買目的で行う取引の専担者が短期売買目的で取得したもの
② 　その取得の日において短期売買目的で取得したものである旨を帳簿書類に記載したもの

　ここで短期売買目的とは，市場における短期的な価格の変動または市場間の価格差を利用して利益を得る目的をいう。

(2) 暗号資産

　法人税において，暗号資産とは，資金決済に関する法律第2条第14項に規定する暗号資産をいう（法法61①）。具体的には，次に掲げるものである。
① 　物品の購入，借り受けまたは役務の提供を受ける場合に，これらの代価の弁済のために不特定の者に対して使用することができ，かつ，不特定の者を相手方として購入および売却を行うことができる財産的価値(電子機器等に電子的方法により記録されているものに限る)であって，電子情報処理組織を用いて移転することができるもの
② 　不特定多数の者を相手方として上記①に掲げるものと相互に交換を行う

ことができる財産的価値であって，電子情報処理組織を用いて移転することができるもの

3．短期売買商品等の譲渡損益

(1) 譲渡損益の益金または損金算入

　法人が短期売買商品等の譲渡をした場合には，その譲渡利益額または譲渡損失額は，その譲渡契約をした日の属する事業年度の課税所得の計算上，益金の額または損金の額に算入する（法法61①）。ここで譲渡利益額とは，短期売買商品等の譲渡対価の額がその譲渡原価の額を超える場合におけるその超える部分の金額をいう。逆に譲渡損失額とは，短期売買商品等の譲渡原価の額がその譲渡対価の額を超える場合におけるその超える部分の金額である。

　この場合の譲渡対価の額は，その短期売買商品等の譲渡の時における有償による譲渡により通常得べき対価の額をいう（法法61①一）。

(2) 譲渡原価の額

① 意　　義

　短期売買商品等の譲渡対価の額は，その譲渡により通常得べき金額であり，基本的には譲渡契約により定まり問題は少ない。

　これに対し譲渡原価の額については，どのように算定するかという問題がある。その譲渡原価の額は，その短期売買商品等について法人が選定した1単位当たりの帳簿価額の算出方法により算出した金額に譲渡した短期売買商品等の数量を乗じて計算する（法法61①二）。

　そこで短期売買商品等の譲渡原価の額を計算するためには，その取得価額(帳簿価額)と1単位当たりの帳簿価額の算出方法が必要となる。

② 短期売買商品等の取得価額

　短期売買商品等の1単位当たりの帳簿価額を算出するためには，短期売買商品等の取得価額(帳簿価額)を確定させなければならない。その短期売買商品等

第5章　利益・損失の額の計算

の取得価額は，取得の態様に応じてそれぞれ次の金額である（法令118の5）。

　イ　購入した短期売買商品等……その購入の代価に引取運賃，運送保険料，購入手数料などの購入のために要した費用の額を加算した金額

　ロ　自己発行の暗号資産……その発行のために要した費用の額

　ハ　イ，ロ以外の短期売買商品等……その取得時の短期売買商品の時価

③　1単位当たりの帳簿価額の算出方法

　短期売買商品等の譲渡原価の額を計算する場合における1単位当たりの帳簿価額の算出方法には，移動平均法と総平均法と二つの方法が認められている（法令118の6）。この二つの方法のうちいずれの方法を選定するかは法人の自由であるが，もし法人が選定しなかった場合には，移動平均法により1単位当たりの帳簿価額を算出する（法令118の6⑧）。これを法定算出方法という。

　（注）　短期売買商品等の移動平均法および総平均法は，棚卸資産や有価証券の期末評価額の計算方法である移動平均法および総平均法と考え方はまったく同じである。計算例などは，第4章の④および次項を参考にされたい。

4．短期売買商品等の時価評価損益

(1)　短期売買商品等の期末評価

　法人が期末に保有する短期売買商品等（暗号資産にあっては，活発な市場が存在する市場暗号資産に限る）については，時価法により評価した金額をもって，期末の評価額とする（法法61②，法令118の7）。

　ここに時価法とは，期末において有する短期売買商品等を種類または銘柄の異なるごとに区別し，その種類等を同じくする短期売買商品等ごとに期末の時価により評価する方法である。この場合の時価は，価格公表者等によって公表された価格およびその公表価格を基礎に品質や所在地などの差異や交換比率で調整して得た価格をいう（法法61②，法令118の8）。

　ただし，市場暗号資産で譲渡制限等が付されているものの期末評価は，①原価法と②時価法との選択適用ができる。そのうち自己の発行する暗号資産でそ

233

の発行時から継続して保有するものにあっては，原価法による（法法61②，法令118の7）。原価法は，その取得価額で評価する方法である。

(2) 評価損益の益金または損金算入

　法人が期末において短期売買商品等を有する場合（暗号資産にあっては，自己の計算において有する場合に限る）には，上述した時価法により評価した金額と帳簿価額との差額は評価益または評価損となる。その評価益または評価損は，課税所得の計算上，益金の額または損金の額に算入しなければならない（法法61③）。

　資産に対する評価損益は益金または損金にならないのが原則であるが（法法25，33），短期売買商品等の評価損益は課税対象になるのである。

　益金の額または損金の額に算入した短期売買商品等の評価損益は，翌期において損金の額または益金の額に戻し入れる（法令118の9）。すなわち，毎期洗い替えを行う。

　なお，市場暗号資産につき原価法を適用する場合には，評価損益は計上されない。

3 有価証券の損益

1．概要と趣旨

　今日では多くの企業が多かれ少なかれ有価証券を保有している。その有価証券を譲渡したことにより生じた損益は，課税所得の計算上，益金の額または損金の額に算入される（法法61の2）。

　一方，たとえば期末に保有する売買目的の有価証券やデリバティブ取引については，期末に時価評価を行い，その評価損益も課税対象に含まれる（法法61の3～61の5）。

　有価証券を実際に譲渡したことに伴う実現損益が課税対象になるのは当然で

ある。しかし有価証券にあっては，前項の短期売買商品等と同じく譲渡等に伴い実現した損益だけでなく，いわば未実現の期末の評価損益も課税対象になる。これは企業会計と同じ時価会計の導入といってよい。また税務の立場からは，デリバティブ取引等を使用して利益操作を行う，租税回避行為を防止するという趣旨が含まれている。

2．有価証券の意義

　法人税法上，有価証券とは金融商品取引法第2条第1項《定義》に規定する有価証券その他これに準ずるものをいう（法法2二十一，法令11，法規8の2の4）。具体的には，代表的なものとして次のようなものが挙げられる。ただし，自己の株式または出資およびデリバティブ取引にかかるものを除く。

　国債証券，地方債証券，商工組合中央金庫債券，社債券，日本銀行の出資証券，株券，新株予約権証書，投資信託の受益証券，貸付信託の受益証券，譲渡性預金，合資会社・合名会社・合同会社の社員持分，協同組合の出資金

　一般に有価証券は財産権を表彰する証券であると定義されるが，法人税の有価証券の範囲はまさにそれである。有価証券の範囲を法人の所有目的などで区分していない。したがって，たとえば証券業者の有する商品株式であっても，法人税では棚卸資産ではなく有価証券である。

3．有価証券の譲渡損益

(1) 譲渡損益の益金または損金算入

　法人が有価証券の譲渡をした場合には，その譲渡利益額または譲渡損失額は，その譲渡契約をした日の属する事業年度の課税所得の計算上，益金の額または損金の額に算入する（法法61の2①）。ここで譲渡利益額とは，有価証券の譲渡対価の額がその譲渡原価の額を超える場合におけるその超える部分の金額をいう。逆に譲渡損失額とは，有価証券の譲渡原価の額がその譲渡対価の額を超え

る場合におけるその超える部分の金額である。

　この場合の譲渡対価の額は，その有価証券の譲渡の時における有償による譲渡により通常得べき対価の額をいう（法法61の2①一）。

(2)　譲渡の範囲

　有価証券の譲渡は，公開の株式市場または当事者間が相対で売却するのが典型例である。しかしこれだけに限らず，代物弁済，贈与，合併，分割，株式分配，株式交換，株式移転，現物出資，資本の払戻し，解散による残余財産の分配，組織変更などによる有価証券の移転や消滅も有価証券の譲渡に含まれる。

　要するに，その理由のいかんを問わず，法人がその有する有価証券の消滅を認識する行為が有価証券の譲渡である。

　なお，法人の有する有価証券につき，たとえば次のような区分変更の事実が生じた場合には，その時においてその有価証券を時価（または簿価）により譲渡したものとみなされる（法法61の2㉒，法令119の11）。後述するように，有価証券の区分によって評価方法などが異なるので，有価証券の区分変更があった際にいったん譲渡があったものとして課税を清算する趣旨である。

① 　売買目的有価証券について，売買目的有価証券が企業支配株式に該当することとなったことまたは法人が短期売買業務の全部を廃止したこと。
② 　企業支配株式が企業支配株式に該当しなくなったこと。
③ 　その他有価証券について，その他有価証券が企業支配株式に該当することとなったことまたは法令に従って新たに短期売買業務を行うことになり，その他有価証券を短期売買業務に使用することとなったこと。

(3)　譲渡対価の額

　有価証券の譲渡対価の額は，基本的にはその売買価額である。ただし，その譲渡対価の額のうちにみなし配当の額がある場合には，そのみなし配当の額を控除した金額が譲渡対価の額となる（法法61の2①一）。

　合併（合併交付金の交付がないものに限る）により合併法人の発行する新株の交

第5章 利益・損失の額の計算

付を受けた場合には，その譲渡対価の額は旧株（被合併法人の株式）の合併直前の帳簿価額相当額とする（法法61の2②）。これは旧株の帳簿価額を新株に付け替えればよく，譲渡損益は認識しないということである。この基本的な考え方は，分割型分割により分割承継法人の株式の交付を受けた場合，完全子法人株式の株式分配の場合も同様である（法法61の2④⑧）。

また，株式交換（交換交付金の交付がないものに限る）により株式交換完全親法人の株式の交付を受けた場合には，その譲渡対価の額は旧株（株式交換完全子法人の株式）の株式交換直前の帳簿価額相当額とする（法法61の2⑨）。これは株式交換も株式の譲渡ではあるが，株式交換時には旧株の譲渡損益を認識せず，その計上を繰り延べるということである。株式移転についても，同様に取り扱われる（法法61の2⑪）。

さらに，完全支配関係（100％の持株関係）がある法人の株式をその法人に譲渡した場合には，その譲渡対価の額は譲渡原価の額相当額とする（法法61の2⑰）。これは完全支配関係がある法人の株式を自己株式として譲渡した場合には，譲渡損益の計上はできないということである。

そのほか，取得請求権付株式等の請求権の行使，株式交付により株式を譲渡した場合にも，譲渡損益の計上の繰延べができる（法法61の2⑭，措法66の2）。

(4) 譲渡原価の額
① 意　　義

有価証券の譲渡原価の額は，その有価証券について法人が選定した1単位当たりの帳簿価額の算出方法により算出した金額に譲渡した有価証券の数を乗じて計算した金額をいう（法法61の2①二）。

そこで有価証券の譲渡原価の額を計算するための要素として，その取得価額（帳簿価額）と1単位当たりの帳簿価額の算出方法が必要になる。

② 有価証券の取得価額

有価証券の1単位当たりの帳簿価額を算出するためには，有価証券の取得価額（帳簿価額）を確定させなければならない。その有価証券の取得価額の主なも

のは，取得の態様に応じてそれぞれ次の金額である（法令119）。

　イ　購入した有価証券……その購入の代価に購入手数料などの購入のために要した費用の額を加算した金額

　ロ　金銭の払込みまたは資産の給付により取得した有価証券……その払い込んだ金額と給付をした資産の価額の合計額に取得のために要した費用の額を加算した金額

　ハ　株式等の無償交付により取得した株式または新株予約権……零

　ニ　有利な発行価額による払込み等により取得した有価証券……その有価証券の取得の時における価額

　ホ　合併により交付を受けた合併法人の株式……被合併法人の株式の合併直前の帳簿価額にみなし配当の金額および株式の交付を受けるために要した費用の額を加算した金額

　ヘ　分割型分割により交付を受けた分割承継法人の株式……分割法人の株式の分割型分割直前の帳簿価額に分割割合を乗じて計算した金額にみなし配当の金額および株式の交付を受けるために要した費用の額を加算した金額

　ト　適格分社型分割または適格現物出資により交付を受けた分割承継法人または被現物出資法人の株式……適格分社型分割または適格現物出資の直前の移転資産の帳簿価額から移転負債の帳簿価額を減算した金額に株式の交付を受けるために要した費用の額を加算した金額

　チ　株式分配により交付を受けた完全子法人株式……現物分配法人の株式の帳簿価額に現物分配割合（純資産の価額に対する完全子法人株式の帳簿価額の割合）を乗じて計算した金額

　リ　株式交換（株式移転）により交付を受けた株式交換（移転）完全親法人の株式……株式交換（移転）完全子法人の株式の帳簿価額に株式の交付を受けるために要した費用の額を加算した金額

　ヌ　適格株式交換（株式移転）により取得をした株式交換（移転）完全子法人の株式……次に掲げる場合に応じそれぞれ次の金額

A　株式交換(移転)完全子法人の株主が50人未満である場合……株式交換(移転)完全子法人の株主が有していた株式の帳簿価額に株式の取得をするために要した費用の額を加算した金額

　B　株式交換(移転)完全子法人の株主が50人以上である場合……株式交換(移転)完全子法人の簿価純資産価額に株式の取得をするために要した費用の額を加算した金額

ル　組織変更に際して交付を受けた株式……その法人の株式の帳簿価額に株式の交付を受けるために要した費用の額を加算した金額

ヲ　代物弁済，贈与等その他の方法により取得した有価証券……その取得時の有価証券の時価

③　1単位当たりの帳簿価額の算出方法

　有価証券の譲渡原価の額を計算する場合における1単位当たりの帳簿価額の算出方法には，移動平均法と総平均法と二つの方法が認められている(法令119の2)。それぞれの方法の意義は，次のとおりである。

イ　移動平均法……有価証券を銘柄ごとに区分し，その銘柄を同じくする有価証券の取得をするつど，その有価証券の取得直前の帳簿価額と取得をした有価証券の取得価額との合計額をこれらの有価証券の総数で除して平均単価を算出し，その算出した平均単価をもって1単位当たりの帳簿価額とする方法

ロ　総平均法……有価証券を銘柄ごとに区分し，その銘柄の同じものについて，事業年度開始の時に有していたその有価証券の帳簿価額とその事業年度において取得をした有価証券の取得価額の総額との合計額をこれらの有価証券の総数で除して平均単価を算出し，その算出した平均単価をもって1単位当たりの帳簿価額とする方法

　この二つの方法のうちいずれの方法を選定するかは法人の自由であるが，もし法人が選定しなかった場合には，移動平均法により1単位当たりの帳簿価額を算出する(法令119の7①)。これを法定算出方法という。

（注）　有価証券の移動平均法および総平均法は，棚卸資産の期末評価額の計算方法で

ある移動平均法および総平均法と考え方はまったく同じである。計算例などは、第4章の④を参考にされたい。

④ 子法人株式の帳簿価額の減額

法人が特定関係子法人から受ける配当等の額が、その特定関係子法人株式の帳簿価額の10％相当額を超える場合には、その配当等の額のうち益金不算入額相当額はその特定関係子法人株式の帳簿価額から減額しなければならない（法令119の3⑩～⑯、119の4①）。

ここで特定関係子法人とは、配当等の決議の日において特定支配関係（一の者が他の法人の発行済株式数等の50％超を直接または間接に保有する関係）を有する他の法人をいう。

これは、特定関係子法人から多額の配当を受けてその純資産額を減少させ、子法人株式の評価額が下落した後、その子法人株式を譲渡することにより譲渡損失を創出するような租税回避に対処する趣旨によるものである。

なお、特定支配関係発生日から10年を経過した後に受ける配当、配当金額が2,000万円を超えない配当などについては、この特例の適用はない。

4．有価証券の時価評価損益

(1) 有価証券の期末評価

① 期末評価方法

法人が期末に有価証券を保有する場合には、決算にあたってその有価証券にいくらの価額を付すかという、期末評価の問題が生じる。その有価証券の期末評価方法には、時価法、償却原価法および原価法がある。

有価証券に適用すべき期末評価方法は、有価証券の区分ごとに次表のとおりである（法法61の3①、法令119の2②、119の12）。これは「その他有価証券」の評価方法を除き、基本的に企業会計のそれと同じといってよい。

第5章 利益・損失の額の計算

区　　　　　分			評　価　方　法
売買目的有価証券			時価法
売買目的外有価証券	満期保有目的等有価証券	償還有価証券	原価法（償却原価法）
		企業支配株式	原価法
	その他有価証券		原価法

② 売買目的有価証券と時価法

　売買目的有価証券の期末評価は，時価法により行う。ここで売買目的有価証券とは，短期的な価格の変動を利用して利益を得る目的で取得した有価証券をいう（法法61の3①一，法令119の12，法規27の5）。

　また時価法とは，期末において有する有価証券を銘柄の異なるごとに区別し，その銘柄の同じものについて期末の時価により評価する方法である（法法61の3①一）。この場合の時価は，取引所売買有価証券や店頭売買有価証券，取扱有価証券，価格公表有価証券にあっては，証券取引所などの価格公表者から公表された期末日における最終の売買価格とする（法令119の13）。

③ 償還有価証券と償却原価法

　満期保有目的の償還有価証券の期末評価には，償却原価法が適用される（法法61の3①二）。ここに満期保有目的とは，有価証券の償還期限まで保有する目的で取得し，その旨を帳簿書類に記載したものを（法令119の2②，法規26の13），償還有価証券とは，償還期限および償還金額の定めのある売買目的外有価証券を，それぞれいう（法令119の14）。

　また償却原価法は原価法の一つであるが，その帳簿価額と償還金額とが異なる有価証券につき，その帳簿価額を増額するための調整差益または帳簿価額を減額するための調整差損を，それぞれ帳簿価額に加減算した価額を期末評価額とする方法である（法令119の14）。この場合の調整差益または調整差損は，償還有価証券の帳簿価額と償還金額との差額を償還期間における各事業年度に均等に割り振って計算する（法令139の2）。

④ 企業支配株式およびその他有価証券と原価法

満期保有目的等有価証券のうち企業支配株式の期末評価は，原価法により行う（法法61の3①二）。ここで企業支配株式とは，法人が発行済株式総数の20％以上の持株を有する場合のその株式をいう（法令119の2②二）。

また，「その他有価証券」の期末評価も原価法により行う（法法61の3①二）。「その他有価証券」は，売買目的有価証券，償還有価証券および企業支配株式以外の有価証券である。

原価法は，期末において有する有価証券をその期末の帳簿価額をもって評価額とする方法である（法法61の3①二）。具体的には，前述の有価証券の1単位当たりの帳簿価額の算出方法である移動平均法または総平均法により計算した期末の帳簿価額を評価額とする（法令119の2参照）。

(2) 評価損益の益金または損金算入

法人が期末において有する売買目的有価証券の評価は時価法により行う結果，評価益または評価損が算出される。その評価益または評価損は，課税所得の計算上，益金の額または損金の額に算入しなければならない。ここで評価益とは，その売買目的有価証券の時価法により評価した金額（時価評価金額）が期末帳簿価額を超える部分の金額を，評価損とは期末帳簿価額が時価評価金額を超える部分の金額を，それぞれいう（法法61の3②）。

資産に対する評価損益は益金または損金にならないのが原則であるが（法法25，33），売買目的有価証券の評価損益は，益金の額または損金の額に算入され課税対象になる。

なお，益金の額または損金の額に算入した売買目的有価証券の評価損益は，翌事業年度において損金の額または益金の額に戻し入れる（法令119の15）。すなわち，毎期洗い替えを行う。

(3) 空売り等の未決済損益の益金または損金算入

有価証券の売買は現物たる有価証券を受け渡して行われるのが普通である。しかし有価証券取引にあっては，現物を有しないでその売買を行う，空売りや信用取引，発行日取引なども盛んに行われている。

有価証券の空売りとは，有価証券を有しないでその売付けをし，その後にその有価証券と同じものの買戻しをして決済をする取引をいう。また信用取引は，証券会社から資金や株券を借りて株式の売買を行うものであり，発行日取引は有価証券が発行される前にその有価証券の売買を行う取引をいう。

法人が行ったこれら有価証券の空売りや信用取引，発行日取引のうち当期末において決済されていないものは，当期末において決済したものとみなして算出した利益の額または損失の額を当期の益金の額または損金の額に算入する（法法61の4，法規27の6）。未実現のみなし決済損益も課税対象に含まれるのである。

なお，益金の額または損金の額に算入したみなし決済損益は，翌事業年度において損金の額または益金の額に戻し入れる（法令119の16）。すなわち，毎期洗い替えを行う。

(4) 調整差損益の益金または損金算入

前述したように，時価法によれば期末に評価損益が認識され，その評価損益は課税所得に含まれる。これに対して，原価法は期末の帳簿価額をもってその評価額とする方法であるから，評価損益が計上されることはない。

ただし，償還有価証券に償却原価法を適用する場合の調整差益または調整差損は，益金の額または損金の額に算入される（法令139の2）。これは評価損益ではなく，受取利息あるいはマイナスの利息と観念されるものであるからである。

4 デリバティブ取引の損益

1．概要と趣旨

　国際取引を行う企業を中心として，デリバティブ取引を行っている企業は少なくない。その取引の目的や種類は多種多様であるが，デリバティブ取引によって現に生じた損益は，課税所得の計算上，益金の額または損金の額に算入される（法法22②）。

　一方，期末において決済されていないデリバティブ取引は，期末において決済したものとみなして算出した利益の額または損失の額を益金の額または損金の額に算入しなければならない（法法61の5）。

　このようにデリバティブ取引については，いわば未実現のみなし決済損益も課税対象に含まれるのである。これは税務における時価会計の導入の一環であるが，デリバティブ取引を使った利益調整などの租税回避行為の防止が視野に含まれている。

2．デリバティブ取引の意義

　デリバティブ取引は，あらかじめ当事者間で約定された金利，通貨の価格，商品の価格などの指標の数値と将来の一定の時期における現実のその指標の数値との差にもとづいて算出される金銭の授受を約する取引である。具体的には，次に掲げる取引をいう（法法61の5，法規27の7，基通2－3－35）。

　①市場デリバティブ取引（金商法2⑳㉑），②店頭デリバティブ取引（金商法2⑳㉒），③外国市場デリバティブ取引（金商法2⑳㉓），④商品デリバティブ取引（銀規13の2の3①一），⑤温室効果ガス排出権取引（銀規13の2の3①二），⑥商品等オプション取引（銀規13の2の3①三），⑦選択権付債券売買（銀規13の6の3⑤四），⑧先物外国為替取引，⑨これらの取引に類似する取引

第5章 利益・損失の額の計算

3．みなし決済損益の益金または損金算入

　法人が行ったデリバティブ取引のうち当期末において決済されていないものは，当期末において決済したものとみなして算出した利益の額または損失の額を当期の益金の額または損金の額に算入する（法法61の5）。

　たとえば，店頭デリバティブ取引については，当事者間で授受することを約した金額を当期末の現在価値に割り引く合理的な方法により割り引いた金額等を利益の額または損失の額とする（法規27の7③）。具体的には，取引所に上場されているデリバティブ取引は取引所から公表された期末日の最終の取引成立価格や取引システムの気配値があるデリバティブ取引はその気配値にもとづき算出した金額をみなし決済損益としてよい（基通2－3－39）。

　このように，いわゆるみなし決済損益が課税の対象になる。

　なお，益金の額または損金の額に算入したみなし決済損益は，翌事業年度において損金の額または益金の額に戻し入れる（法令120）。すなわち，毎期洗い替えを行う。

（計算例）

　当社は当期（令和6.4.1～令和7.3.31）において，証券会社に委託し，額面総額25,000,000円（1口当たりの額面100円）の長期国債先物を1口当たり96円で買建てし，委託証拠金として1,200,000円を支払い資産に計上している。これはデリバティブ取引に該当する。

　当期末におけるこの長期国債先物相場は1口当たり97円になっているが，当期末現在決済されていない。　　　（類題・第54回　税理士試験）

（計　算）

○　当期に計上すべき決済利益

$$(97円 － 96円) \times \frac{25,000,000円}{100} = 250,000円$$

(説　明)

　当期の益金の額に算入した決済利益250,000円は，翌期においては損金の額に算入する。

ヘッジ処理による損益の計上時期

1．概要と趣旨

　企業は事業活動を行っていくうえで，資産・負債の価格リスクや金利リスク，為替リスクなどにさらされている。そこで，将来生じるおそれのあるこれらのリスクによる損失を回避するため，デリバティブ取引等を使ってその損失をヘッジ（防御）することが行われる。

　ところが，デリバティブ取引等については，それが仮にヘッジ手段としてのものであっても，前述のとおり期末で時価評価を行い，損益を認識しなければならない。これに対して，ヘッジ対象である資産・負債は譲渡や消滅などがあったときに損益を認識するのが原則である。そうすると，ヘッジ手段とヘッジ対象との損益の認識時期が対応せず，損失を回避するために行ったヘッジが意味をなさないことになる。

　そこで，法人が行ったデリバティブ取引等がヘッジ対象である資産・負債の損失額を減少させるために有効であると認められる場合には，デリバティブ取引等にかかる損益を繰り延べ（繰延ヘッジ）または期末に有する資産を時価評価して評価損益を計上する（時価ヘッジ）ことができる（法法61の6，61の7）。これは税務におけるヘッジ会計の導入である。

2．繰延ヘッジ処理による損益の繰延べ

(1) 内　　容

　法人がヘッジ対象資産等損失額を減少させるためにデリバティブ取引等を行った場合において，そのデリバティブ取引等がヘッジ対象資産等損失額を減少させるために有効であると認められるときは，そのデリバティブ取引等にかかる利益額または損失額は，益金の額または損金の額に算入しなくてよい（法法61の6①）。もちろん，ヘッジ対象である資産・負債や決済する金銭は期末において有し，期末まで決済が行われていないものでなければならない。

　これを繰延ヘッジといい，ヘッジ手段であるデリバティブ取引等にかかる損益をヘッジ対象である資産・負債の損益の認識時点まで繰り延べる方法である。

(2) ヘッジ対象資産等損失額

　繰延ヘッジ処理の対象になるヘッジ対象資産等損失額とは，次に掲げる損失の額をいう（法法61の6①）。
① 資産・負債の価額の変動に伴って生ずるおそれのある損失
　　ただし，期末に時価評価される短期売買商品等および売買目的有価証券は対象にならない。また期末時換算法により円換算をする資産・負債（期末時換算資産等）の価額の外国為替相場の変動に基因する変動は，除かれる。
② 資産の取得と譲渡，負債の発生と消滅，金利の受取と支払などの決済により受取り，または支払うこととなる金銭の額の変動に伴って生ずるおそれのある損失
　　ただし，期末時換算資産等にかかる外国為替相場の変動に基因する変動は，除かれる。

(3) ヘッジ手段であるデリバティブ取引等

　ヘッジ処理の対象となるデリバティブ取引等とは，次に掲げる取引をいう（法法61の6④）。

① 前記④2.のデリバティブ取引
　② 暗号資産信用取引
　③ 有価証券の空売り，信用取引および発行日取引
　④ 期末時換算資産等を取得し，または発生させる取引

(4) 有効性の判定

　繰延ヘッジ処理を行うためには，そのデリバティブ取引等がヘッジ対象資産等損失額を減少させるために有効であると認められる必要がある。そこでヘッジのためのデリバティブ取引等を行った法人は，期末時および決済時においてそのデリバティブ取引等が有効であるか否かの判定を行わなければならない（法令121）。

　そして，デリバティブ取引等を行った時からその事業年度末までの間のいずれかの有効性判定において，ヘッジ対象である資産・負債や決済する金銭の取引時価額と期末・決済時価額との差額と，そのデリバティブ取引等にかかる利益額または損失額との割合（変動乖離幅）がおおむね80％から125％までとなっている場合には，デリバティブ取引等は有効であるものとされる（法令121の２）。

(5) 適用要件

　繰延ヘッジ処理を行うためには，そのデリバティブ取引等がヘッジ対象資産等損失額を減少させるために行ったものである旨，ヘッジ対象の資産・負債や決済する金銭，デリバティブ取引等の種類，名称，金額，期間などを帳簿書類に記載しなければならない（法法61の６①，法規27の８）。

3．時価ヘッジ処理による評価損益の計上

　法人が売買目的外有価証券の価額の変動により生ずるおそれのある損失の額を減少させるためにデリバティブ取引等を行った場合において，そのデリバティブ取引等がその損失額を減少させるために有効であると認められるときは，

第5章 利益・損失の額の計算

その売買目的外有価証券の時価と帳簿価額との差額は，益金の額または損金の額に算入する（法法61の7①）。

　これを時価ヘッジという。繰延ヘッジとは逆に，本来評価損益の計上ができないヘッジ対象である資産（売買目的外有価証券）に評価損益を計上することにより，ヘッジ手段であるデリバティブ取引等にかかる損益との認識時点を合わせる方法である。

　時価ヘッジは売買目的外有価証券だけに認められる。売買目的有価証券には時価法が適用され，時価による期末評価が行われるからである。

　なお，有効性の判定や適用要件は，繰延ヘッジ処理の考え方と同じである（法令121の7，121の8，法規27の9）。

 外貨建取引の換算等

1．概要と趣旨

　経済取引の国際化に伴い，多くの企業が外貨建ての取引を行い，また外貨建ての資産や負債を有している。一方，わが国法人税は，いうまでもなく円により課税所得と税額を計算し，申告および納付をしなければならない。

　そこで外貨建取引などは外国通貨を円に換算する必要が生じる。その円換算には外貨建取引の円換算と期末に有する外貨建資産・負債の円換算という，二つの局面がある。法人税では，その二つの局面にわけて適用すべき外国為替の売買相場，換算方法などを定めている（法法61の8〜61の10）。

2．外貨建取引の換算

(1) 原　　則

　法人が行った外貨建取引の金額の円換算額は，その外貨建取引を行った時における外国為替の売買相場により換算した金額とする。ここに外貨建取引とは，外国通貨で支払が行われる資産の販売および購入，役務の提供，金銭の貸付けおよび借入れ，剰余金の配当その他の取引をいう（法法61の8①）。したがって，たとえば債権債務の金額が外国通貨で表示されている取引であっても，その支払が円で行われるものは外貨建取引に該当しない（基通13の2－1－1）。

　また外国為替の売買相場は，その取引日における電信売相場と電信買相場の仲値による。ただし，継続適用を条件として，売上その他の収益または資産については取引日の電信買相場，仕入その他の費用（原価・損失）または負債については，取引日の電信売相場によってよい（基通13の2－1－2）。

(2) 為替予約等がある場合の特例

　外国為替相場は日々変動するため，法人が外貨建取引によって取得し，または発生する資産または負債は損失を被るリスクにさらされている。そのため，あらかじめ為替予約などを行って将来取得し，または発生する資産または負債の金額の円換算額を確定させておくことが行われる。

　外貨建取引による資産または負債の金額の円換算額があらじめ確定されていれば，取引日の為替相場で円換算するよりも，その確定された金額で円換算するのが合理的で確実である。そこで，法人が先物外国為替契約等により外貨建取引によって取得し，または発生する資産または負債の金額の円換算額を確定させた場合において，その先物外国為替契約等の締結の日にその旨を帳簿書類に記載したときは，その資産または負債については，その確定させた円換算額をもって換算額とする（法法61の8②，法規27の11②）。

　ここに先物外国為替契約等とは，外貨建取引による資産または負債の金額の円換算額を確定させる契約である，為替予約および通貨スワップをいう（法規

27の11①)。

3．外貨建資産等の期末換算

(1) 期末換算の方法

① 資産等ごとの換算方法

　上述したのは，外貨建取引を行った時のその外貨建取引の円換算の問題である。ところがもうひとつ，その外貨建取引によって取得し，または発生した外貨建資産・負債を期末時に有する場合，その外貨建資産・負債の期末の円換算をどうするかという問題が生じる。

　そこで，法人が期末時に有する外貨建資産・負債は，一定の換算方法にもとづいて円換算を行う。その換算方法は資産・負債の種類ごとに次表のとおりである（法法61の9①）。

資産・負債の種類			換　算　方　法
外貨建債権債務	短期外貨建債権・債務		発生時換算法または期末時換算法
	長期外貨建債権・債務		発生時換算法または期末時換算法
外貨建有価証券	売買目的有価証券		期末時換算法
	売買目的外有価証券	償還有価証券	発生時換算法または期末時換算法
		上記以外のもの	発生時換算法
外貨預金	短期外貨建預金		発生時換算法または期末時換算法
	長期外貨建預金		発生時換算法または期末時換算法
外国通貨			期末時換算法

　ここで外貨建債権・債務とは，外国通貨で支払が行われるべきこととされている金銭債権・債務をいう。このうち短期外貨建債権・債務と長期外貨建債権・債務は，支払期限が期末時から1年以内に到来するかどうかにより区分する（法法61の9①一，法令122の4）。

　また，外貨建有価証券とは，償還や払戻し，残余財産の分配が外国通貨により行われる有価証券をいう（法法61の9①二，法規27の12）。

② 換算方法の意義等

発生時換算法とは，外貨建資産・負債の取得または発生の基因となった外貨建取引の円換算に用いた外国為替相場により換算する方法をいう（法法61の9①一イ）。つまり外貨建資産・負債が生じたときの為替相場により円換算する方法である。

これに対し期末時換算法とは，期末時における外国為替相場により換算する方法をいう（法法61の9①一ロ）。

発生時換算法または期末時換算法の選択適用が認められている資産・負債については，法人がその選定をして所轄税務署長に届け出ればよい（法令122の4～122の6）。法人がその選定をしなかった場合には，短期外貨建債権・債務および短期外貨建預金は期末時換算法，長期外貨建債権・債務，償還有価証券および長期外貨建預金は発生時換算法により換算する（法法61の9①，法令122の7）。これを法定換算方法という。

(2) 期末換算差損益の益金または損金算入

発生時換算法は，外貨建資産・負債を期末時においても発生時の為替相場により円換算する方法であるから，期末時の換算額とその帳簿価額との間に差額，すなわち換算差損益が生じることはない。

これに対して，期末時換算法を適用した場合には，為替相場の変動に伴い期末時に換算差損益が生じる。この換算差益または換算差損は，課税所得の計算上，益金の額または損金の額に算入する（法法61の9②）。そしてその換算差益または換算差損は，翌期において損金または益金に算入し，いわゆる洗替処理を行う（法令122の8）。

このように，期末時における換算差損益はいわば未実現の損益ではあるが，課税の対象に含まれるのである。

(3) 為替相場が著しく変動した場合の期末時換算

法人が期末時に有する外貨建資産・負債は，上述したところにより円換算を

第5章　利益・損失の額の計算

行う。しかし，外貨建資産・負債にかかる外国為替の売買相場が著しく変動した場合には，その外貨建資産・負債を期末時に取得し，または発生したものとみなして期末時の為替相場により円換算することができる（法令122の3）。

　これは事実上，発生時の為替相場を適用すべき外貨建資産・負債につき，期末時の為替相場の適用を認めるものといえる。為替相場が著しく変動し，元に戻る可能性がないといったような場合に，発生時の為替相場のまま記帳しておくのは実情に合わないからである。

　ここで「外国為替の売買相場が著しく変動した場合」とは，外貨建資産・負債の記帳金額と期末時の為替相場による円換算額との間におおむね15％以上の開差が生じた場合をいうと解されている（基通13の2－2－10）。

4．為替予約差額の配分

　前述したように，法人が期末時に有する外貨建資産・負債につき先物外国為替契約等により円換算額を確定させたときは，その確定させた円換算額により換算を行う（法法61の8②）。この場合には，先物外国為替契約等により確定させた円換算額と外貨建取引を行った時における外国為替の売買相場により換算した金額との間に差額，すなわち為替予約差額が生じる。

　この為替予約差額は，先物外国為替契約等の締結日から外貨建資産・負債の決済日までの期間に配分し，その為替予約差額の配分額は，各事業年度の課税所得の計算上，益金の額または損金の額に算入する（法法61の10）。為替予約差額は基本的に二国間の金利差に基因するものであり，利息の性質を有していると考えられる。

　為替予約差額の各事業年度への配分額は，為替予約差額に先物外国為替契約等の締結日から外貨建資産・負債の決済日までの期間の日数に占めるその事業年度の日数を乗じて計算する。この場合，「日数」とあるのは「月数（1月未満切上げ）」としてもよい（法令122の9）。

　なお，短期外貨建資産・負債の為替予約差額については，税務署長に届け出

ることにより期間配分をせずに，一括計上することができる（法法61の10③⑤，法令122の10，122の11）。

（計算例）

当社の当期（令和6.4.1～令和7.3.31）末における外貨建貸付金の状況は，次のとおりである。

区　分	金　　額	貸　付　日	帳簿価額	返済期限
A貸付金	500,000ドル	令6.6.1	52,500,000円	令8.5.31
B貸付金	300,000	令7.2.1	31,800,000	令9.1.31

（注）1　A貸付金の貸付日の為替相場は1ドル102円であり，その後令和6年10月1日に1ドル105円で為替予約を行い，その予約相場で換算を行っている。
　　　　なお，為替予約日の為替相場は103円であった。
　　　2　B貸付金の貸付日の為替相場は1ドル104円であり，その前令和7年1月16日に1ドル106円で為替予約を行い，その予約相場で換算を行っている。

（計　算）

1　A貸付金

(1)　当期の収益計上額

① 直直差額　$(103円-102円) \times 500,000ドル = 500,000円$

② 直先差額　$(105円-103円) \times 500,000ドル \times \dfrac{6}{20} = 300,000円$

(2)　前受収益の額

$(105円-102円) \times 500,000ドル - (500,000円+300,000円)$
$= 700,000円$

2　B貸付金

(1)　当期の収益計上額

$(106円-104円) \times 300,000ドル \times \dfrac{2}{24} = 50,000円$

(2)　前受収益の額

$(106円-104円) \times 300,000ドル - 50,000円 = 550,000円$

第5章 利益・損失の額の計算

（説　明）
1　A貸付金については，貸付日以後に為替予約を行っているので，貸付日の為替相場102円と為替予約日の為替相場103円との差額（いわゆる直直差額）500,000円は当期の収益に計上する。そして，為替予約相場105円と為替予約日の為替相場103円との差額（いわゆる直先差額）1,000,000円は，為替予約日から貸付金の決済日までの期間あん分により収益計上を行う（法令122の9①一）。
2　B貸付金については，貸付日以前に為替予約を行っているので，為替予約相場106円と貸付日の為替相場104円との差額（いわゆる直先差額）600,000円を貸付金の貸付日から決済日までの期間あん分により収益計上を行う（法令122の9①二）。
3　A貸付金については1,500,000円（(105円－102円)×500,000ドル），B貸付金については600,000円（(106円－104円)×300,000ドル）の換算差益を計上しているので，当期に益金として計上すべき金額を超える部分の金額は前受収益とする。

7 完全支配関係法人間の譲渡取引の損益

1．概要と趣旨

　法人がその有する譲渡損益調整資産を完全支配関係がある法人に譲渡した場合には，その譲渡損益調整資産の譲渡利益額または譲渡損失額に相当する金額は，その譲渡した事業年度の損金の額または益金の額に算入する（法法61の11①）。
　そして，譲渡損益調整資産の譲渡を受けた法人（譲受法人）においてその譲渡損益調整資産につき譲渡，償却，評価換え等を行ったときに，譲渡時に計上されなかった譲渡利益額または譲渡損失額に相当する金額は，益金の額または損

金の額に算入する（法法61の11②）。

　これが平成22年の税制改正により導入された，いわゆるグループ法人税制の基本となる取扱いであり，資産のグループ内取引により生ずる譲渡損益は，その資産がグループ外に移転するなどの時まで，課税を繰り延べるということである。

　最近，企業は資本の一体性を活かした経営の集中化を図るため，関連会社を100％子会社にしてグループ経営を強化する傾向が強まっている。そこで資本の一体性に着目し，資産の移動を円滑に行うため，完全支配関係があるグループ法人間の資産の譲渡取引については，その譲渡時には譲渡損益の実現はないとする趣旨である。

2．適用対象法人

　この税制の適用対象法人は，まず譲渡損益調整資産の譲渡法人および譲受法人とも普通法人または協同組合等に限られる（法法61の11①）。公益法人等および人格のない社団等については，そもそもこの税制の適用はない。

　次に，この税制の適用対象法人は，普通法人または協同組合等のうち完全支配関係がある法人である。その完全支配関係とは，①一の者が法人の発行済株式等の全部を直接または間接に保有する関係（当事者間の完全支配の関係）または②一の者との間に当事者間の完全支配の関係がある法人相互の関係（兄弟会社の関係）をいう（法法２十二の七の六，法令４の２②）。

3．適用対象取引

　この税制の適用対象取引は，譲渡損益調整資産の完全支配関係がある法人間における譲渡である。ここで譲渡損益調整資産とは，固定資産，土地等，有価証券（売買目的有価証券を除く），金銭債権および繰延資産で帳簿価額が1,000万円以上のものをいう（法法61の11①，法令122の12①，法規27の13の２）。

第5章　利益・損失の額の計算

したがって，これら資産のうち帳簿価額が1,000万円未満のものおよび土地等以外の棚卸資産は譲渡損益調整資産に該当せず，その譲渡損益については，この税制の適用はない。その譲渡時において譲渡損益を計上にしなければならない。

4．譲受法人が資産の譲渡等をした場合の戻入れ

　譲渡損益調整資産の譲渡法人は，譲受法人においてその譲渡損益調整資産の譲渡，償却，評価換え，貸倒れ，除却その他これらに類する事由が生じた場合には，譲渡時に計上しなかった譲渡利益額または譲渡損失額に相当する金額を，譲受法人のその事由が生じた事業年度終了の日の属する事業年度の益金の額または損金の額に算入する（法法61の11②，法令122の12④）。

　具体的に益金の額または損金の額に算入する金額は，たとえば譲渡損益調整資産に譲渡や貸倒れ，除却が生じた場合には，譲渡利益額または譲渡損失額に相当する金額，償却費の損金算入をした場合には，譲渡利益額または譲渡損失額に譲渡損益調整資産の取得価額に占める償却費の割合を乗じて計算した金額である（法令122の12④⑥）。

5．完全支配関係がなくなった場合の戻入れ

　譲渡損益調整資産の譲渡法人と譲受法人との間に完全支配関係がなくなった場合には，課税が繰延べられた譲渡利益額または譲渡損失額のうち，上記4により益金の額または損金の額に算入された後の金額は，完全支配関係がなくなった日の前日の属する事業年度の益金の額または損金の額に算入する（法法61の11③）。

(計算例)

当社は,前期(令和5.4.1～令和6.3.31)において,完全支配関係子会社に対して譲渡損益調整資産に該当する機械装置を1,500万円で譲渡し,その譲渡益500万円の課税繰延べを行っている。

その完全支配関係子会社が,当期(令和6.4.1～令和7.3.31)において,その機械装置について償却費240万円を損金算入した。

なお,その機械装置の法定耐用年数は,10年である。

(計 算)

1 原則法による益金算入額

$$譲渡益(500万円) \times \frac{償却費の損金算入額(240万円)}{譲渡損益調整資産の取得価額(1,500万円)}$$

=80万円

2 簡便法による益金算入額

$$譲渡益(500万円) \times \frac{当該事業年度の月数(12)}{譲渡損益調整資産の耐用年数 \times 12(120)}$$

=50万円

(説 明)

1 譲渡損益調整資産の譲受法人が減価償却を行った場合の,譲渡法人が課税を繰り延べている譲渡損益額の益金の額または損金の額に算入する金額の計算方法には,原則法と簡便法とがある(法令122の12④三,⑥一)。
2 ただし,簡便法は,譲渡損益調整資産の譲渡日を含む事業年度の確定申告書に明細の記載を要し(法令122の12⑧),譲渡損益調整資産の譲受法人が償却費の損金算入をしない場合にも適用される。
3 原則法または簡便法による益金算入額は,申告書別表四において所得金額に加算する。

第6章

特殊な損益の計算

1 この章では，法人税の課税所得計算における，組織再編税制やリース取引，借地権取引など，特殊な損益の取扱いや計算方法を述べる。
2 組織再編成における資産・負債の移転は，適格組織再編成の場合には帳簿価額で，非適格組織再編成の場合には時価で，それぞれ譲渡があったものとして課税所得を計算する。
3 リース取引は，その実質に応じてリース資産の売買取引または金融取引とされる場合がある。

1 総　　説

　法人が受け取る収益や支払う費用の範囲，認識基準などは，従来であれば製品を作ったり，商品を売ったりという，本来の営業活動のなかで自然に生じるものを視野に入れておけばよかった。

　ところが，最近では経済取引が高度化，広域化し，法人の行う取引も複雑かつ特殊なものが多い。それに伴い法人が稼得し，または認識すべき収益や費用の範囲も多様化している。法令の定め一つにより，収益や費用を認識したり，認識しなくてよかったりする，政策的な取引も少なくない。

　たとえば，企業組織再編税制などはその例であろう。所定の要件を満たす適格組織再編成であれば，その組織再編成により関係会社などへ資産や負債を移転しても，収益や費用を認識しなくてよい。

　このような特殊な取引はひんぱんに生じるものではないが，それをめぐる税務の取扱いは複雑かつ難解であるから，留意を要する。むしろ，今後はこれらの取引の重要性が増してこよう。

2 企業組織再編税制

1．概要と趣旨

　企業の組織再編成とは，企業が行う合併，分割，現物出資，現物分配，株式交換または株式移転をいう。法人が組織再編成により資産または負債を他の法人に移転したときは，時価による資産および負債の譲渡があったものとして，課税所得の計算を行う（法法22②，62）。

　ただし，所定の要件を満たす適格組織再編成（株式交換および株式移転を除く）により他の法人に資産または負債を移転したときは，帳簿価額による引継ぎま

たは譲渡を行ったものとして課税所得の計算をする（法法62の2～62の5）。これは適格組織再編成による資産または負債の移転の際には，譲渡損益は生じないとする特例である。また，株式交換または株式移転により株式の譲渡をした法人は，その株式交換および株式移転の際には，譲渡損益を認識しなくてよい（法法61の2⑨⑪）。

近年の国際競争の激化などの経営環境の変化に対応するため，企業は組織再編成による体質の強化を図り，競争力の確保を迫られている。会社法上，組織再編成のための合併や分割，株式交換，株式移転などの手続きの整備が行われているので，税務上も実態に即した課税を行い，組織再編成の円滑化を支援するため，企業組織再編税制が設けられている。

2．用語の定義

まずこれから以下の説明と理解の便宜のため，企業組織再編成をめぐる基本的な用語の意義を明らかにしておこう。それは次のとおりである。

① 被合併法人

合併によりその有する資産および負債の移転を行った法人をいう（法法2十一）。

② 合併法人

合併により被合併法人から資産および負債の移転を受けた法人をいう（法法2十二）。

③ 分割法人

分割によりその有する資産または負債の移転を行った法人をいう（法法2十二の二）。

④ 分割承継法人

分割により分割法人から資産または負債の移転を受けた法人をいう（法法2十二の三）。

⑤　現物出資法人

現物出資によりその有する資産の移転を行い，またはこれと併せてその有する負債の移転を行った法人をいう（法法２十二の四）。

⑥　被現物出資法人

現物出資により現物出資法人から資産の移転を受け，またはこれと併せて負債の移転を受けた法人をいう（法法２十二の五）。

⑦　現物分配法人

現物分配によりその有する資産の移転を行った法人をいう（法法２十二の五の二）。

ここで現物分配は，法人がその株主等に対し，次に掲げる事由により金銭以外の資産の交付をすることである。

　イ　剰余金の配当，利益の配当，剰余金の分配
　ロ　解散による残余財産の分配
　ハ　自己株式の取得，出資の消却，出資の払戻し，社員の退社等による持分の払戻し，組織変更

⑧　被現物分配法人

現物分配により現物分配法人から資産の移転を受けた法人をいう（法法２十二の五の三）。

⑨　株式交換完全子法人

株式交換によりその株主の有する株式を他の法人に取得させたその株式を発行した法人をいう（法法２十二の六）。

ここに株式交換は，既存の会社（完全親会社となる会社）が別の会社（完全子会社となる会社）の株主から株式の全部を取得し，それと交換に自社の株式または親法人の株式をその株主に交付する方法である。

⑩　株式交換完全親法人

株式交換により他の法人の株式を取得したことによってその法人の発行済株式の全部を有することとなった法人をいう（法法２十二の六の三）。

第6章　特殊な損益の計算

⑪　**株式移転完全子法人**

株式移転によりその株主の有する株式をその株式移転により設立された法人に取得させたその株式を発行した法人をいう（法法2十二の六の五）。

ここに株式移転は，既存の会社が新たに完全親会社となる会社を設立し，既存の会社（完全子会社となる会社）の株主の持株と完全親会社となる新会社の発行株式との交換を行う方法である。

⑫　**株式移転完全親法人**

株式移転により他の法人の発行済株式の全部を取得したその株式移転により設立された法人をいう（法法2十二の六の六）。

⑬　**支 配 関 係**

①一の者が法人の発行済株式等の50％超100％未満の株式等を直接または間接に保有する関係（当事者間の支配の関係）または②一の者との間に当事者の支配の関係がある法人相互の関係をいう（法法2十二の七の五，法令4の2①）。

⑭　**完全支配関係**

①一の者が法人の発行済株式等の全部を直接または間接に保有する関係（当事者間の完全支配の関係）または②一の者との間に当事者間の完全支配の関係がある法人相互の関係をいう（法法2十二の七の六，法令4の2②）。

⑮　**分割型分割**

次に掲げる分割をいう（法法2十二の九）。

イ　分割により分割法人が交付を受ける分割対価資産（分割により分割承継法人によって交付される分割承継法人の株式その他の資産）のすべてが分割の日において分割法人の株主等に交付される場合または分割対価資産のすべてが分割法人の株主等に直接に交付される場合のこれらの分割

ロ　分割対価資産がない分割（無対価分割）で，その分割の直前において，分割承継法人が分割法人の発行済株式等の全部を保有している場合または分割法人が分割承継法人の株式を保有していない場合の無対価分割

⑯　**分社型分割**

次に掲げる分割をいう（法法2十二の十）。

イ　分割により分割法人が交付を受ける分割対価資産が分割の日において分割法人の株主等に交付されない場合の分割（無対価分割を除く）

ロ　無対価分割で、その分割の直前において、分割法人が分割承継法人の株式を保有している場合（分割承継法人が分割法人の発行済株式等の全部を保有している場合を除く）の無対価分割

3．基本的な考え方

　法人が組織再編成により他の法人に資産または負債を移転したときは、資産および負債の譲渡であり、時価により譲渡が行われたものとして課税所得を計算する。これが組織再編成による資産または負債の移転に対する基本的な考え方である。

　そこで、法人が合併または分割により合併法人または分割承継法人にその有する資産または負債を移転したときは、その合併または分割の時の価額（時価）による譲渡をしたものとして、課税所得の計算を行う（法法62①）。そして、合併の場合には、移転した資産および負債の譲渡利益額または譲渡損失額は、被合併法人の合併の日の前日の属する事業年度（最後事業年度）の益金の額または損金の額に算入する（法法62②）。

　合併および分割は組織法上の行為で、社員とともに資産および負債は当然に合併法人または分割承継法人に包括的に承継される。そのため合併または分割に伴う資産または負債の移転は、譲渡といえるのか疑義もあるから、特に時価による譲渡として規定されている。

　これに対し、現物出資または現物分配による資産または負債の移転については、時価による譲渡があったものとする明確な規定はない。これは現物出資または現物分配による資産または負債の移転は譲渡そのものであり（法法22②，22の2⑥）、特別の規定は要しないからである。ただし、残余財産の全部の分配・引渡しをする場合には、残余財産の確定の時の時価により資産の譲渡があったものとし（法法62の5①）、その譲渡利益額または譲渡損失額は、残余財

産の確定した事業年度の益金の額または損金の額に算入する（法法62の5②）。

また株式交換および株式移転は，株式と株式との交換であるから，基本的にはその交換時において譲渡損益を認識する（法法61の2①）。

4．適格合併と適格分割型分割による特例

(1) 適格合併の意義

特例が適用される適格合併とは，次のいずれかに該当する合併で被合併法人の株主等に合併法人の株式等または合併法人の親法人（100％持株法人）の株式等のいずれか一方の株式等以外の資産が交付されないものをいう（法法2十二の八，法令4の3①～④㉖，法規3，3の2）。

合併にあたり被合併法人の株主等に合併法人の直接または間接親法人の株式等を交付してもよい。これは，いわゆる三角合併も適格合併に該当するということである。ただし，その合併法人の親法人が軽課税国に所在する場合には，合併法人等に事業活動の実体がないときは，その三角合併は適格合併に該当しない。これは分割および株式交換の場合も同様である（措法68の2の3）。

① 企業グループ内の合併

イ 完全支配関係がある法人間の合併

(イ) 被合併法人と合併法人との間に完全支配関係があること。

または

(ロ) 合併前に被合併法人と合併法人との間に同一の者による完全支配関係があり，かつ，合併後にその同一の者による完全支配関係が継続することが見込まれていること。

ロ 支配関係がある法人間の合併

(持株要件)

(イ) 被合併法人と合併法人との間に支配関係があること。

または

(ロ) 合併前に被合併法人と合併法人との間に同一の者による支配関係があ

り，かつ，その合併後にその同一の者による支配関係が継続することが見込まれていること。

(実体要件)
(イ) 被合併法人の合併直前の従業者のおおむね80％以上が合併法人の業務（合併法人と完全支配関係がある法人の業務を含む）に従事することが見込まれていること。

(ロ) 被合併法人の合併前に行う主要な事業が合併法人（合併法人と完全支配関係がある法人を含む）において引き続き行われることが見込まれていること。

(注) (イ)の従業者引継要件及び(ロ)の事業継続要件の 各かっこ書きは，合併法人自身ではなく，他の完全支配関係法人でもよいということであり，これは適格分割，適格現物出資，適格株式交換および適格株式交換の従業者引継要件および事業継続要件において同じである。

② 共同事業を行うための合併

イ 被合併法人の被合併事業と合併法人の合併事業とが相互に関連するものであること。

ロ (イ)被合併法人の被合併事業と合併法人の合併事業のそれぞれの売上金額，従業者の数，被合併法人と合併法人の資本の金額もしくはこれらに準ずるものの規模の割合がおおむね5倍を超えないこと，または(ロ)合併前の被合併法人の特定役員（社長，副社長，代表取締役，代表執行役，専務取締役，常務取締役等）のいずれかと合併法人の特定役員のいずれかとが合併法人の特定役員となることが見込まれていること。

ハ 被合併法人の合併直前の従業者のおおむね80％以上が合併法人の業務に従事することが見込まれていること。

ニ 被合併法人の被合併事業が合併法人において引き続き行われることが見込まれていること。

ホ 合併により交付される合併法人の株式のうち支配株主（50％超の保有株主グループ）に交付されるものの全部が支配株主により継続して保有される

ことが見込まれていること。

(2) 適格分割型分割の意義

　特例が適用される分割型分割とは，分割型分割のうち適格分割に該当するものをいう（法法2十二の十二）。ここで適格分割とは，典型的には次のいずれかに該当する分割をいう。ただし，分割型分割にあっては，分割法人の株主等に分割承継法人の株式または分割承継法人の直接または間接親法人（100％持株法人）の株式のいずれか一方の株式以外の資産が交付されず，かつ，その株式が株主等に平等に交付されるものに限る（法法2十二の十一，法令4の3⑤～⑨㉖，法規3，3の2）。

① 企業グループ内の分割

イ　完全支配関係がある法人間の分割

(イ) 分割前に分割法人と分割承継法人との間に完全支配関係があり，かつ，分割後に分割法人と分割承継法人との間に完全支配関係が継続することが見込まれていること。

　　または

(ロ) 分割前に分割法人と分割承継法人との間に同一の者による完全支配関係があり，かつ，分割後に分割法人と分割承継法人との間にその同一の者による完全支配関係が継続することが見込まれていること。

ロ　支配関係がある法人間の分割

（持株要件）

(イ) 分割前に分割法人と分割承継法人との間に支配関係があり，かつ，分割後に分割法人と分割承継法人との間に支配関係が継続することが見込まれていること。

　　または

(ロ) 分割前に分割法人と分割承継法人との間に同一の者による支配関係があり，かつ，分割後に分割法人と分割承継法人との間にその同一の者による支配関係が継続することが見込まれていること。

(実体要件)
- (イ) 分割法人の分割事業にかかる主要な資産および負債が分割承継法人に移転していること。
- (ロ) 分割直前の分割事業にかかる従業者のおおむね80％以上が分割承継法人の業務に従事することが見込まれていること。
- (ハ) 分割法人の分割事業が分割承継法人において引き続き行われることが見込まれていること。

② **共同事業を行うための分割**
- イ 分割法人の分割事業と分割承継法人の分割承継事業とが相互に関連するものであること。
- ロ (イ)分割法人の分割事業と分割承継法人の分割承継事業のそれぞれの売上金額, 従業者の数もしくはこれらに準ずるものの規模の割合がおおむね5倍を超えないこと, または(ロ)分割前の分割法人の役員等のいずれかと分割承継法人の特定役員のいずれかとが分割承継法人の特定役員となることが見込まれていること。
- ハ 分割法人の分割事業にかかる主要な資産および負債が分割承継法人に移転していること。
- ニ 分割法人の分割直前の分割事業にかかる従業者のおおむね80％以上が分割承継法人の業務に従事することが見込まれていること。
- ホ 分割法人の分割事業が分割承継法人において引き続き行われることが見込まれていること。
- ヘ 分割型分割により交付される分割承継法人の株式のうち支配株主に交付されるものの全部が支配株主により継続して保有されることが見込まれていること。

③ **分割事業を独立して行うため（スピンオフ）の分割**
- イ 分割型分割に該当する分割で単独新設分割（法人を設立する分割で一の法人のみが分割法人となるもの）であること。
- ロ 分割直前に分割法人と他の者との間に支配関係がなく, かつ, 分割後に

分割承継法人と他の者との間に支配関係があることとなることが見込まれていないこと。
ハ　分割法人の役員等（重要な使用人を含む）のいずれかが分割承継法人の特定役員になることが見込まれていること。
ニ　分割法人の分割事業にかかる主要な資産および負債が分割承継法人に移転していること。
ホ　分割直前の分割事業にかかる従業者のおおむね80％以上が分割承継法人の業務に従事することが見込まれていること。
ヘ　分割法人の分割事業が分割承継法人において引き続き行われることが見込まれていること。

(3) 資産等の帳簿価額による引継ぎ

　法人が適格合併または適格分割型分割により合併法人または分割承継法人にその有する資産または負債の移転をしたときは，その帳簿価額による引継ぎをしたものとして，課税所得を計算する（法法62の2）。その結果，資産および負債の譲渡対価の額と譲渡原価の額とは同一になるから，譲渡損益は生じない。

　資産および負債の引継ぎを受けた合併法人または分割承継法人における，その取得価額は，その帳簿価額相当額とする（法令123の3③）。したがって，その後その資産および負債を譲渡などすれば，その時に譲渡損益が生じ課税対象になる。

　合併と分割型分割とは，移転する資産および負債が全部か一部かの違いはあれ，現象的には同じものであるから，税務上も同一の取扱いがされる。

5．適格分社型分割による特例

(1) 適格分社型分割の意義

　特例が適用される適格分社型分割とは，分社型分割のうち適格分割に該当するものをいう（法法2十二の十三）。適格分割は，上記適格分割型分割において

述べたのと同じである。ただし，分社型分割にあっては，分割法人に分割承継法人の株式または分割承継法人の直接または間接親法人（100％持株法人）の株式のいずれか一方の株式以外の資産が交付されないものに限る（法法2十二の十一）。

(2) 資産等の帳簿価額による譲渡

　法人が適格分社型分割により分割承継法人にその有する資産または負債の移転をしたときは，その帳簿価額による譲渡をしたものとして，課税所得の計算を行う（法法62の3）。その結果，資産および負債の譲渡対価の額と譲渡原価の額とは同一になるから，譲渡損益は生じない。

　資産および負債の引継ぎを受けた分割承継法人における，その取得価額は，その帳簿価額相当額（取得費用を加算した金額）とする（法令123の4）。したがって，その後その資産および負債を譲渡などすれば，その時に譲渡損益が生じ課税対象になる。

　なお，適格分割型分割にあっては「帳簿価額による引継ぎ」（法法62の2）と適格分社型分割にあっては「帳簿価額による譲渡」（法法62の3）とされているのは，両者の法的性格の違いによるものである。

6．適格現物出資による特例

(1) 適格現物出資の意義

　特例が適用される適格現物出資とは，典型的には次のいずれかに該当する現物出資をいう（法法2十二の十四，法令4の3⑩～⑮㉖，法規3，3の2）。ただし，外国法人に国内にある不動産，借地権等，鉱業権，採石権その他国内にある事業所に属する資産または負債の移転を行うもの（法令4の3⑩），外国法人に国外資産等の移転を行うものでその全部または一部が恒久的施設に属しないもの（法令4の3⑪），外国法人の本店等に無形資産等の移転をするものおよび新株予約権付社債についての社債の給付は除かれ，現物出資法人に被現物出資法人

の株式のみが交付されるものに限る。

① 企業グループ内の現物出資
イ　完全支配関係がある法人間の現物出資
　　㈠　現物出資前に現物出資法人と被現物出資法人との間に完全支配関係があり，かつ，現物出資後に現物出資法人と被現物出資法人との間に完全支配関係が継続することが見込まれていること。
　　または
　　㈡　現物出資前に現物出資法人と被現物出資法人との間に同一の者による完全支配関係があり，かつ，現物出資後に現物出資法人と被現物出資法人との間にその同一の者による完全支配関係が継続することが見込まれていること。

ロ　支配関係がある法人間の現物出資
（持株要件）
　　㈠　現物出資前に現物出資法人と被現物出資法人との間に支配関係があり，かつ，現物出資後に現物出資法人と被現物出資法人との間に支配関係が継続することが見込まれていること。
　　または
　　㈡　現物出資前に現物出資法人と被現物出資法人との間に同一の者による支配関係があり，かつ，現物出資後に現物出資法人と被現物出資法人との間にその同一の者による支配関係が継続することが見込まれていること。

（実体要件）
　　㈠　現物出資により現物出資事業にかかる主要な資産および負債が被現物出資法人に移転していること。
　　㈡　現物出資の直前の現物出資事業にかかる従業者のおおむね80％以上が被現物出資法人の業務に従事することが見込まれていること。
　　㈢　現物出資にかかる現物出資事業が被現物出資法人において引き続き行われることが見込まれていること。

② 共同事業を行うための現物出資
　イ　現物出資法人の現物出資事業と被現物出資法人の被現物出資事業とが相互に関連するものであること。
　ロ　(イ)現物出資法人の現物出資事業と被現物出資法人の被現物出資事業のそれぞれの売上金額，従業者の数もしくはこれらに準ずるものの規模の割合がおおむね5倍を超えないこと，または(ロ)現物出資前の現物出資法人の役員等のいずれかと被現物出資法人の特定役員のいずれかとが被現物出資法人の特定役員となることが見込まれていること。
　ハ　現物出資法人の現物出資事業にかかる主要な資産および負債が被現物出資法人に移転していること。
　ニ　現物出資法人の現物出資直前の現物出資事業にかかる従業者のおおむね80％以上が被現物出資法人の業務に従事することが見込まれていること。
　ホ　現物出資法人の現物出資事業が被現物出資法人において引き続き行われることが見込まれていること。
　ヘ　現物出資により交付される被現物出資法人の株式の全部が現物出資法人により継続して保有されることが見込まれていること。

(2) 資産等の帳簿価額による譲渡

　法人が適格現物出資により被現物出資法人にその有する資産の移転をし，またはこれと併せて負債の移転をしたときは，その帳簿価額による譲渡をしたものとして，課税所得を計算する（法法62の4）。その結果，資産および負債の譲渡対価の額と譲渡原価の額とは同一になるので，譲渡損益は生じない。
　資産および負債の引継ぎを受けた被現物出資法人における，その取得価額は，その帳簿価額相当額（取得費用を加算した金額）とする（法令123の5）。したがって，その後その資産および負債を譲渡などすれば，その時に譲渡損益が生じ課税対象になる。

7．適格現物分配等による特例

(1) 適格現物分配等の意義

　特例が適用される適格現物分配とは，現物分配のうちその現物分配により資産の移転を受ける者が，その現物分配の直前において現物分配法人との間に完全支配関係がある普通法人または協同組合等のみであるものをいう（法法２十二の十五）。

　現物分配（剰余金または利益の配当に限る）のうち，現物分配法人により発行済株式等の全部を保有されていた法人（完全子法人）の発行済株式等の全部が移転するものを株式分配という（法法２十二の十五の二）。

　そして，完全子法人の株式のみが移転する株式分配のうち，完全子法人と現物分配法人とが独立して事業を行うためのもので，次の要件を満たすものが適格株式分配に該当する（法法２十二の十五の三，法令４の３⑯）。

- イ　完全子法人の株式が現物分配法人の株主の持株割合に応じて交付されること。
- ロ　株式分配直前に現物分配法人と他の者との間に支配関係がなく，かつ，株式分配後に完全子法人と他の者との間に支配関係があることとなることが見込まれていないこと。
- ハ　株式分配前の完全子法人の特定役員のすべてが株式分配に伴って退任をするものでないこと。
- ニ　完全子法人の株式分配直前の従業者の80％以上が完全子法人の業務に引き続き従事することが見込まれていること。
- ホ　完全子法人の株式分配前に行う主要な事業が完全子法人において引き続き行われることが見込まれていること。

(2) 資産の帳簿価額による譲渡

　法人が適格現物分配または適格株式分配により被現物分配法人その他の株主等にその有する資産の移転をしたときは，その帳簿価額による譲渡をしたもの

として，課税所得の計算を行う（法法62の5③）。その結果，資産の譲渡対価の額と譲渡原価の額は同一になるので，譲渡損益は生じない。

一方，被現物分配法人においては，適格現物分配による資産の移転は無償による資産の譲受けに該当するから，収益が生じることになる。しかし，その収益の額は，益金の額に算入しなくてよい（法法62の5④）。また，移転を受けた資産の取得価額は，現物分配法人における帳簿価額相当額とする（法令123の6）。

8．特定資産の譲渡等損失額の損金不算入の特例

法人と支配関係法人（その法人との間に支配関係がある法人）との間でその法人を合併法人等（合併法人，分割承継法人，被現物出資法人，被現物分配法人）とする特定適格組織再編成等が行われた場合には，その法人の特定組織再編成等事業年度の開始の日から3年を経過する日までの期間において生ずる特定資産譲渡等損失額は，原則として損金の額に算入されない（法法62の7①）。

ここで，特定適格組織再編成等とは，適格合併等（適格合併，適格分割，適格現物出資，適格現物分配）のうち，共同で事業を営むための適格合併等に該当しないものをいう（法法62の7①，法令123の8①）。また特定資産譲渡等損失額とは，法人が支配関係法人から特定適格組織再編成等により移転を受けた資産およびその法人が自ら有していた資産で支配関係発生日の属する事業年度開始の日前から有していたものの譲渡，評価換え，貸倒れ，除却等により生じた損失の額をいう（法法62の7②，法令123の8④）。

この取扱いは，支配関係法人が有する資産の含み損を合併法人等に持込み，合併法人等の課税所得を減少させようとする租税回避行為を防止する趣旨のものである。

9．非適格合併等による資産調整勘定等の設定の特例

法人が非適格合併等（非適格合併，非適格分割，非適格現物出資，事業の譲受け）

により被合併法人等（被合併法人，分割法人，現物出資法人，事業譲渡法人）から資産・負債の移転を受けた場合，その対価として交付した金銭等の価額（非適格合併等対価額）と移転を受けた資産・負債の時価純資産価額との差額は，次のように処理する（法法62の8①③，法令123の10）。

(1) 非適格合併等対価額が資産・負債の時価純資産価額を超える場合……その超える部分の金額は資産調整勘定の金額とする。

(2) 非適格合併等対価額が資産・負債の時価純資産価額に満たない場合……その満たない部分の金額は負債調整勘定の金額とする。

そして，資産調整勘定の金額および負債調整勘定の金額は，原則として5年間において毎期均等額ずつを減額し，損金の額または益金の額に算入する（法法62の8④⑤⑦⑧）。

これら資産調整勘定と負債調整勘定の処理は，非適格合併等の場合にはいわばのれん（資産調整勘定）と負ののれん（負債調整勘定）の計上が認められ，営業権と同様，5年間で償却するものである。

10. 株式交換と株式移転による特例

(1) 完全子法人の資産の時価評価

株式交換または株式移転により完全子法人になった法人は，その株式交換または株式移転が適格株式交換および適格株式移転に該当しない場合や完全子法人と完全親法人との間に完全支配関係がなかった場合（非適格株式交換等）には，その非適格株式交換等の直前において有する時価評価資産の評価益または評価損の額は，益金の額または損金の額に算入しなければならない（法法62の9）。

ここに時価評価資産とは，固定資産，土地等，有価証券，金銭債権および繰延資産で，その帳簿価額が1,000万円以上のものをいう。ただし，資産の含み損益が資本金等の額の2分1に満たないものなどは，時価評価を要しない（法令123の11）。

前述したように，完全子法人の株主においては，その完全子法人株式の譲渡

損益の計上が繰り延べられる（法法61の2⑨⑪）。これに対応して，その株式交換または株式移転が非適格である場合には，完全子法人において資産を時価評価すべきものとされている。

(2) 適格株式交換等の特例

上記(1)の取扱いに対して，次の①適格株式交換および②適格株式移転の場合や完全子法人と完全親法人または他の完全子法人との間に完全支配関係があった場合には，完全子法人は資産の時価評価はしなくてよい（法法62の9）。適格株式交換等は法人の実態には変化がなく，持株会社の創設を阻害しないようにとの趣旨による。

① 適格株式交換

適格株式交換は，次のいずれかに該当する株式交換で完全子法人の株主に完全親法人の株式またはその完全親法人の直接または間接親法人（100％持株法人）の株式のいずれか一方の株式以外の資産が交付されないものをいう（法法2十二の十七，法令4の3⑰〜⑳㉖，法規3，3の2）。

イ 企業グループ内の株式交換

(イ) 完全支配関係がある法人間の株式交換

A 株式交換前に完全子法人と完全親法人との間に完全親法人による完全支配関係があり，かつ，株式交換後にその完全支配関係が継続することが見込まれていること。

B 株式交換前に完全子法人と完全親法人との間に同一の者による完全支配関係があり，かつ，株式交換後にその同一の者による完全支配関係が継続することが見込まれていること。

(ロ) 支配関係がある法人間の株式交換

次のAまたはBの株式交換のうち，次のCおよびDの要件のすべてに該当するもの

A 株式交換前に完全子法人と完全親法人との間に支配関係があり，かつ，株式交換後にその支配関係が継続することが見込まれている場合

のその株式交換
- B 株式交換前に完全子法人と完全親法人との間に同一の者による支配関係があり、かつ、株式交換後にその同一の者による支配関係が継続することが見込まれている場合のその株式交換
- C 完全子法人の従業者のうち、おおむね80％以上の者がその完全子法人の業務に引き続き従事することが見込まれていること。
- D 完全子法人の株式交換前に行う主要な事業がその完全子法人において引き続き営まれることが見込まれていること。

ロ 共同事業を営むための株式交換

次の要件（完全子法人と他の者との間に支配関係がない場合には、(イ)から(ニ)までおよび(ヘ)の要件）のすべてに該当する株式交換

(イ) 完全子法人と完全親法人のそれぞれの事業とが相互に関連するものであること。

(ロ) 完全子法人と完全親法人のそれぞれの事業の売上金額、従業者の数もしくはこれらに準ずるものの規模の割合がおおむね5倍を超えないことまたは完全子法人の特定役員のすべてがその株式交換に伴って退任をするものでないこと。

(ハ) 完全子法人の従業者のうち、おおむね80％以上の者が完全子法人の業務に引き続き従事することが見込まれていること。

(ニ) 完全子法人の株式交換前に行う主要な事業が完全子法人において引き続き行われることが見込まれていること。

(ホ) 株式交換により交付される完全親法人の株式のうち支配株主に交付されるものの全部が支配株主により継続して保有されることが見込まれていること。

(ヘ) 株式交換後に完全親法人が完全子法人の株式の全部を保有する関係が継続することが見込まれていること。

② 適格株式移転

適格株式移転は、次のいずれかに該当する株式移転で完全子法人の株主に完

全親法人の株式以外の資産が交付されないものをいう（法法２十二の十八，法令４の３㉑〜㉔㉖，法規３，３の２）。

イ　企業グループ内の株式移転

(イ)　同一者による完全支配関係がある法人間の株式移転

A　株式移転前に完全子法人と他の完全子法人との間に同一の者による完全支配関係があり，かつ，株式移転後にその同一の者による完全支配関係が継続することが見込まれていること。

B　一の法人のみがその完全子法人となる株式移転で，その株式移転後に完全親法人と完全子法人との間に完全親法人による完全支配関係が継続することが見込まれていること。

(ロ)　支配関係がある法人間の株式移転

次のAまたはBの株式移転のうち，次のCおよびDの要件のすべてに該当するもの

A　株式移転前に完全子法人と他の完全子法人との間に支配関係があり，かつ，株式移転後に完全親法人による支配関係が継続することが見込まれている場合のその株式移転

B　株式移転前に完全子法人と他の完全子法人との間に同一の者による支配関係があり，かつ，株式移転後にその同一の者による支配関係が継続することが見込まれている場合のその株式移転

C　各完全子法人の従業者のうち，おおむね80％以上の者がその完全子法人業務に引き続き従事することが見込まれていること。

D　各完全子法人の株式移転前に行う主要な事業がその完全子法人において引き続き行われることが見込まれていること。

ロ　共同事業を営むための株式移転

次の要件（完全子法人と他の者との間に支配関係がない場合には，(イ)から(ニ)までおよび(ヘ)の要件）のすべてに該当する株式移転

(イ)　完全子法人と他の完全子法人のそれぞれの事業とが相互に関連するものであること。

第6章 特殊な損益の計算

(ロ) 完全子法人と他の完全子法人のそれぞれの事業の売上金額，従業者の数もしくはこれらに準ずるものの規模の割合がおおむね5倍を超えないことまたは完全子法人と他の完全子法人の特定役員のすべてがその株式移転に伴って退任をするものでないこと。

(ハ) 完全子法人と他の完全子法人の従業者のうち，おおむね80%以上の者がそれぞれの完全子法人の業務に引き続き従事することが見込まれていること。

(ニ) 完全子法人と他の完全子法人の株式移転前に行う主要な事業がそれぞれの完全子法人において引き続き行われることが見込まれていること。

(ホ) 株式移転により交付される完全親法人の株式のうち支配株主に交付されるものの全部が支配株主により継続して保有されることが見込まれていること。

(ヘ) 株式移転後に完全親法人が完全子法人と他の完全子法人の株式の全部を保有する関係が継続することが見込まれていること。

3 リース取引

1．概要と趣旨

 今日ではリース取引は，あらゆる物を対象に幅広く利用されている。そのリースには，ファイナンス・リース（finance lease）とオペレーティング・リース（operating lease）の二つがある。

 そのうちファイナンス・リースは，リース期間中に支払われるリース料の合計額が賃貸人におけるリース資産の取得価額その他付随費用の全部を支弁するように定められる。そのリース取引においてリース資産の耐用年数よりも短い期間をリース期間とすると，賃借人は実質的には資産を割賦で購入したのと異ならないにもかかわらず，資産を購入した場合に比して，その資産につき早期

の費用化が図られる。

　逆にリース資産の耐用年数よりも長い期間をリース期間とした場合，賃貸人はそのリース資産を定率法で償却すると，リース後数年間は，リース料収入よりも償却費の方が多くなり損失が生じる。この損失と通常の営業活動で生じた利益とを通算すれば，当面の課税所得が少なくなり，利益平準化を図り課税繰延べの効果が出る。これらをそのまま放置することは課税上の弊害がある。

　そこで法人税においては，一定の要件に該当するリース取引については，資産の賃貸借という法形式にかかわらず，リース資産の売買あるいは金銭の貸付けがあったものとして取り扱う（法法64の2）。租税法における実質主義の表れといえよう。

2．リース料の処理の原則

　リース取引は法的には資産の賃貸借であるから，賃貸人は収受するリース料を益金の額に算入する。一方，賃借人が支払うリース料は損金の額に算入される。そのリース料は時間の経過に伴って発生するものであるから，時間基準にもとづき益金の額または損金の額を計算する（基通2－1－21の2）。

　これがリース料の税務上の処理の原則であり，オペレーティング・リースのリース料はこの原則により処理する。オペレーティング・リースは，賃借人からリース料を収受するが，リース物件の保守，管理，コストの負担等は賃貸人が行い，いつでも契約の解除ができるものであり，通常の賃貸借そのものであるからである。

3．リース取引の意義

　法人税の課税上，特別の取扱いがされるリース取引とは，資産の賃貸借で次の要件を満たすものをいう。ただし，土地の価額が2分の1以上下落する借地権の設定など，所有権が移転しない土地の賃貸借を除く（法法64の2③，法令131

の2①)。これがまさに税務上のファイナンス・リースの定義である。
① その賃貸借契約が，賃貸借期間の中途において解除することができないものであることまたはこれに準ずるものであること（基通12の5－1－1）。
② その賃貸借契約にかかる賃借人がリース資産からもたらされる経済的な利益を実質的に享受することができ，かつ，そのリース資産の使用に伴って生ずる費用を実質的に負担すべきこととされているものであること。

ここでリース期間中に賃借人が支払うリース料の合計額が賃貸人におけるリース資産の取得価額のおおむね90％を超える場合は，②の「リース資産の使用に伴って生ずる費用を実質的に負担すべきこと」に該当する（法令131の2②）。

リース取引は，①中途解約の禁止と②フルペイアウトの二つの要件を満たすものである。

4．売買取引とされるリース取引

(1) 意　義

法人が上記3．のリース取引を行った場合には，リース資産の売買があったものとして課税所得の計算を行う。その売買の時期は，リース資産の賃貸人から賃借人への引渡しの時である（法法64の2①）。

このように，法人税においては，リース取引はその法形式にかかわらず，すべてリース資産の売買として取り扱われる。これは企業会計の考え方と同じといってよい。

(2) 賃貸人の処理

① 原　則

法人がリース取引によりリース資産の引渡し（リース譲渡）を行った場合には，リース期間中に収受すべきリース料の合計額を譲渡対価とし，リース資産の取得価額を譲渡原価として譲渡損益を計上する。

この場合の譲渡損益は，リース資産を賃借人に引き渡した時に一時に計上す

るのが原則である（法法64の2①）。

② 延払基準の適用

リース取引は私法上はあくまでも資産の賃貸借であり，また，リース期間中のリース料の回収の危険性も危惧される。そこで，リース譲渡については，延払基準による譲渡損益の計上が認められている（法法63）。

その延払基準の方法の一つが，賦払金（リース料）の支払期日の到来するつど，その賦払金割合に対応する収益および費用を計上する方法である。具体的には，次の算式により計算した金額を，それぞれ収益の額および費用の額とする（法令124①一，②）。

イ　収益の額　＝　リース譲渡の対価の額×賦払金割合

ロ　費用の額　＝　リース譲渡の原価（手数料を含む）の額×賦払金割合

ハ　賦払金割合　＝　$\dfrac{\text{当期中に支払期日が到来した賦払金の合計額} - \text{左のうち前期末までに支払を受けた金額} + \text{当期中に支払を受けた賦払金で翌期以降のもの}}{\text{リース譲渡の対価の額}}$

ただし，譲渡対価の額を利息相当額と元本相当額とに区分し，受取利息相当額は複利利息法により収益計上し，元本相当額はリース期間にわたって均等額を収益に計上してもよい。原価の額もリース期間にわたって均等額を費用に計上する（法法63②，法令124④）。この場合，利息相当額は，譲渡対価の額から譲渡原価の額を控除した金額の20％相当額である（法令124③）。

(計算例)

1　パソコンとコピー機を5年間，60回払でリースした。
2　リース譲渡の対価の額は，6,000,000円である。
3　リース譲渡の原価の額は，4,500,000円である。
4　当期中に入金された賦払金の合計額は，次の1,500,000円である。
　(1)　当期中に支払期日が到来した賦払金の額　1,200,000円
　(2)　翌期以降に支払期日が到来する賦払金の額　300,000円

(計　算)

1　賦払金割合

$$\frac{1,200,000円+300,000円}{6,000,000円}=0.25$$

2　収益の額

6,000,000円×0.25＝1,500,000円

3　費用の額

4,500,000円×0.25＝1,125,000円

4　利益の額

1,500,000円－1,125,000円＝375,000円

(説　明)

翌期以降に支払期日が到来する賦払金300,000円は，現に入金されているので，当期の収益に計上しなければならない。

(3) 賃借人の処理

　法人がリース譲渡を受けた場合には，そのリース期間中に支払うリース料の合計額を取得価額として減価償却を行うことになる(基通7－6の2－9)。この場合，所有権移転外リース取引により取得したものとされるリース資産の償却方法は，リース期間定額法による(法令48の2①六)。

　ここで所有権移転外リース取引とは，リース期間の終了時にリース資産の所有権が賃借人に無償で移転するもの，賃借人にリース資産を著しく有利な価額で買い取る権利が付与されているものなどの所有権移転リース取引以外のリース取引をいう(法令48の2⑤四，五，基通7－6の2－1～7－6の2－8)。

　一方，所有権移転リース取引により取得した資産については，通常の定額法や定率法，生産高比例法により償却することができる。

　なお，リース資産につき賃借人が賃借料として損金経理をした金額は，償却費として損金経理をした金額に含まれる(法令131の2③)。

5．金銭の貸借とされるリース取引

(1) 意　　義

　法人が資産をいったん売却したうえ，その資産を対象に譲受人とリース取引をすることを条件に資産の売買を行った場合において，その資産の種類，売買およびリース取引に至るまでの事情などに照らし，これら一連の取引が実質的に金銭の貸借であると認められるときは，その資産の売買はなかったものとする。そして資産の譲受人から譲渡人に対する金銭の貸付けがあったものとして，課税所得を計算する（法法64の2②）。

　これはいわゆるリースバック取引に対する取扱いである。リース資産の譲渡人はそのリース資産を従前どおり使用するから，その実質はリース資産を担保とした金銭の貸借とみられる。したがって，「実質的に金銭の貸借であると認められる」かどうかは，取引当事者の意図，リース資産の内容などから，そのリース資産を担保とする金融取引を目的とするものであるかどうかにより判定する（基通12の5－2－1）。

(2) 譲渡人の処理

　法人の行ったリース取引が金銭の貸借があったものとされる場合，リース資産の譲渡人は，リース資産の売買により受け入れた金額は借入金とし，リース期間中に支払うべきリース料の合計額のうち借入金相当額は元本の返済額として処理する。この場合，支払うべきリース料の元本返済額とそれ以外の金額との区分は，通常の金融取引における元本と利息の区分計算の方法に準じて合理的に行う。ただし，支払うべきリース料のうちに元本返済額が均等に含まれているものとして処理してもよい（基通12の5－2－2）。

　そして譲渡人は，リース資産の売買はなかったとされるから，自己がリース資産を保有するものとして減価償却を行う。

(3) 譲受人の処理

　リース資産の譲受人は，リース資産の売買により支払った金額は貸付金とし，リース期間中に収受すべきリース料の合計額のうち貸付金相当額は貸付金の返済を受けた金額として処理する。この場合，収受すべきリース料の貸付金の返済を受けたとされる金額とそれ以外の金額との区分は，通常の金融取引における元本と利息の区分計算の方法に準じて合理的に行う。ただし，収受すべきリース料のうちに貸付金の返済を受けたとされる金額が均等に含まれているものとして処理してもよい（基通12の5－2－3）。

　そして譲受人は，税務上リース資産の売買はなかったこととされるから，自己がリース資産を保有するものとして減価償却を行うことはできない。

4　借地権の設定

1．概要と趣旨

　都市部では，建物や構築物の所有を目的とする土地の賃貸借にあたって，権利金を授受することが慣行化している。このような土地の賃貸借によって生じる権利が土地の賃借権である。この土地の賃借権と地上権とをあわせて借地権という（法令137，基通13－1－1）。

　法人が借地権の設定により他人に土地を使用させ，権利金を収受した場合には，その権利金の額は益金の額に算入する。そして権利金を収受する慣行があるにもかかわらず，権利金をまったく収受しないか，または低額しか収受しなかった場合には，通常収受すべき権利金と実際に収受した権利金との差額相当額は，借地人からいったん収受して益金に計上したうえ，その借地人に贈与したものとする（基通13－1－3参照）。借地権の設定により他人に土地を使用させたにもかかわらず権利金を収受しないのは，土地を無償で譲渡したことになるからである。これを権利金の認定課税という。

2．権利金方式による貸付け

(1) 権利金の益金算入

借地権の設定により土地に堅固な建物や構築物が建設された場合には，その土地の利用は恒久的に制限され，もはや地代収受権としてのいわゆる底地の価値しかなくなる。それに伴って地価は下落するから，その下落分の対価として権利金を収受する慣行がみられる。

そこで法人が借地権の設定により他人に土地を使用させ，その使用の対価として権利金を収受した場合には，その権利金の額は益金の額に算入する（法法22②）。借地権の設定により権利金を収受することは，いわば土地（上地）の部分的な譲渡といえるからである。

なお，権利金を支払った法人は「借地権」として資産に計上する。この借地権は土地の上に存する権利であるから，減価償却をすることはできない（法法2二十二，二十三，法令12）。

(2) 権利金の認定課税

法人がその関係会社や役員に対して土地を貸し付ける場合には，権利金をまったく収受せず，あるいは低額しか収受しないことがある。このような場合には，通常収受すべき権利金と実際に収受した権利金との差額は，借地人からいったん収受して益金の額に算入したうえ，その借地人に贈与（寄附）したものとする（基通13－1－3参照）。この場合，その借地人が法人の役員または使用人であるときは，給与を支給したものとして取り扱う。

これが権利金の認定課税であるが，営利の追求を目的とする企業にあっては，権利金を収受する慣行が存在する以上，権利金を収受するのが経済的合理性のある行動である，と考えられている。

(3) 土地の帳簿価額の損金算入

上述したところにより借地権の設定により権利金を収受し，または権利金の

認定課税が行われた場合において、借地権を設定した後の土地の価額が2分の1以上下落したときは、次の算式により計算した金額を損金の額に算入する（法令138，法規27の21）。

$$\text{土地の帳簿価額} \times \frac{\text{借地権の価額}}{\text{その土地の時価}}$$

これは借地権の設定は土地の部分譲渡と観念されるから、原価部分を損金の額に算入する趣旨である。

なお、借地権設定後の土地の価額が2分の1以上下落しない場合であっても、時価の下落金額は、評価損として計上することができる（基通9－1－18）。

3．相当の地代方式による貸付け

前述したように、借地権を設定し他人に土地を使用させた場合には、権利金を収受することを前提に課税関係を処理するのが原則である。ただし、権利金を収受する取引上の慣行がある場合であっても、権利金の収受に代え、その使用の対価として相当の地代を収受しているときは、その取引は正常なものとする（法令137）。通常収受すべき権利金の収受がなくても、権利金の認定課税はないということである。

権利金の収受を行わずに高額な相当の地代を収受している場合には、理論的な地代の資本還元額は、地代収受権としての土地の価額に等しくなる。この価額と更地としての土地の価額とが同じである場合には、権利金を収受するいわれがないという考え方である。このような考え方にもとづき、相当の地代の額は、権利金の額に換算される土地の上土権の価額を資本として運用する場合、どれだけの利回りを予定しておけばよいかという観点から、更地価額の原則として8％（当分の間6％）相当額とされている（基通13－1－2，平成元.3.30直法2－2通達）。

4．無償返還方式による貸付け

　法人が借地権の設定により他人に土地を使用させた場合には，権利金または相当の地代を収受しなければならない。仮にそのいずれも収受がなければ権利金の認定課税が行われる。ただし，通常収受すべき権利金も相当の地代も収受しない場合であっても，借地権の設定契約において将来借地人がその土地を無償で返還することを明らかにし，その旨を借地人との連名により遅滞なく所轄税務署長に届け出たときは，権利金の認定課税は見合わされる。この場合には，土地の貸付期間中の各事業年度において，相当の地代と実際に収受している地代との差額相当額を借地人に贈与したものとする（基通13－1－7）。

　法人とその関係会社や役員との間の土地の貸借について，直ちに権利金の認定課税をするというのは必ずしも実際的ではない。将来，双方とも権利・義務を主張せず無償で借地を返還するというのであれば，そのまま認めるのが実情にあう。ただ，地代をいくらでもよいとすると，相当の地代制度が骨抜きになるから，相当の地代を認定する。これが権利金の認定見合せの趣旨である。

5．更新料を支払った場合の損金算入

　法人が借地権の存続期間を更新するため更新料を支払った場合には，次の算式により計算した金額は損金の額に算入される。この場合，その支払った更新料は借地権の帳簿価額に加算しなければならない（法令139）。

$$借地権の帳簿価額 \times \frac{支払更新料の額}{更新時の借地権の時価}$$

　これは借地権の存続期間の更新を機に，旧借地権の帳簿価額をいわば洗い替えるということである。

6．借地権価額の評価

　法人がその有する借地権を無償もしくは低額で譲渡し，または借地を返還するにあたり，立退料等を授受する慣行があるにもかかわらず，これを収受しなかった場合には，収受すべきであった借地権の対価または立退料等の額は相手方に贈与したものとする（基通13-1-14）。この場合，借地権価額をいくらとみるかが評価の問題である。

　借地権の譲渡等にあたっての借地権価額の評価は，おおむね次による（基通13-1-15）。

① 　権利金を収受している場合……通常取引される借地権価額
② 　相当の地代を収受している場合……それぞれ次の価額
　イ　地代の額を地価の上昇に応じて順次改訂しているとき……零
　ロ　イ以外のとき……それぞれ次の価額
　　(イ)　収受している地代の額が一般地代の額になる前に譲渡等したとき
　　　……次の算式により計算した金額

$$土地の更地価額 \times \left(1 - \frac{実際に収受している地代の年額}{相当の地代の年額}\right)$$

　　(ロ)　(イ)以外のとき……通常取引される借地権価額

　権利金を授受して借地権を設定している場合には，その借地権価額は，通常取引される金額である。これに対して相当の地代方式により賃借した土地の借地権価額については，相当の地代の額を地価の上昇に応じて順次改訂している場合には，借地権の価額はゼロである。しかし，地価の上昇に応じて相当の地代の額を改訂していない場合には，地価と地代の額が乖離すればするほど，これに比例して借地権価額が自然に発生する。これを一般に自然発生借地権という。

　そして，現に支払っている地代の額が一般地代の額（通常支払うべき権利金を支払った場合に地価の上昇に応じて通常支払うべき地代の額）になった時点で，自然

発生借地権の価額は通常取引される金額と同額になる。

(計算例)

> 当期（令和6.4.1～令和7.3.31）において、所有する土地を甲社に賃貸し、権利金64,000,000円を収受した。この土地の時価は80,000,000円、帳簿価額は30,000,000円である。
>
> なお、この土地の近隣における借地権割合はおおむね8割であり、借地権の設定により土地の価額は16,000,000円に下落した。

（計　算）

1　時価の下落率

$$\frac{80,000,000円 - 16,000,000円}{80,000,000円} = 80\% > 50\%$$

2　土地の帳簿価額の損金算入額

$$30,000,000円 \times \frac{64,000,000円}{80,000,000円} = 24,000,000円$$

3　譲　渡　損　益

64,000,000円 － 24,000,000円 ＝ 40,000,000円

5　その他の損益

1．確定給付企業年金の掛金等

　最近においては、法人がその従業員のため各種の退職金共済や企業年金などに加入している例は少なくない。これに伴い、法人が次に掲げる掛金、保険料、事業主掛金、信託金等または預入金等を支出した場合には、その支出した金額は損金の額に算入される（法令135，法規27の20）。

　①　独立行政法人勤労者退職金共済機構または特定退職金共済団体が行う退

職金共済に関する制度にもとづいてその被共済者のために支出した掛金
② 確定給付企業年金にかかる規約にもとづいて加入者のために支出した掛金または保険料
③ 企業型年金規約または個人型年金規約にもとづいてその年金加入者のために支出した事業主掛金または中小企業主掛金
④ 勤労者財産形成給付金契約にもとづいて信託の受益者等のために支出した信託金等
⑤ 第一種勤労者財産形成基金契約にもとづいて信託の受益者等のために支出する信託金等または第二種勤労者財産形成基金契約にもとづいて勤労者について支出する預入金等の払込みに充てるために支出した金銭

なお，これら掛金，保険料，事業主掛金，信託金等または預入金等の額は，現実に納付または払込みをしない場合には，未払金として損金の額に算入することはできない（基通9－3－1）。

2．社債等の発行差損益

法人が社債などの発行にあたって，その社債等の発行価額を券面金額より高く（打歩発行），あるいは低く（割引発行）することがある。その発行価額と券面金額との差額の部分の金額を発行差損益という。打歩発行の場合には発行差益が，割引発行の場合には発行差損がそれぞれ生じる。

この発行差損益は，実質的には利息であり，その社債等の償還期間に応じて生じていくものと考えられる。そこで，その発行差損益は社債等の償還期間にわたって均等額ずつを益金の額または損金の額に算入する（法令136の2）。

3．前期損益修正損

法人の前期以前に収益計上した資産の販売等について，当期に契約の解除や取消し，返品等があった場合でも，その契約解除等による損失の額は，当期に

おいて損金算入をする(基通2-2-16)。前期以前に遡及して収益を修正するのではない，ということである。このような処理は，ひとり法人税のみならず，企業会計にあっても公正妥当な会計処理として行われている。

一方，国税通則法では，その申告の基礎となった事実にかかる契約が解除または取り消された場合には，税務署長に対し，納付税額等の減額・還付を求めて更正の請求をすることが認められている（通法23②三，通令6①二）。

この更正の請求の特例と上記法人税の処理との関係が問題になるが，この更正の請求の特例は，継続企業の原則を前提とする法人税には適用がない，と解されており，裁判例でも支持されている。

なお，前期以前に計上すべき収益や費用・損失の，単なる計上もれや計算誤りなどは，ここでいう前期損益修正の問題ではないから，前期以前に遡及してその修正を行う。

4．所得控除

法人税には，各種の政策目的達成のため，特別償却や準備金，特別税額控除等が認められている。このような特例のほか，特定の資産や事業にかかる譲渡所得や事業所得の一定額を損金算入する，いわゆる所得控除がある。

たとえば，特許権等の譲渡・貸付けを行った場合には，①自社開発による特許権等の譲渡等取引にかかる所得金額と②当期の所得金額とのいずれか少ない金額の30％相当額の損金算入ができる（措法59の3）。これをイノベーションボックス税制という。

このような所得控除は，他にも①沖縄の認定法人の課税の特例（措法60），②国家戦略特別区域における指定法人の課税の特例（措法61），③収用換地等の場合の所得の特別控除（措法65の2〜65の5の2）などがある。

（注）イノベーションボックス税制は，令和7年4月1日から令和14年3月31日までの間の開始事業年度において適用される。

第7章

国際課税所得の計算

1 この章では、最近重要性を増している国際取引をめぐる法人税の取扱いを述べる。
2 移転価格税制、過少資本税制および外国子会社合算税制は、法人税における実質主義にもとづくものである。
3 外国法人については、基本的にわが国で稼得した所得に対して法人税が課される。
4 特定多国籍企業グループ等に属する内国法人には、所得に対する法人税のほか、国際最低課税額に対する法人税が課される。

1 総　　説

　経済取引の国際化，広域化に伴って，わが国企業で外国企業と取引を行い，あるいは自ら海外に進出する企業は多い。また逆に，海外から多くの外国企業がわが国に進出し，いろいろな事業を行っている。
　内国法人であるかぎり，外国企業との取引や海外での事業から生じた所得であっても，わが国の法人税が課される。一方，外国法人については，わが国で稼得した所得に対しては，わが国の法人税が課せられる。このような国際間にまたがる取引や事業から生じる所得をいかに把握し，課税するかが国際課税の問題である。
　ところが，国際課税にあたっては，相手が外国企業であり，あるいは海外で行う事業から生じる所得であるため，各種の複雑，困難な問題が生じる。しかし国際課税が合理的かつ適正に行われないと，わが国の主権としての課税権が侵害されてしまう。それだけに，今日では国際課税のあり方はきわめて重要な課題となっている。
　なお，各事業年度の所得に対する法人税ではないが，各対象会計年度の国際最低課税額に対する法人税，いわゆるグローバル・ミニマム課税が開始されたので，その概要をここでみておく。

2 移転価格税制

1．概要と趣旨

　企業活動の国際化に伴い，海外に子会社を持ち，多角的な経営活動を展開する，いわゆる多国籍企業が増加している。この多国籍企業のなかには，海外に所在する親会社や子会社など国外関連者との間における取引価格を操作してい

るものがみられる。

たとえば、海外の親会社がわが国に所在する子会社への商品の売上価格を高く、あるいは逆にその子会社からの商品の仕入価格は低く設定する。そうすると、わが国子会社の課税所得は少なくなる。これをそのまま放置すると、わが国子会社の本来得るべき所得が海外に移転し、わが国の課税権が侵害されてしまう。

そこで、法人が国外関連者との間で行った資産の販売、資産の購入、役務の提供その他の取引が、独立の事業者の間で通常の取引条件に従って行われるとした場合に成立するであろう独立企業間価格にもとづいてなされていないときは、課税所得の計算上、その取引は独立企業間価格で行われたものとみなす（措法66の4）。これを移転価格税制という。

2．国外関連者の範囲

移転価格税制が適用される取引の相手方を国外関連者というが、その国外関連者は、その法人と次に掲げるいずれかの関係がある外国法人である（措法66の4①，措令39の12①～④，措通66の4(1)−3）。

① 二つの法人のいずれか一方の法人が他方の法人の発行済株式等の50％以上を直接または間接に保有する関係
② 二つの法人が同一の者によってそれぞれ発行済株式等の50％以上を直接または間接に保有される関係
③ 次に掲げる事実など（特定事実）が存在することにより、二つの法人のいずれか一方の法人が他方の法人の事業の方針の全部または一部につき実質的に決定できる関係
　イ　他方の法人の役員の2分の1以上または代表役員が、一方の法人の役員もしくは使用人を兼務している者または一方の法人の役員もしくは使用人であった者であること。
　ロ　他方の法人がその事業活動の相当部分を一方の法人との取引に依存し

て行っていること。
　　ハ　他方の法人がその事業活動に必要とされる資金の相当部分を一方の法人からの借入れにより，または一方の法人の保証を受けて調達していること。
　④　二つの法人との間が，持株関係または特定事実関係のいずれかで連鎖している関係

　持株割合が50％以上の関係や持株関係はなくても，役員や取引を通じて実質的に支配関係がある外国法人も国外関連者になる。このような特殊の関係があれば，その外国法人との取引価格は恣意的になるおそれがあるからである。この国外関連者との間で行う資産の販売，資産の購入，役務の提供その他の取引を国外関連取引という。

3．独立企業間価格の算定方法

(1)　総　　説

　独立企業間価格は，概念的には独立の企業同士が通常の取引条件に従って取引を行うとした場合に成立するであろう取引価格である。その独立企業間価格は，国外関連取引の内容，当事者が果たす機能等を勘案して，具体的には棚卸資産の売買取引とその他の取引との二つにわけて，それぞれ次に掲げる方法により算定する（措法66の4②，措令39の12⑥～⑧）。

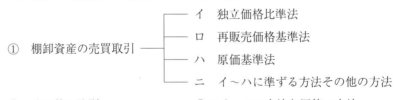

　これら各種の方法のなかでは，その適用について優先順位はない。その国外関連取引につき支払われるべき対価を算定するための最も適切な方法による。

(2) 独立価格比準法

　独立価格比準法とは，特殊の関係にない売手と買手が，国外関連取引にかかる棚卸資産と同種の棚卸資産を取引段階，取引数量その他が同様の状況の下で売買した取引の価格をもってその国外関連取引の対価の額とする方法をいう（措法66の4②一イ）。

　実際には，取引段階，取引数量その他が同様の状況にある取引を見つけることはむずかしい。その場合には，国外関連取引と取引段階，取引数量その他に差異がある取引であっても，その差異により生ずる対価の額の差を調整して国外関連取引の対価の額としてよい。

(3) 再販売価格基準法

　再販売価格基準法とは，国外関連取引にかかる棚卸資産の買手が特殊の関係にない者に対してその棚卸資産を販売した対価の額（再販売価格）から通常の利潤の額を控除した金額をもってその国外関連取引の対価の額とする方法をいう。この場合の通常の利潤の額は，その再販売価格に同種または類似の棚卸資産を非関連者から購入した者が非関連者に販売した取引における売上総利益率を乗じて計算する（措法66の4②一ロ，措令39の12⑥，措規22の10②③）。

(4) 原価基準法

　原価基準法は，国外関連取引にかかる棚卸資産の売手の購入，製造その他の行為による取得原価の額に通常の利潤の額を加算した金額をもってその国外関連取引の対価の額とする方法をいう。この場合の通常の利潤の額は，その取得原価に同種または類似の棚卸資産を非関連者から購入，製造した者が非関連者に販売した取引における売上総利益率を乗じて計算する（措法66の4②一ハ，措令39の12⑦，措規22の10⑦，措通66の4(4)-6）。

(5) 利益分割法

　上記(2)から(4)までの方法以外のその他の方法として利益分割法がある。利益分割法は，国外関連取引にかかる棚卸資産の販売等により法人と国外関連者に生じた所得の合計額を一定の分割要因にもとづいて分割する方法をいう（措令39の12⑧，措通66の4(5)-1）。

　この利益分割法には，比較対象取引に係る所得の配分割合に応じて，それぞれ利益が帰属するものとする比較利益分割法がある（措令39の12⑧一イ）。また，その国外関連取引の所得の発生に寄与した程度を推測するに足りる支出費用の額，使用した固定資産の価額等の要因に応じて利益を分割する寄与度利益分割法も認められている（措令39の12⑧一ロ）。更に，通常の営業活動から生じる所得を各関連者に配分し，残りの所得を支出費用の額，使用した固定資産の価額等の要因に応じて帰属するものとする残余利益分割法（措令39の12⑧一ハ，措通66の4(5)-4）がある。

　なお，利益分割法のほか，取引単位でもって比較対象取引との差異を調整した営業利益率により独立企業間価格を算定する取引単位営業利益法等の適用も認められている（措令39の12⑧二～七，措通66の4(6)-1）。

(6) 同等の方法

　上記(1)②の「その他の取引」は，たとえば有形資産の貸借取引，金銭の貸借取引，役務提供取引，無形資産の使用許諾または譲渡の取引などである。この「その他の取引」に適用される同等の方法とは，それぞれの取引の類型に応じて棚卸資産の売買取引に適用される方法に準じて独立企業間価格を算定する方法をいう（措通66の4(8)-1）。

　この同等の方法による価格算定方法の一つとして，無形資産取引等について，利益が生ずると予測される期間内における予測利益額を合理的な割引率で割り引いた現在価値額の合計額をもって対価の額とする，ディスカウント・キャッシュ・フロー法（ＤＣＦ法）がある（措令39の12⑧六，措通66の4(7)-1）。

4．取引価格と独立企業間価格との差額の処理

　移転価格税制は，国外関連取引につき法人が国外関連者から支払を受ける対価の額が独立企業間価格に満たないとき，または法人が国外関連者に支払う対価の額が独立企業間価格を超えるときに適用される。この国外関連取引の対価の額と独立企業間価格との差額（寄附金に該当するものを除く）は，課税所得の計算上，損金の額に算入されない（措法66の4④）。

　なお，国外関連者に対する寄附金の額は，その全額を損金の額に算入することはできない（措法66の4③）。

5．独立企業間価格の算定に関する文書化

　法人が，国外関連取引を行った場合には，独立企業間価格を算定するために必要な，その国外関連取引の内容を記載した書類（ローカルファイル）を，その事業年度の確定申告書の提出期限までに作成・取得し，7年間（欠損事業年度は10年間）保存しなければならない（措法66の4⑥，措規22の10⑥〜⑧）。

　ただし，法人がその事業年度の前事業年度において一の国外関連者との間で行った国外関連取引が，次のいずれにも該当する場合またはない場合には，上記の作成・取得・保存義務は免除される（措法66の4⑦，措令39の12⑪〜⑬）。

① 一の国外関連者との国外関連取引が50億円未満であること。
② 一の国外関連者との無形資産の譲渡・貸付等の取引が3億円未満であること。

　ローカルファイルの作成等が免除されない取引を「同時文書化対象国外関連取引」といい（措法66の4⑪），免除される取引を「同時文書化免除国外関連取引」という（措法66の4⑭）。

　税務職員が，同時文書化対象国外関連取引または同時文書化免除国外関連取引に関する書類またはこれに相当する書類の提示や提出を求めたにもかかわらず，その提示等がなかった場合には，推定課税等がなされる（措法66の4⑫⑭）。

6．更正・決定等の特例

　法人が国外関連者との取引を独立企業間価格と異なる価格で行った事実にもとづいて行う，税務署長の法人税の更正・決定は，法定申告期限から7年を経過する日まですることができる。また，この更正・決定に伴う加算税の賦課決定も，その納税義務の成立の日から7年を経過する日まですることができる（措法66の4㉖㉗）。

　通常の法人税額を増額させる更正・決定の期間制限は5年であるから（第10章参照），2年の延伸がされている。これは通常の調査と異なり，移転価格に関する調査は取引価格に関する資料の入手や調査，関係者との協議などに長期間を要するところから設けられている特例である。

7．相互協議と対応的調整

(1) 相 互 協 議

　法人が国外関連者と行った取引につき移転価格税制が適用された場合，その国外関連者は所在地国において実際の取引価格をもとに課税を受けているから，国際的な二重課税が生じる。このような二重課税を排除するため，法人は租税条約にもとづき二国間の権限ある当局が適正な取引価格につき協議するよう申し立てることができる。これを相互協議という。

　この相互協議は，次のような場合に国税庁長官に対して申し立てを行う（租税条約実施特例法施行省令12）。

① わが国において租税条約の相手国にある国外関連者との取引につき移転価格税制による課税が行われた場合

② 国外関連者に対し，わが国が租税条約を締結している国において移転価格税制による課税が行われた場合

　なお，この相互協議の申立てを行った法人は，更正決定により納付すべき法人税の額および加算税の額について，納税の猶予を申請することができる（措

法66の4の2，措令39の12の2，措規22の10の2）。

(2) 対応的調整

　法人から相互協議の申立てがあり，権限ある当局間において相互協議が行われ合意に達した場合には，その合意したところに従い，二重課税排除のための措置がとられる。これを対応的調整と呼ぶ。

　具体的には，二重課税となっている所得金額をわが国法人の所得金額から減額する。上記(1)②の場合の所得金額の減額は，法人が当局間の合意が行われた日の翌日から起算して2月以内に更正の請求を行い，その請求にもとづいて所轄税務署長が減額更正をすることによりなされる（通法23②三，通令6①四，租税条約実施特例法7）。

3 過少資本税制

1．概要と趣旨

　内国法人の国外支配株主等または資金供与者等に対する負債の額がその国外支配株主等の資本持分の3倍を超える場合には，その国外支配株主等および資金供与者等に支払う負債の利子等のうち，その超える部分の負債に対応する金額は，損金の額に算入されない（措法66の5）。ただし，法人の総負債の平均負債残高が自己資本の額の3倍以下となる場合には，この限りでない。これを過少資本税制という。

　法人税の課税所得の計算上，法人が支払う出資に対する利益配当は損金にならないが（法法22⑤），借入金の利子は損金になる。そこで，わが国に所在する外国企業の子会社が，できるだけ資本金を小さくしたうえ，所要資金の調達を外国企業からの借入金に頼り，利子を支払えば，企業グループ全体としてわが国における税負担を減らすことができる。このような租税回避行為に対処する

ため，過少資本税制が設けられている。

> （注） 関連者等への支払利子等の額が所得金額の50％相当額を超える場合には，その超える部分の金額は損金不算入とする制度（過大支払利子税制）も設けられている（措法66の5の2，66の5の3）。

2．国外支配株主等の範囲

(1) 国外支配株主等

過少資本税制は国外支配株主等に支払う負債の利子等が対象になる。ここで国外支配株主等とは，非居住者または外国法人で，その内国法人との間に次に掲げるいずれかの関係があるものをいう（措法66の5⑤一，措令39の13⑫⑬）。

① 内国法人がその発行済株式等の50％以上を直接または間接に保有される関係
② 内国法人と外国法人とが同一の者によってそれぞれ発行済株式等の50％以上を直接または間接に保有される場合におけるその内国法人と外国法人との関係
③ 内国法人と非居住者または外国法人との間に次に掲げる事実などが存在することにより，その非居住者等が内国法人の事業の方針の全部または一部につき実質的に決定できる関係
　イ　内国法人がその事業活動の相当部分を非居住者等との取引に依存して行っていること。
　ロ　内国法人がその事業活動に必要とされる資金の相当部分を非居住者等からの借入れにより，または非居住者等の保証を受けて調達していること。
　ハ　内国法人の役員の2分の1以上または代表役員が，外国法人の役員もしくは使用人を兼務している者または外国法人の役員もしくは使用人であった者であること。

持株割合が50％以上の関係や持株関係はなくても，取引や役員を通じて実質

的に支配関係がある非居住者または外国法人が国外支配株主等になる。このような支配関係があれば，資本や負債の構成は自由に決定できるからである。

(2) 資金供与者等

過少資本税制は，上記の国外支配株主等のほか資金供与者等に支払う負債の利子等についても対象になる。ここで資金供与者等とは，内国法人に資金を供与する者およびその資金の供与に関係のある，次に掲げる者をいう（措法66の5⑤二，措令39の13⑭）。

① 内国法人の国外支配株主等が第三者を通じて資金を供与した場合のその第三者
② 内国法人の国外支配株主等が債務の保証をした第三者が資金を供与した場合のその第三者
③ 内国法人に国外支配株主等から貸し付けられた債券を担保等に第三者が資金を供与した場合のその第三者

これらの場合は，実質的には国外支配株主等が資金の貸し付けを行っているとみられるということである。

3．適 用 要 件

(1) 総　　説

過少資本税制は，内国法人のその事業年度の国外支配株主等または資金供与者等に対する負債の平均負債残高が国外支配株主等の資本持分の3倍相当額を超えるときに適用される。ただし，内国法人のその事業年度の総負債の平均負債残高が自己資本の額の3倍相当額以下となる場合には，適用されない（措法66の5①）。

これは資本金の3倍程度の負債を有しているのは普通であるということを前提に，これを超えるような場合に規制を図ろうとする趣旨である。ただし，この3倍という倍数に代えて，同種の事業を営む類似法人の総負債の額の純資産

の額に対する比率として妥当な倍数を用いてもよい（措法66の5③）。
>   (注)1　特定債券現先取引等にかかる負債があるときは，国外支配株主等および資金供与者等に対する負債から，その特定債券現先取引等にかかる負債は控除することができる。そして資本持分の「3倍」は「2倍」とする（措法66の5②）。
>   2　過少資本税制により計算された金額が，その事業年度の過大支払利子税制により計算された金額を下回る場合には，過少資本税制は適用されない（措法66の5④）。

(2)　平均負債残高

　平均負債残高は，その事業年度の負債の帳簿価額の平均的な残高として合理的な方法により計算した金額である（措法66の5⑤五，措令39の13⑲㉔）。具体的には，たとえば負債の帳簿価額の日々の平均残高または各月末の平均残高など，その事業年度を通じた負債の帳簿価額の平均的な残高をいう。この場合，その事業年度開始の時および終了の時における負債の帳簿価額の平均額は，合理的な方法により計算した金額に該当しない（措通66の5－13）。

(3)　国外支配株主等の資本持分

　国外支配株主等の資本持分は，次の算式により計算した金額である（措法66の5⑤六，措令39の13⑳）。

$$\text{内国法人のその事業年度の自己資本の額} \times \frac{\text{国外支配株主等の保有株式等の数}}{\text{発行済株式等の総数}}$$

(4)　自己資本の額

　自己資本の額とは，内国法人のその事業年度の総資産の帳簿価額の平均残高から総負債の帳簿価額の平均残高を控除した残額をいう。その残額が資本金等の額に満たない場合には，その資本金等の額とする（措法66の5⑤七，措令39の13㉓㉔）。

　「総資産の帳簿価額の平均残高」および「総負債の帳簿価額の平均残高」は，

上記(2)の平均負債残高の計算方法と同じ考え方にもとづき計算する（措通66の5-17）。

4．負債利子等の損金不算入額

　過少資本税制の適用により国外支配株主等および資金供与者等に支払う負債の利子，債務の保証料，債券の使用料等のうち，損金の額に算入されない額は，次の算式により計算した金額である（法法66の5①，措令39の13①⑮⑯）。

(1) 国外支配株主等の負債が資本持分の3倍以下である場合

$$\text{国外支配株主等と資金供与者等に支払う債務の保証料，債券の使用料の額} \times \frac{\text{国外支配株主等と資金供与者等に対する負債の平均負債残高} - \text{国外支配株主等の資本持分} \times 3}{\text{資金供与者等に対する負債の平均負債残高}}$$

(2) 国外支配株主等の負債が資本持分の3倍を超える場合

$$\left\{\left(\begin{array}{l}\text{国外支配株主等と資金供}\\\text{与者等に支払う利子額}\end{array} - \begin{array}{l}\text{債務保証料と債券}\\\text{の使用料の額}\end{array}\right)\right.$$
$$\left.\times \frac{\left(\begin{array}{l}\text{国外支配株主等と資金供与者等}\\\text{に対する負債の平均負債残高}\end{array} - \begin{array}{l}\text{国外支配株主}\\\text{等の資本持分}\end{array} \times 3\right) - \begin{array}{l}\text{資金供与者等に対する}\\\text{負債の平均負債残高}\end{array}}{\text{国外支配株主等に対する負債の平均負債残高}}\right\}$$
$$+ \text{債務の保証料と債券の使用料の額}$$

4 外国子会社合算税制

1．概要と趣旨

　世界には法人税や利子・配当に対する源泉課税がないか，または非常に安い国や地域がある。これを一般にタックス・ヘイブンという。

　このタックス・ヘイブンに子会社を設立して事業を行えば，法人税の軽減を図ることができる。すなわち，わが国親会社がタックス・ヘイブンに子会社を設立して事業を行い，その子会社が得た利益を親会社に配当せず留保すれば，わが国とタックス・ヘイブンとを通じて一切法人税が課されないか，きわめて低率の法人税を納めるだけで済むことになる。

　特に，タックス・ヘイブンに設立される子会社は実体のないものが少なくない。そうすると，その子会社が営む事業は実質的にはわが国親会社の事業であると認められるのに，国内外を通じて法人税が課されないことになり，課税上の弊害が大きい。

　そこで，タックス・ヘイブンに所定の子会社（外国関係会社）を有する法人については，課税所得の計算上，その子会社の実質的活動のない事業で稼得した所得金額は自己の収益とみなして益金の額に算入する（措法66の6〜66の9）。その後，その子会社から剰余金の配当等を受ければ，二重課税を排除するため，その剰余金の配当等のうち課税済みの所得に達する金額は益金の額に算入しない。これを一般に外国子会社合算税制（タックス・ヘイブン税制）と呼ぶ。

　（注）　内国法人の株主である法人がタックス・ヘイブンに所在する実体のない外国法人を通じてその内国法人を支配するようになった場合には，その外国法人に留保した所得を，その持分割合に応じて，その外国法人の株主である内国法人の所得に合算して課税する制度も設けられている（措法66の9の2〜66の9の5）。

2．適用対象親会社の範囲

(1) 適用対象親会社の意義

外国子会社合算税制の適用対象となる内国法人（親会社）は，基本的に，次に掲げるものである（措法66の6①，措令39の14③〜⑦）。

① その有する外国関係会社の直接・間接保有の株式等の数または配当に関する議決権の数の割合が10％以上である内国法人
② 外国関係会社との間に実質支配関係（外国法人の残余財産のおおむね全部を請求する権利を有していること等）がある内国法人
③ その有する外国関係会社の上記①の割合が10％以上である一の同族株主グループに属する内国法人

(2) 外国関係会社の意義

上記(1)における外国関係会社とは，次に掲げる外国法人をいう（措法66の6②一，措令39の14の2）。

① その発行済株式等の50％を超える株数等を，居住者，内国法人および居住者等と特殊の関係のある非居住者が有している外国法人
② 居住者または内国法人との間に実質支配関係がある外国法人

3．合算対象外国子会社の範囲

(1) 合算対象外国子会社の種類

外国子会社合算税制の合算課税の対象になる外国子会社には，①特定外国関係会社，②対象外国関係会社および③部分対象外国関係会社（外国金融子会社等）がある（措法66の6①，②六，七）。

外国子会社が，そのいずれに該当するかに応じて，合算対象になる所得の範囲や適用除外要件が異なる。

(2) 特定外国関係会社の意義

特定外国関係会社とは，基本的に次に掲げる外国関係会社をいう（措法66の6②二，措令39の14の3①〜⑯）。

① 実体基準（主たる事業を行うに必要な事務所，店舗，工場等の固定施設を有すること）および管理支配基準（本店所在地国において事業の管理，支配，運営を自ら行っていること）を満たさない外国関係会社，外国子会社の持株会社・不動産保有会社・資源開発会社に該当しない外国関係会社

② 総資産額に対する受動的所得（受取配当等，受取利子等，有価証券貸付対価，有価証券譲渡損益，デリバティブ取引損益，外国為替差損益，その他金融所得，固定資産貸付対価，無形資産等使用料，無形資産等譲渡損益）の合計額の割合が30％を超える外国関係会社（総資産額に対する有価証券，貸付金，固定資産等の額の割合が50％を超えるものに限る）

③ 非関連者等収入保険料の合計額が収入保険料の合計額の10％未満であり，かつ，非関連者等支払再保険料の合計額が関連者収入保険料の合計額の50％未満である外国関係会社

④ 租税の情報交換に関する国際的な取組みへの協力が著しく不十分な国または地域に本店を有する外国関係会社

上記①はペーパー・カンパニー，②③は事実上のキャッシュ・ボックス（受動的所得の多い会社），④はブラック・リスト国所在会社ということである。

(3) 対象外国関係会社の意義

対象外国関係会社とは，次に掲げる基準のいずれかに該当しない外国関係会社（特定外国関係会社に該当するものを除く）をいう（措法66の6②三，措令39の14の3⑰〜㉜）。

① 事業基準……主たる事業が株式の保有，無形資産の提供，船舶・航空機リース等でないこと。

② 実体基準……主たる事業を行うに必要な事務所，店舗，工場等の固定施

第7章 国際課税所得の計算

設を有すること。
③ 管理支配基準……本店所在地国において事業の管理，支配，運営を自ら行っていること。
④ 非関連者基準……主たる事業が卸売業，銀行業，信託業，金融商品取引業，保険業，水運業，航空運送業または物品賃貸業である場合に，その事業の収入金額の50％を超える取引を関連者以外の者と行っていること。
⑤ 所在地国基準……主たる事業が上記④の事業以外の事業である場合に，その事業を主として本店所在地国で行っていること。

(4) 部分対象外国関係会社の意義

部分対象外国関係会社とは，上記(3)に掲げる基準のすべてに該当する外国関係会社（特定外国関係会社に該当するものを除く）をいう（措法66の6②六）。

(注) この部分対象外国関係会社のうち，本店所在地国で銀行業，金融商品取引業または保険業を行うものを外国金融子会社等という（措法66の6②七）。

4．課税対象金額の計算

(1) 課税対象金額の意義

外国子会社合算税制の適用により，①特定外国関係会社または②対象外国関係会社の適用対象親会社が益金の額に算入すべき金額は，課税対象金額である。その課税対象金額は，特定外国関係子会社等が有する適用対象金額のうち，次の算式により計算した金額をいう（措法66の6①②四，措令39の15①⑤）。

$$\text{基準所得金額} - \text{前7年以内に生じた欠損金額} - \text{課税対象年度で納付する法人所得税の額} = \text{適用対象金額}$$

$$\text{適用対象金額} \times \text{その親会社の直接・間接の株式保有割合} = \text{課税対象金額}$$

この算式における「基準所得金額」とは，課税対象年度の決算所得につき法人税法等の基準により計算した金額をいう（措法66の6②四）。

これは，特定外国関係会社等の会社全体の所得を合算課税の対象にするものである。

(2) 基準所得金額の計算
① 本邦法令による方法

特定外国関係会社または対象外国関係会社の基準所得金額の計算については，二つの方法が認められている。一つは，特定外国関係会社等の各事業年度の決算にもとづく所得金額につき，①本邦の法人税関係法令の例に準じて計算した場合に算出される所得金額または欠損金額と②各事業年度において納付する法人所得税の額との合計額から③還付を受ける法人所得税の額，④子会社から受ける配当等の額および⑤特定部分対象外国関係会社株式等の譲渡利益額の合計額を控除した残額を基準とする方法である（措令39の15①）。これは特定外国関係会社等にわが国の法人税関係法令が適用されるものと仮定して所得金額を計算するものであり，この方法が原則である。

② 本店所在地国法令による方法

これに対して二つは，特定外国関係子会社等の各事業年度の決算にもとづく所得金額につき，本店所在地国の法人税関係法令の規定により計算した所得金額または欠損金額を基準とする方法である。ただし，この方法にあっても，その所得金額の計算上，たとえば支払配当，減価償却費，資産の評価損益，役員給与，寄附金，法人所得税，交際費などは，わが国の法人税関係法令の規定と同様に処理する（措令39の15②）。

なお，①の方法から②の方法へ，またその逆へ変更しようとする場合には，所轄税務署長の承認を受けなければならない（措令39の15⑩）。

(3) 前7年以内に生じた欠損金額

適用対象金額の計算上，基準所得金額から控除される欠損金額は，その事業年度開始の日前7年以内に開始した事業年度において生じた欠損金額である。ただし，特定外国関係会社または対象外国関係会社に該当しなかった事業年度

において生じた欠損金額を除く（措令39の15⑤一）。

ここで欠損金額とは、上記(2)により計算した欠損の金額をいう（措令39の15⑦）。

(4) 課税対象年度で納付する法人所得税の額

適用対象金額の計算上、基準所得金額から控除される課税対象年度で納付する法人所得税の額は、特定外国関係会社または対象外国関係会社が課税対象事業年度において納付をすることとなる法人所得税の額である。ただし、還付を受ける法人所得税の額がある場合には、その還付金額を控除する（措令39の15⑤二）。

5．部分課税対象金額の計算

(1) 部分課税対象金額の意義

外国子会社合算税制の適用により、部分対象外国関係会社（外国金融子会社等を除く）の適用対象親会社が益金の額に算入すべき金額は、部分課税対象金額である（措法66の6⑥）。その部分課税対象金額は、部分対象外国関係会社が有する特定所得の金額に係る部分適用対象金額のうち、次の算式により計算した金額をいう（措法66の6⑥，措令39の17の3③）。

$$\text{特定所得の金額に係る部分適用対象金額} \times \text{その親会社の直接・間接の株式保有割合等} = \text{部分課税対象金額}$$

（注）外国金融子会社等の適用対象親会社が益金の額に算入すべき金額は、別途定める、金融子会社等部分課税対象金額である（措法66の6⑧⑨）。

(2) 特定所得の金額

上記(1)における特定所得の金額とは、上記3．(2)②の受動的所得（保険所得を含む）の金額と異常所得の金額（受動的所得がないとした場合の決算所得の金額から総資産等の金額の50％相当額を控除した金額）をいう（措法66の6⑥十一，措令39の

17の3㉗〜㉛)。

　これは，部分対象外国関係会社は，ペーパー・カンパニーなどと異なり，実質的活動を行うものであるから，受動的所得のみを部分的に合算課税の対象にするものである。

(3) 部分適用対象金額の意義

　上記(1)における部分適用対象金額とは，受取配当等，受取利子等，有価証券貸付対価，固定資産貸付対価，無形資産等使用料および異常所得の金額の合計額と，有価証券譲渡損益，デリバティブ取引損益，外国為替差損益，その他金融所得，保険所得および無形資産等譲渡損益の合計額から前7年以内に生じた欠損金額を控除した金額とを合計した金額をいう（措法66の6⑦，措令39の17の3㉜）。

6．課税対象金額等の益金算入時期

　適用対象親会社が，特定外国関係会社および対象外国関係会社の課税対象金額または部分対象外国関係会社の部分課税対象金額を益金算入する時期は，その特定外国関係会社等の事業年度終了の日の翌日から2月を経過した日を含む事業年度である（措法66の6①⑥）。
　たとえば適用対象親会社と特定外国関係会社等との決算期が同じであれば，益金算入するのは適用対象親会社の翌事業年度となる。

7．剰余金の配当等の益金不算入

　法人が外国子会社（持株割合25％以上の会社）に該当しない外国法人から受ける剰余金の配当等がある場合には，その剰余金の配当等の額のうち，特定課税対象金額に達するまでの金額は，益金の額に算入しないことができる（措法66の8①）。

また，外国子会社に該当する外国法人から受ける剰余金の配当等の額のうち，特定課税対象金額に達するまでの金額についても，益金の額に算入しなくてよい。この場合，外国子会社から受ける配当等の益金不算入額は，通常はその配当等の額の95％相当額になるが（法法23の2），5％相当額の控除をする必要はない（措法66の8②③）。

ここで，特定課税対象金額とは，法人の配当等を受ける日を含む事業年度およびその事業年度開始の日前10年以内に開始した事業年度において益金の額に算入された課税対象金額または部分課税対象金額の合計額をいう（措法66の8④，措令39の19②③）。

これは特定外国子会社等から剰余金の配当等があった場合には，その配当等を益金不算入にすることにより，過去の課税対象金額等との二重課税を調整する趣旨によるものである。

8．適 用 除 外

特定外国関係会社，対象外国関係会社および部分対象外国関係会社であっても，その本店所在地国において，相当の租税負担をしている場合には，外国子会社合算税制の趣旨からみて，適用除外にするのが合理的である。

そこで，外国関係会社の種類に応じて，租税負担割合が次に掲げる割合以上である場合には，外国子会社合算税制は適用されない（措法66の6⑤⑩）。

① 特定外国関係会社……27％
② 対象外国関係会社……20％
③ 部分対象外国関係会社……20％

ここで，租税負担割合とは，外国関係会社の各事業年度の所得に課される租税の額のその所得の金額に対する割合をいう（措法66の6⑤，措令39の17の2①②）。

なお，部分対象外国関係会社にあっては，部分適用対象金額が2,000万円以下である場合または決算所得金額のうちに占める部分適用対象金額の割合が5％以下である場合にも，適用除外となる（措法66の6⑩）。

┌─**(計算例)**─────────────────────────────────────┐
│ ┌───┐ │
│ │　当社の当期における特定外国関係会社の状況，所得金額などは，次 │ │
│ │ のとおりである。   │ │
│ │ 1　特定外国関係会社に対する持株割合   │ │
│ │ 　(1)　当社の持株割合　　　　　　　　　　　　20％ │ │
│ │ 　(2)　当社の外国子会社（当社の持株割合80％）の持株割合　　50％ │ │
│ │ 2　特定外国関係会社の所得状況等   │ │
│ │ 　(1)　本邦法令により計算した所得金額　　　19,000,000円 │ │
│ │ 　(2)　前7年以内に生じた欠損金額　　　　　　7,000,000円 │ │
│ │ 　(3)　納付する法人所得税額　　　　　　　　2,600,000円 │ │
│ └───┘ │
│ **（計　算）**   │
│ 1　**直接・間接の株式の保有割合**   │
│ 　　20％＋80％×50％＝60％   │
│ 2　**適用対象金額**   │
│ 　　19,000,000円－7,000,000円－2,600,000円＝9,400,000円 │
│ 3　**課税対象金額**   │
│ 　　9,400,000円×60％＝5,640,000円   │
│ **（説　明）**   │
│ 1　当社の直接の持株割合は20％であるが，外国子会社を通ずる間接の持 │
│ 　株割合を加算すれば，60％の持株割合になる。   │
│ 2　課税対象金額5,640,000円は，申告書別表四において所得金額に加算 │
│ 　する。   │
└───┘

5 外国法人課税

1．概要と趣旨

外国法人に対しては，各事業年度の所得のうち国内源泉所得から生じる所得について，各事業年度の所得に対する法人税が課される（法法8）。外国法人といえども，わが国で事業を行い，あるいは資産の運用などを行って利益を得ている以上，わが国の課税権に服すべきであるからである。

外国法人に対してどのように課税するかについては，基本的に総合主義と帰属主義の二つの考え方がある。総合主義とは，国内に恒久的施設を有するかぎり，事業所得に限らず，利子，配当等の資産所得についてもすべて課税する方式をいう。これに対して帰属主義は，国内に恒久的施設を有する場合であっても，その恒久的施設に帰せられるべき所得についてのみ課税する方式である。

わが国の法人税法は，総合主義を原則としていたが，平成28年度から帰属主義に変更された。ただし，実際の外国法人課税にあたっては，租税条約により修正されることもある。

2．国内源泉所得の範囲

(1) 国内源泉所得の意義

外国法人に対する課税の対象となる国内源泉所得とは，概念的には国内における事業や資産などにもとづいて得た所得をいう。具体的には次に掲げるものである（法法138，法令176～182）。

① 外国法人がわが国に有する恒久的施設に帰せられるべき所得
② 国内にある資産の運用または保有により生ずる所得
③ 国内にある資産の譲渡により生ずる所得
④ 国内における人的役務の提供事業により受ける対価

⑤　国内にある不動産等の貸付け，鉱業権の設定等または内国法人等に対する船舶もしくは航空機の貸付けの対価
⑥　国内の業務または国内にある資産に関し受ける保険金，補償金または損害賠償金にかかる所得
⑦　国内にある資産の贈与を受けたことによる所得
⑧　国内で発見された埋蔵物または国内で拾得された遺失物にかかる所得
⑨　国内での懸賞募集に基づいて懸賞として受ける金品その他の経済的な利益にかかる所得
⑩　⑥から⑨までの所得のほか，国内の業務または国内にある資産に関し供与を受ける経済的な利益にかかる所得

上記①における恒久的施設とは，①外国法人の国内にある支店，出張所，事業所，事務所，工場，倉庫，鉱山，採石場等，②外国法人の国内にある建設・据付け工事，その指揮監督を行う場所および③外国法人が国内に置く契約締結代理人等をいう（法法2十二の十九，法令4の4）。

(2) 恒久的施設帰属所得の計算

上記国内源泉所得のうち，最も基本的かつ重要なものは，①の恒久的施設帰属所得である。それは外国法人の恒久的施設がその外国法人から独立して事業を行う事業者であるとしたら，その恒久的施設が果たす機能，恒久的施設において使用する資産，恒久的施設と外国法人の本店等との間の内部取引その他の状況を勘案して，恒久的施設に帰せられるべき所得である（法法138①一）。ここで内部取引とは，外国法人の恒久的施設と本店等との間で行われた，独立の事業者間と同様の資産の販売，資産の購入，役務の提供その他の取引をいう（法法138②，法令181）。

つまり，恒久的施設帰属所得は，支店等の恒久的施設があたかも本店等から独立した企業であると擬制した場合に得られる所得である。そこで，恒久的施設帰属所得は，恒久的施設を通じて行う事業にかかる内国法人の課税所得計算に準じた益金の額から損金の額を控除して計算され，内部取引損益の認識や支

店等への資本の配賦が行われ，本店等への支払利子や外国税額控除が認められる（法法142～144の2の3，法令184～190の2）。この点がまさに帰属主義のポイントであり，第三国で得る所得も，恒久的施設に帰属するかぎり課税対象になる。

(3) 租税条約による修正

わが国は現在，外国・地域等との間で85の租税条約を締結している。租税条約は，国際的な商品取引，資本交流，技術提携などの円滑化の促進を図るために，国際的な二重課税の排除や脱税の防止を主目的とする（法法2十二の十九）。また，課税資料の交換や権限ある当局が相互協議を行うことなども重要な目的である。

その租税条約において国内源泉所得につきわが国法人税法と異なる定めがある場合には，条約の適用を受ける法人の国内源泉所得は，その条約の定めるところによる。この場合において，その条約が前記(1)の④（人的役務の提供），⑤（不動産の貸付等）に代わって国内源泉所得を定めているときは，条約により国内源泉所得とされたものをもってこれらに対応する国内源泉所得とみなす（法法139①）。

また，恒久的施設帰属所得を算定する場合において，恒久的施設と本店等との間の内部取引を認めない条約の適用があるときは，内部利子等の支払はできない（法法139②）。

3．外国法人の課税標準

外国法人に対して課する法人税の課税標準は，外国法人を次の二つに区分して，それぞれ次に掲げる国内源泉所得にかかる所得の金額である（法法141）。恒久的施設をわが国内に有するかどうかにより，課税範囲が異なってくる。

① 恒久的施設を有する外国法人……次の国内源泉所得
　　イ　前記2.(1)の①の国内源泉所得
　　ロ　前記2.(1)の②から⑩までの国内源泉所得（イの国内源泉所得を除く）

②　恒久的施設を有しない外国法人……前記2.(1)の②から⑩までの国内源泉所得

このように，恒久的施設の有無により課税標準が異なるが，適用される法人税率や所得税額控除・外国税額控除が認められること，申告納付方法などは，内国法人のそれと同じである（法法143～145，措法42の3の2）。

4．所得税の源泉徴収

外国法人にかかる国内源泉所得のうち，前記2.(1)の③から⑤までのものについては，その所得の受取りの際，所得税の源泉徴収が行われる（所法212）。そうして外国法人が受取りの際源泉徴収された所得税の額は，その国内源泉所得が上記3.の課税標準に含まれ，法人税が課されるものである場合には，納付すべき法人税額から控除される（法法144，68）。

なお，外国法人が支払を受ける利子，配当，工業所有権の使用料，広告宣伝のための賞金，生命保険契約等に基づく年金，定期積金の給付補填金等，匿名組合契約に基づく利益分配などについては，所得税の源泉徴収が行われる（所法212，161）。したがって，たとえば恒久的施設を有しないため，これらの収益について法人税の課税対象にならない場合であっても，源泉徴収による所得税だけは負担すべきことがある。

グローバル・ミニマム課税

1．概要と趣旨

内国法人で特定多国籍企業グループ等に属するものは，各事業年度の所得に対する法人税のほか，各対象会計年度の国際最低課税額について，各対象会計年度の国際最低課税額に対する法人税の納税義務を負う（法法4①，6の2，82～

82の10)。この国際最低課税額に対する課税は，グローバル・ミニマム課税のうちの所得合算ルールで，最低税率を15％と設定し，軽課税国に所在する海外子会社等の実効税率が15％になるまで，その差額をわが国親会社において課税するものである。

これは，OECDの国際合意にもとづき，各国の法人税の引下げ競争に歯止めをかけるとともに，わが国企業の国際競争力の維持，向上につなげる趣旨による。

2．納税義務者

納税義務者は，内国法人で特定多国籍企業グループ等に属するものである。ただし，公共法人は，その納税義務はない（法法4①②，6の2）。

ここで「特定多国籍企業グループ等」とは，多国籍企業グループ等のうち，各対象会計年度の直前4対象会計年度の少なくとも2以上の対象会計年度の総収入金額が7億5,000万ユーロ以上であるものをいう（法法82四）。

また，「多国籍企業グループ等」は，①連結等財務諸表に財産・損益の状況が連結記載される企業集団に属する会社等の所在地国が2以上ある場合のその企業グループ等および②海外に恒久的施設等を有する会社等のことである（法法82三）。

さらに，「対象会計年度」とは，多国籍企業グループ等の最終親会社等（他の会社等の支配持分を直接・間接に有する会社等）の連結等財務諸表の作成期間をいう（法法15の2，82九，十）。

3．課税標準

課税標準は，各対象会計年度の課税標準国際最低課税額であり，これは各対象会計年度の国際最低課税額とする（法法6の2，82の4）。

この「国際最低課税額」は，特定多国籍企業グループ等のグループ国際最低

課税額（①構成会社等に係るグループ国際最低課税額と②共同支配会社等に係るグループ国際最低課税額の合計額）のうち，会社等別国際課税最低額（その構成会社等または共同支配会社等の個別所得金額に応じて配賦される金額）に，内国法人である親会社の帰属割合（所得持分等を勘案した割合）を乗じて計算した金額である（法法82の2①）。

このうち，「構成会社等に係るグループ国際最低課税額」は，特定多国籍企業グループ等の構成会社等ごとの国別国際最低課税額（国別グループ純所得金額×（15％－国別実効税率））とする（法法82の2②一イ）。「共同支配会社等に係るグループ国際最低課税額」についても，基本的に同様の計算を行う（法法82の2④⑤）。

(注) 構成会社等（投資会社等を除く）の属する特定多国籍企業グループ等の3対象会計年度の平均収入金額が1,000万ユーロ未満，かつ，平均利益・損失の額が100万ユーロ未満である場合には，国際最低課税額は零とする（法法82の2⑥）。共同支配会社等にあっても同様である（法法82の2⑩）。

4．税額の計算

納付すべき法人税の額は，各対象会計年度の国際最低課税額に90.7％の税率を乗じて計算した金額である（法法82の5）。

5．申告・納付

納付すべき法人税の確定申告は，各対象会計年度終了の日の翌日から1年3月（最初に確定申告書を提出する場合は，1年6月）以内に行う。ただし，国際最低課税額がない場合には，その提出を要しない（法法82の6）。

その確定申告書に記載した法人税額は，その確定申告書の提出期限までに納付しなければならない（法法82の9）。

なお，その確定申告書の提出は，電子情報処理組織により行う（法法82の7，82

の8)。

6．情報提供義務

　特定多国籍企業グループ等に属する構成会社等は，各対象会計年度における構成会社等の名称，所在地国ごとの国別実効税率，グループ国際最低課税額，特定の規定の適用を受けようとする旨，特定の規定の適用を受けることをやめようとする旨などを提供しなければならない。この提供は，各対象会計年度終了の日から1年3月以内に，e-Taxを使用する方法により，所轄税務署長に対して行う（法法150の3，法令212)。

第8章

法人税額の計算

1 この章では,課税所得の算出後における実際に納付すべき法人税額の計算方法を述べる。
2 納付すべき法人税額は,基本的には課税所得に法人税率を乗じて計算されるが,特定同族会社の留保金課税や使途秘匿金課税など,別途通常の法人税に追加して納付しなければならない場合がある。
3 逆に,納付すべき法人税額から控除できる制度として,所得税額控除や外国税額控除,特別税額控除などがある。

1 総説

　法人税の各事業年度の所得金額が算出されたら，次は納付すべき法人税額の計算である。納付すべき法人税額は，基本的には所得金額に法人税率を乗じて計算する（法法66）。

　しかし各種の政策的な見地から，特定部分の所得や利益，取引金額を基礎に別途計算した税額を，通常の法人税額に加算しなければならない制度が設けられている。すなわち特定同族会社の留保金課税（法法67），使途秘匿金課税（措法62）および土地譲渡益重課税（措法62の3，63）である。

　一方，このようにして算出された法人税額から控除する税額控除制度が認められている。たとえば所得税額控除（法法68）や外国税額控除（法法69），粉飾決算による税額控除（法法70），試験研究費の特別税額控除（措法42の4）である。

　このように，法人が納付すべき法人税額は，単に所得金額に税率を乗じて計算した金額ではない。通常の法人税額に加算し，または法人税額から控除する各種の特例を適用して最終的に納付すべき法人税額が算出される。

2 法人税率

1．概要と趣旨

　税率とは，納付すべき税額を算出するために課税標準に乗ずる比率または課税標準の単位当たりの金額をいう。法人税率は，所得金額に乗ずる比率として定められた税率である。

　すなわち現行法人税の基本税率は23.2％である（法法66①）。これは外国法人でも同じ（法法143）。ただし，公益法人等（一般社団法人等を除く）または協同組合等の税率は19％に軽減されている（法法66③）。

第8章 法人税額の計算

税率には比例税率、累進税率および逆進税率があるが、現行法人税率は比例税率である。ただし、普通法人のうち期末資本金が1億円以下の法人と人格のない社団等に対する税率は、一種の累進税率となっている（法法66①②，143②）。

2．法人別の法人税率

現行の各事業年度の所得に対する法人税率は、法人の種類別に次表のとおりである（法法66，措法42の3の2，67の2，68，措令27の3の2）。

法人の種類		所得金額のうち	
		年800万円以下の金額	年800万円を超える金額
普通法人	① 期末資本金が1億円を超えるもの ② 相互会社	23.2%	
	① 期末資本金が1億円以下のもの ② 資本または出資を有しないもの	15%	23.2%
一般社団法人等		15%	23.2%
人格のない社団等		15%	23.2%
公益法人等（一般社団法人等を除く）		15%	19%
協同組合等		15%	19%
特定の医療法人		15%	19%

(注) 1　上記表の「15%」の税率は、平成24年4月1日から令和7年3月31日までの間に開始する各事業年度の所得について適用される。
　　 2　「普通法人」の「①期末資本金が1億円以下のもの」のうち、資本金が5億円以上の法人や相互会社等による完全支配関係がある法人については、15%の軽減税率は適用されず、すべて23.2%の税率になる。
　　 3　「一般社団法人等」とは、非営利型法人である一般社団法人、一般財団法人、公益社団法人および公益財団法人をいう。
　　 4　「協同組合等」のうち、特定の地区または地域にかかるもので、物品供給事業（組合員への電気供給事業を含む）にかかる収入金額の総収入金額に占める割合が50%超、組合員数が50万人以上で、店舗における物品供給事業の収入金額が1,000億円以上の事業年度にあっては、所得金額のうち10億円を超える部分の法人税率は「22%」となる。
　　 5　「特定の医療法人」とは、財団たる医療法人または社団たる医療法人で持

分の定めのないもののうち、公益の増進に著しく寄与し、かつ、公的に運営されていることにつき国税庁長官の承認を受けたもの（社会医療法人を除く）をいう。
6　「特定の医療法人」のうち、資本金が5億円以上の法人や相互会社等による完全支配関係があるものについては、15％の軽減税率は適用されず、すべて19％の税率になる。

（計算例）

> 当社（資本金1億円）の当期（令和6.4.1～令和7.3.31）の所得金額は68,303,902円である。

（計　算）

1　年800万円相当額以下の所得金額に対する税額

$8,000,000円 \times \dfrac{12}{12} \times 15\% = 1,200,000円$

2　年800万円相当額を超える所得金額に対する税額

$68,303,902円 - 8,000,000円 = 60,303,902円 \rightarrow 60,303,000円$

$60,303,000円 \times 23.2\% = 13,990,296円$

3　法人税額合計

$1,200,000円 + 13,990,296円 = 15,190,296円$

（説　明）

課税標準の1,000円未満の端数は切り捨てる（通法118）。

特定同族会社の留保金課税

1．概要と趣旨

特定同族会社の各事業年度の留保金額が留保控除額を超える場合には、その超える部分の留保金額（課税留保金額）に特別税率を乗じて計算した金額を、通

常の法人税額に加算した金額を納付すべき法人税額とする（法法67）。これを特定同族会社の留保金課税という。

　法人が稼得した利益を配当金や役員賞与として分配すると，それを受け取った株主や役員に対して累進税率による所得税が課される。ところが同族会社は，少数の株主が経営を支配し，また，株主のほとんどがその役員であることが多い。そのため同族会社では，株主や役員に対する所得税負担を免れるため，利益配当や役員賞与の支給を抑制し，社内留保を図るといった傾向がみられる。

　これをそのまま放置すると，所得税課税の時期が遅れ同族会社と個人企業や非同族会社との間にアンバランスが生じる。特定同族会社の留保金課税は，そのアンバランスを是正する趣旨のものである。

2．適用対象法人

　特定同族会社の留保金課税は，特定同族会社に対して適用される。ここに特定同族会社とは，株主等の1人（特殊の関係のある個人・法人を含む）が発行済株式等の50％を超える株式等を有する会社（被支配会社）をいう（法法67①②）。

　この場合，特定同族会社の判定にあたって，株主等の中に被支配会社でない法人があるときは，その被支配会社でない法人を除外して判定してもなお被支配会社であるものに限って留保金課税は適用される（法法67①）。たとえば被支配会社でない大企業の子会社には留保金課税は適用されない。

　また，資本金（出資金）の額が1億円以下である会社についても，留保金課税の適用はない。ただし，資本金が5億円以上の法人や相互会社等の完全支配関係子会社を除く。

3．留 保 金 額

　特定同族会社の留保金課税における留保金額とは，次により計算した金額をいう（法法67③，法令139の10）。

| 当期の所得等の金額のうち留保した金額 | 当期の所得に対する法人税額および地方法人税額 | 左の法人税額に10.4％を乗じて計算した都道府県民税額および市町村民税額 |

「当期の所得等の金額のうち留保した金額」とは，次の①から⑦までの合計額から⑧を減算した金額のうち留保した金額をいう。具体的には，申告書別表四の「留保②(52)」欄の金額である。

① 当期の所得の金額
② 受取配当等の益金不算入額（法法23）
③ 外国子会社からの受取配当等の益金不算入額（法法23の2）
④ 完全支配関係法人からの受贈益の益金不算入額（法法25の2）
⑤ 還付金等の益金不算入額（法法26）
⑥ 繰越欠損金の損金算入額（法法57，59）
⑦ 収用等の場合の特別控除額など（措法59⑥，65の2⑨，65の3⑦等）
⑧ 中間申告における繰戻還付による災害損失欠損金の益金算入額（法法27）

当期の所得に対する法人税額および住民税額を留保した金額から控除するのは，これらの租税は当期の所得の中から外部へ流出するからである。

4．留保控除額

特定同族会社の留保金課税における留保控除額とは，次に掲げる金額のうち最も多い金額をいう（法法67⑤）。

この留保控除額は，特定同族会社といえども将来に備えて社内留保を図る必要があるので，その部分は課税対象から除外する趣旨である。

① 当期の所得等の金額の40％相当額
② 年2,000万円
③ 期末資本（出資）金額の25％相当額からすでに積み立てている利益積立金額を控除した金額

①と②は政策的に決められたものであるが，③はかつて商法が会社は資本金

第8章　法人税額の計算

の25％相当額まで利益準備金の積立てを必要としていたこと（旧商法288）と整合性を図ったものである。

5．特別税率

特定同族会社の留保金課税における特別税率は，課税留保金額を次表のように区分して，それぞれ次表のとおりである（法法67①）。これは一種の累進税率といえよう。

課税留保金額のうち	特別税率
年3,000万円以下の金額	10％
年3,000万円を超え，年1億円以下の金額	15％
年1億円を超える金額	20％

この金額ごとに区分した課税留保金額に，それぞれの特別税率を乗じて留保金に対する法人税額が計算される。

(計算例)

1　当社の当期（令和6.4.1～令和7.3.31）における所得金額等は，次のとおりである。

(1)	所 得 金 額（別表四「52①」）	68,303,902円
(2)	留保所得金額（別表四「52②」）	62,628,262円
(3)	受取配当等の益金不算入額	1,324,000円
(4)	外国子会社配当の益金不算入額	665,000円
(5)	欠損金の当期控除額	15,180,548円
(6)	収用等の特別控除額	5,000,000円
(7)	課税対象留保金額の益金算入額	5,640,000円
(8)	法 人 税 額	15,190,296円
(9)	地方法人税額	1,255,570円
(10)	法人税額からの控除所得税額等	369,683円

⑾　法人税額からの控除外国税額　　　　　　　　800,000円
　⑿　法人税額からの試験研究費の特別控除額　　3,000,000円
　⒀　前期の決算確定による剰余金の配当（前期末配当）の額
　　　　　　　　　　　　　　　　　　　　　　1,500,000円
　⒁　期末資本金の額　　　　　　　　　　　　120,000,000円
　⒂　期首現在利益積立金額（期中増減なし）　　12,000,000円
２　当社は令和7年3月31日を基準日，令和7年6月25日を決算確定の日および支払決議の日として，350万円の剰余金の配当を行う。

（計　算）

１　当期留保金額

⑴　前期末配当等の額　　1,500,000円

⑵　当期末配当等の額　　3,500,000円

⑶　法人税額及び地方法人税額
　　15,190,296円－369,683円－800,000円－3,000,000円＋1,255,570円
　　＝12,276,183円

⑷　住　民　税　額
　　(15,190,296円－800,000円)×10.4％＝1,496,590円

⑸　当期留保金額
　　62,628,262円＋1,500,000円－3,500,000円－12,276,183円
　　－1,496,590円＝46,855,489円

２　留保控除額

⑴　所得基準額
　　(68,303,902円＋1,324,000円＋665,000円＋15,180,548円
　　＋5,000,000円－5,640,000円)×40％＝33,933,380円

⑵　定額基準額　20,000,000円×$\dfrac{12}{12}$＝20,000,000円

(3) 積立金基準

   120,000,000円×25％－12,000,000円＝18,000,000円

3 **課税留保金額**

   46,855,489円－33,933,380円＝12,922,109円→12,922,000円

4 **留 保 税 額**

   12,922,000円×10％＝1,292,200円

（説　明）

1 令和7年3月31日を基準日とする剰余金の配当3,500,000円は，当期において支払われたものとする（法法67④）。
2 当期の留保所得金額から控除する法人税額は，控除所得税額等，控除外国税額および試験研究費の特別控除額を控除後の税額であり，住民税額を計算する基礎になる法人税額は所得税額控除および試験研究費の特別控除額を適用しない法人税額である。
3 留保控除額の所得基準額の計算の基礎になる所得金額には，受取配当等の益金不算入額1,324,000円，外国子会社配当の益金不算入額665,000円，欠損金の控除額15,180,548円および収用等の特別控除額5,000,000円が含まれ，課税対象留保金額の益金算入額5,640,000円は除かれる。

4 使途秘匿金課税

1．概要と趣旨

　法人が平成6年4月1日以後に使途秘匿金を支出した場合には，その使途秘匿金の支出額の40％相当額を通常の法人税額に加算した金額を納付すべき法人税額とする（措法62）。これを使途秘匿金課税という。

　使途秘匿金の「支出」という行為をとらえて，その使途秘匿金の額を課税標

準として法人税が課される。そこで，根拠規定である租税特別措置法第62条の冒頭において，「法人（公共法人を除く）は……，その使途秘匿金の支出について法人税を納める義務があるものとし」とわざわざ宣言している。

使途秘匿金課税制度は，法人が税務当局に相手方の氏名や住所などを秘匿するような支出は，違法ないし不当な支出につながり，公正な取引を阻害するおそれがあるところから，その支出の抑制を目的に設けられている。

2．使途秘匿金の支出

使途秘匿金課税の対象になる使途秘匿金の支出とは，法人がした金銭の支出のうち，相当の理由がなく，その相手方の氏名（名称），住所（所在地）および支出の事由を帳簿書類に記載していないものをいう（措法62②）。支出の相手方の氏名，住所または支出の事由のいずれか一つでも記載がなければ，使途秘匿金に該当する。

ここで「金銭の支出」には，贈与，供与などの目的のためにする金銭以外の資産の引渡しを含む。したがって，使途秘匿金には金銭だけでなく物品の贈与などもなり得る。

3．使途秘匿金課税の適用除外

使途秘匿金課税は，帳簿書類に相手方の氏名等の記載がなくても，次の三つの場合のいずれかに該当するときは適用されない。

① 金銭の支出の相手方の氏名等が帳簿書類に記載されていないことに「相当の理由」がある場合（措法62②）

「相当の理由」は，現金取引や小口取引，不特定多数取引といった取引の性格や商慣習などからみて，相手方の氏名等を記載しなくてもやむを得ないと認められるような事情をいう。はじめから相手方の氏名等を確認せず，あるいは氏名等がわからないのが普通であり，帳簿書類への記載を期待することに無理

があるといった場合である。たとえば，女中や運転手へのチップの支払，得意先へのカレンダー，手帳等の頒布，災害による帳簿書類の消失などの場合が考えられる。

② 金銭の支出が資産の譲受けなどの対価の支払であり，その対価として相当である場合（措法62②）

金銭の支出の相手方の氏名等は必ずしも明確でないが，購入した資産の存在や関係資料などから，仕入代金や資産の購入代価として支払われたことが明らかであるような場合である。たとえば，一般消費者からの古本や古紙，書画，骨とうの仕入れなどが該当する。このような支出まで使途秘匿金課税の対象にするのは適当でない。

③ 税務署長が金銭の支出の相手方の氏名等を記載していないことは使途を秘匿するためでないと認める場合（措法62③）

法人に使途を秘匿しなければならない理由は特になく，相手方の氏名等は時間をかけて調べればわかるが，ただ単に帳簿書類への記載がないような場合である。たとえば，帳簿書類の記帳，整理，保存が不十分なような場合が考えられる。

4．帳簿書類への記載

使途秘匿金の支出であるかどうかは，金銭が支出された相手方の氏名等の帳簿書類への記載の有無が基準になる。この場合，仮に相手方の氏名等が帳簿書類に記載されていても，その金銭の支出が記載された者を通じて別の者にされたと認められるときは，その記載はされていないものとする（措令38③）。

また，相手方の氏名，住所および支出の事由の記載は，真実のものでなければならない。虚偽の記載があっても，相手方の氏名等の記載があったとはいえない。

5 土地譲渡益重課税

　法人が土地の譲渡等をした場合には，その土地の譲渡利益金額の5％相当額を通常の法人税額に加算した金額を法人税額とする（措法62の3）。ただし，法人が所有期間が5年以下である短期所有の土地の譲渡等をした場合には，「5％相当額」は「10％相当額」となる（措法63）。これを土地譲渡益重課税という。

　昭和40年代から平成3年頃まで，法人が投機目的で実需の伴わない不要不急の土地を取得して，他に転売することにより大きな利益を得る行為が目立った。これが地価の高騰を招いた一つの要因でもあった。

　そこで，法人の投機目的の土地売買を抑制し，地価の安定を図るため，土地譲渡益重課税制度が設けられている。ただし，最近における土地取引の動向や地価の下落傾向にかんがみ，平成10年1月1日から令和8年3月31日までの間にした土地の譲渡等については，重課税制度の適用はない（措法62の3⑮，63⑧）。現在，土地譲渡益重課税制度は適用が凍結されている。

6 所得税額等の控除

1．概要と趣旨

　法人が各事業年度において利子，配当などの支払を受ける場合には，これらにつき課される所得税および復興特別所得税（所得税等）の額は，納付すべき法人税額から控除する（法法68，復興財源確保法33②）。そして法人税額から控除しきれない所得税等の額は還付される（法法78）。これを所得税額等の控除という。

　法人が預貯金の利子や株式の剰余金配当などの支払を受ける際には，これら収益のなかから所得税等の源泉徴収が行われ（所法174，復興財源確保法28），所

第8章　法人税額の計算

得税等が課される。これをそのまま放置すると，所得税と法人税との二重課税が生じるので，納付すべき法人税額からの控除が認められている。

2．控除対象となる所得税等の額

　所得税額等の控除の対象となる所得税等の額は，所得税法第174条各号に規定する利子等，配当等，給付補塡金，利息，利益，差益，利益の分配または賞金の支払を受ける際に課される所得税等の額である（法法68①）。

　具体的には，公社債および預貯金の利子，剰余金の配当，利益の配当および剰余金の分配，定期積金等の給付補塡金，抵当証券の利息，貴金属の売戻条件付売買の利益，外貨投資口座の為替差益，一時払養老保険および一時払損害保険の差益，匿名組合契約の利益の分配，馬主が受ける競馬の賞金などの支払を受ける際に課される所得税等（分配時調整外国税相当額を除く）が該当する。

　なお，災害があったことにより，仮決算の中間申告において所得税額等の還付を受けている場合（法法78，133①）には，その還付金は上記の所得税等に含まない（法法68③）。

　（注）　法人が令和5年10月1日以後に支払を受ける，①完全子法人株式等および②直接保有株式等の持株割合が3分の1超である株式等に係る配当等については，所得税等の源泉徴収はされない（所法177，212③）。

3．控除所得税等の額の計算

(1)　総　　説

　納付すべき法人税額から控除される所得税等の額は，次に掲げる区分に応じそれぞれ次の金額である（法令140の2①）。

　①　法人から受ける剰余金の配当・利益の配当・剰余金の分配（みなし配当を除く），金銭の分配，集団投資信託の収益の分配などに対する所得税等
　　……その元本を所有していた期間に対応する部分の所得税等の額

　②　①以外の所得税……その全額

335

①はその元本である株式，出資，信託受益権などは，転々流通するところから，自社が所有していた期間に対応する所得税等の額だけ控除を認める趣旨である。

(2) 所有期間あん分の方法

上記(1)①の元本の所有期間に対応する所得税等の額は，法人の選択により次の①または②の方法のいずれかにより計算する（法令140の2②③）。

① 原 則 法

$$\text{所得税等の額} \times \frac{\text{元本の所有期間の月数（端数切上げ）}}{\text{配当等の計算期間の月数（端数切上げ）}}$$

$$\text{（小数点以下3位未満切上げ）}$$

② 簡 便 法

$$\text{所得税等の額} \times \frac{\text{配当等の計算期間開始時の元本の数} + \left(\text{配当等の計算期間終了時の元本の数} - \text{配当等の計算期間開始時の元本の数}\right) \times \frac{1}{2}}{\text{配当等の計算期間終了時の元本の数}}$$

（注） 利子配当等の計算期間が1年を超えるものについては，「$\frac{1}{2}$」は「$\frac{1}{12}$」とする。

②の簡便法は，株式の売買を頻繁に行う法人の事務手数の軽減に配慮したものである。

なお，簡便法は配当等の元本を株式・出資および集団投資信託の受益権の二つに区分し，銘柄ごとに適用する。

4．控除所得税等の損金不算入

所得税額等の控除の適用を受ける所得税等の額は，法人税の課税所得の計算上，損金の額に算入されない（法法40）。これは税込所得金額を基礎として法人

第8章　法人税額の計算

税額を計算し，これから所得税等の額の控除をする趣旨である。

(計算例)

当社の当期（令和6.4.1～令和7.3.31）における源泉所得税等の納付状況等は，次のとおりである。税引手取額を収益に計上している。

区　　分	支払基準日等	配当等の額	源泉所得税等
A株式	令6.12.31	400,000円	円
B株式	令6.9.30	500,000	102,100
C株式	令6.3.31	800,000	122,520
D株式投資信託 （決算分配金）	令6.1.1～令6.12.31	300,000	45,945
E公社債投資信託	令6.1.1～令6.12.31	100,000	15,315
銀行預金利息		600,000	91,890
合　　計		2,700,000	377,770

(注) 1　A株式は，完全子法人株式等に該当する。
　　 2　C株式の異動状況は，次のとおりである。
　　　　 (1)　令和5年4月1日現在所有株式数　　　　13,000株
　　　　 (2)　令和6年2月28日現在所有株式数　　　　12,000株
　　　　 (3)　令和6年3月10日取得株式数　　　　　　 3,000株
　　　　 (4)　令和6年3月31日現在所有株式数　　　　15,000株
　　 3　A株式，B株式，D株式投資信託およびE公社債投資信託は，いずれも前期以前に取得したもので，当期中の異動はない。
　　 4　源泉所得税等は，復興特別所得税額を含んだ額である。

(計　算)

1　株式の控除所得税額

(1)　原　則　法

　①　C　株　式

$$122,520円 \times \frac{12,000株}{15,000株} + 122,520円 \times \frac{3,000株}{15,000株} \times \frac{1}{12}(0.084)$$

　　＝100,074円

　②　B株式　102,100円

③　合　　計　100,074円＋102,100円＝202,174円
(2)　簡　便　法
　　　①　C　株　式
$$122,520円 \times \frac{13,000株＋(15,000株－13,000株) \times \frac{1}{2}}{15,000株} \text{(0.934)}$$
　　　＝114,433円
　　　②　B株式　102,100円
　　　③　合　　計　114,433円＋102,100円＝216,533円
2　控除所得税額合計
　　216,533円＋45,945円＋15,315円＋91,890円＝369,683円
（説　明）
　　復興特別所得税額も，所得税額控除の対象になる。

7　外国税額控除

1．概要と趣旨

　法人が各事業年度において外国法人税を納付する場合には，当期の所得に対する法人税額のうち国外源泉所得に対応する部分の金額は，納付すべき法人税額から控除される。そして法人税額から控除しきれない外国法人税額は翌期以降に繰り越して，その後3年以内の事業年度において法人税額から控除することができる。逆に控除限度額に余裕があるときは，翌期以降3年以内の事業年度の控除限度額の枠として使用することができる（法法69）。これを外国税額控除という。

　内国法人には，外国で稼得した所得である国外源泉所得に対してもわが国の法人税が課される。そうすると，その国外源泉所得に対して現地国で法人税が

課されている場合，国際的な二重課税が生じる。外国税額控除は，その国際的二重課税を排除する趣旨のものである。

> （注）　令和2年1月1日以後に集団投資信託の収益分配を受ける際の分配時調整外国税相当額についても，法人税額からの控除ができる（法法69の2，平成30年改正法法附則23）。

2．外国法人税の範囲

(1)　外国法人税の意義

外国税額控除の対象になる外国法人税とは，外国の法令にもとづき外国またはその地方公共団体により法人の所得を課税標準として課される税をいう（法法69①，法令141①）。外国法人税は「所得を課税標準として課される税」であるから，広義の所得税を意味する。間接税はもとより売上高や事業規模などを基準に課される税は，外国法人税に該当しない。

(2)　外国法人税に含まれる税

外国またはその地方公共団体により課される次に掲げる税は，外国法人税に含まれる（法令141②）。

① 　超過利潤税その他法人の所得の特定部分を課税標準として課される税……超過所得や特別留保金などの特定部分を課税標準として課される税である。

② 　法人の所得またはその特定部分を課税標準として課される税の付加税……たとえば，わが国の法人住民税の法人税割に相当する税である。

③ 　法人の所得を課税標準として課される税と同一の税目に属する税で，法人の特定の所得につき，徴税上の便宜のため，所得に代えて収入金額などを課税標準として課されるもの……利子，配当，使用料などに対する源泉徴収所得税が典型例である。

④ 　法人の特定の所得につき，所得を課税標準とする税に代え，法人の収入金などを課税標準として課される税

(3) 外国法人税に含まれない税

外国またはその地方公共団体により課される税であっても，次に掲げるものは外国法人税に含まれない（法令141③）。

① 納税者が，その税の納付後，任意にその金額の全部または一部の還付を請求することができる税
② 税の納付が猶予される期間を，納税者が任意に定めることができる税
③ 複数税率の中から税を納付することとなる者と外国やその地方公共団体等との合意により税率が決定された税（その複数税率のうち最も低い税率を上回る部分に限る）
④ 外国法人税に附帯して課される附帯税に相当する税その他これに類する税

①～③は実質的にみて税というには疑問のあるものであり，④はペナルティとして課されるものであるから，外国法人税とはならない。

3．外国税額控除の態様

(1) 直接外国税額控除

内国法人の海外の支店，工場，事務所等が稼得した国外所得に対して課された外国法人税額や外国企業から受け取る利子，配当，使用料等の投資所得につき外国で源泉徴収された所得税額など，内国法人がみずから納税義務者になって課された外国法人税額は，わが国で納付すべき法人税額から控除する（法法69①）。

これは内国法人が直接納付した外国法人税につき控除するものであるから，直接外国税額控除といい，外国税額控除制度の原型である。

(2) みなし外国税額控除

法人の所得が生じた国において特別措置その他により軽減または免除された法人税額について，あたかも本来の課税が行われたものとみなして，わが国の

外国税額控除の対象にすることができる。これは実際には納付していない法人税額について税額控除を認めるものであり，みなし外国税額控除という。

　発展途上国においては，外国から自国への投資を促進するため，外国法人が自国内で稼いだ所得に対する課税を免除し，または軽減していることがある。この減免された税額は，実際に納付されていないから，外国税額控除の対象にならず，わが国で取り戻されてしまう。これでは，せっかく発展途上国が意図している経済効果が減殺される。そこで二国間の租税条約にもとづき，その減免された税額は，発展途上国で納付したものとみなして，外国税額控除の対象にするのである。

　現在，ザンビア，スリランカ，タイ，中国，バングラディシュ，ブラジルとの租税条約において認められている。

(3)　外国子会社合算税制の外国税額控除

　法人が外国子会社合算税制の適用を受ける場合には，外国関係会社の所得に対して課される外国法人税額のうち課税対象金額等に対応する金額は，その法人が納付する外国法人税額とみなして，外国税額控除の対象にすることができる（措法66の7，66の9の3）。これは国際的な二重課税を排除する趣旨から税額控除を行うものである。

　この場合の控除対象になる金額は，基本的に次の算式により計算した金額である（措令39の18）。

$$\text{外国関係会社の所得に課される外国法人税額} \times \frac{\text{課税対象金額}}{\text{適用対象金額等}＋\text{子会社からの配当の額}}$$

　なお，外国子会社合算税制については，第7章の4を参照のこと。

4．外国税額控除額の計算

(1) 控除限度額

納付すべき法人税額から控除できる外国法人税の控除限度額は，次の算式により計算した金額である（法法69①，法令142）。

$$当期の法人税額 \times \frac{調整国外所得金額}{当期の所得金額}$$

この算式におけるそれぞれの金額の意義等は，次のとおりである。
① 「当期の法人税額」とは，法人税額の特別控除の適用後で，所得税額控除等の適用前の金額をいう。
② 「当期の所得金額」とは，欠損金の繰越控除（法法57）の適用前の全世界所得金額をいう。
③ 「調整国外所得金額」とは，国外源泉所得にかかる所得のみにわが国法人税を課すとした場合の欠損金の繰越控除の適用前の所得金額（外国法人税が課されない国外源泉所得にかかる所得金額を控除した金額）をいう。ただし，国外所得金額が「当期の所得金額」の90％相当額を超える場合には，その90％相当額を調整国外所得金額とする。

(2) 控除対象外国法人税額

前記3．(1)から(3)までにより法人が納付することとなる外国法人税額は，上記の控除限度額を限度として，納付すべき法人税額から控除することができる。ただし，個々の外国法人税額のうちに，実効税率が35％を超える高率の税率により課される部分の金額がある場合には，その高率負担部分の金額は外国税額控除の対象から除外される（法法69①）。実際に税額控除の対象になるのは，法人が納付することとなる外国法人税額から高率負担部分の金額を差し引いた金額である。これを控除対象外国法人税額という。

この場合の高率負担部分の金額は，基本的に次により計算した金額である

(法令142の2)。

① 原　　則

> その外国法人税額－課税標準額×35％

② 利　子　等

> その源泉徴収外国法人税額－利子等の収入金額×10％
> 　　　　　　　　　　　　　　　（所得率によって変動）

　このように，高率負担部分の金額を税額控除の対象から除外しているのは，国外所得金額を国別ではなく一括して税額控除枠を計算する結果，高税率国と低税率国との税額控除枠の彼此流用が生じることを防止するためである。

　また，内国法人の通常行わない取引に基因して生じた所得に課される外国法人税額やわが国では法人税が課されない金額に課される外国法人税額などは，控除対象外国法人税額に含まれない（法令142の2⑤～⑧）。

5．控除限度超過額と控除余裕額の繰越

　当期の控除対象外国法人税額が当期の控除限度額を超えるため控除しきれない金額が生じた場合には，その控除しきれない金額（控除限度超過額）は，翌期以降3年以内の事業年度において控除限度額に余裕が生じた範囲内で控除することができる（法法69③）。

　逆に，当期の控除対象外国法人税額が当期の控除限度額に満たないため控除限度額に余裕が生じた場合には，その余裕額（控除余裕額）は，翌期以降3年以内の事業年度において控除限度額として使用することができる（法法69②）。

　これは控除対象外国法人税額と控除限度額とは3事業年度で通算するということである。国外所得金額の発生と外国法人税の課税との時期がずれることなどを調整する趣旨である。

　なお，当期の控除対象外国法人税額が控除限度額を超えるときは，その超え

る金額は地方法人税額から控除することができる（地方法人税法12）。

6．地方税の外国税額控除

外国税額控除の対象になる外国法人税額（控除対象外国法人税額）には，国税および地方税が含まれている（法法69①）。そこで，都道府県民税および市町村民税にも外国税額控除制度が設けられている（地法53㊳，321の8㊳）。そして税額控除の順序は，法人税（国税），地方法人税（国税），都道府県民税および市町村民税の順である。

都道府県民税および市町村民税の控除限度額は，原則として法人税の控除限度額に都道府県民税は1％（標準税率），市町村民税は6％（標準税率）の税率を乗じた金額とする（地令9の7⑥，48の13⑦，57の2）。ただし，特例として実際の適用税率により計算することもできる。

（計算例）

1　当社は当期（令和6.4.1〜令和7.3.31）において，外国子会社A社(当社の持株割合20％)から配当金8,000,000円を受取り，源泉徴収外国税額800,000円を控除した7,200,000円を収益として計上している。
2　当社の当期の所得金額は83,484,961円（外国税額加算，欠損金控除前），差引法人税額は12,190,296円である。
3　前期から繰り越した繰越控除限度額は1,200,000円である。

（計　算）

1　**控除対象外国法人税額**

　　800,000円＜8,000,000円×35％　　∴　800,000円

2　**控除外国法人税額**

　(1)　国外所得金額

　　　83,484,961円×90％＝75,136,464円

　　　　75,136,464円＞8,000,000円　　∴　8,000,000円
(2) 控除限度額
$$12{,}190{,}296円 \times \frac{8{,}000{,}000円}{83{,}484{,}961円} + 1{,}200{,}000円$$
　　＝2,368,142円
(3) 控　　除　　額　800,000円＜2,368,142円　　∴　800,000円

（説　明）
1　控除限度額の計算の基礎となる調整国外所得金額は，外国子会社Ａ社からの配当金8,000,000円となる（法法69④）。
2　控除対象になる外国税額800,000円は損金の額に算入されない（法法41）。

8　粉飾決算による過大申告の税額控除

1．概要と趣旨

　法人が申告・納付した法人税額が過大である場合には，税務署長は減額更正を行い，その過大に納付された法人税額は遅滞なく金銭で還付するのが原則である（通法56）。
　しかし，法人が仮装経理（粉飾決算）にもとづいて所得金額を過大に計算し，確定申告を行った場合には，税務署長は，法人が修正の経理をし，かつ，その修正の経理をした事業年度の確定申告書を提出するまでの間は，更正をしないことができる（法法129①）。
　そして，税務署長が仮装経理をした事業年度の法人税につき更正をした場合には，その更正により減少する法人税額のうち仮装経理にもとづく金額（仮装経理法人税額）は，直ちに還付することなく，原則としてじ後５年内に開始する事業年度の法人税額から順次控除する（法法70，135）。

法人の粉飾決算にもとづく過大申告は意図的なものであり，会社法や企業会計，税務上も問題がある。これらの特例は，粉飾決算による大型倒産事件を契機に，粉飾決算の防止を目的に定められている。

2．仮装経理の範囲

粉飾決算にもとづく過大申告の特例の対象になる仮装経理とは，事実を仮装した経理をいう（法法129①，135①）。単なる計算誤りや事実認識の違いではなく，意図的に事実を歪曲して利益を過大に経理することである。典型的には，意図的な売上や収益の過大計上，仕入や経費の過少計上，期末棚卸資産の過大計上などが該当する。

一方，故意に減価償却費や評価損，引当金などの内部取引を過少に計上することも，企業会計では粉飾決算になろう。しかし法人税では，これらの費用を故意に過少に計上したとしても，仮装経理には該当しない。これら内部取引から生じる費用は損金経理があってはじめて損金として認められ，その損金経理をするかどうかは法人の任意であるからである（法法31，33，52，旧53）。

3．修正経理の意義

法人の粉飾決算にもとづく過大申告に対しては，法人が修正の経理をしなければ，原則として税務署長は減額更正を行わない（法法129①）。この場合の修正の経理とは，仮装経理をした事業年度後の事業年度の確定した決算において，仮装した事実を「前期損益修正損」や「繰越利益剰余金」などに計上し，仮装経理が修正された旨を明らかにする経理をいう。

この前期損益修正損は，仮装経理をした事業年度の損金であり，修正の経理をした事業年度の損金ではない。したがって，修正の経理をした事業年度では，前期損益修正損は申告調整により所得金額に加算しなければならない。

4．5年間の税額控除と還付

　税務署長が仮装経理にもとづく過大申告があった事業年度の法人税につき更正をしたときは，法人税として納付された金額のうち仮装経理法人税額は，その更正があった事業年度開始の日から5年を経過する各事業年度の所得に対する法人税額から順次控除する（法法70①，135③）。ただし，その更正があった事業年度開始の日前1年以内に開始する事業年度の法人税額がある場合には，その法人税額（仮装経理法人税額を限度）は還付する（法法135②）。

　法人がその後5年以内に解散し残余財産が確定した場合や5年以内の各事業年度で控除しきれなかった場合には，控除未済の金額は還付する（法法135③）。

　また，法人につき更生手続開始の決定や再生手続開始の決定などの事実が生じた場合には，その事実が生じた日以後1年以内に，所轄税務署長に対し，仮装経理法人税額の還付を請求することができる（法法135④，法令175）。

 特別税額控除

1．概要と趣旨

　以上に述べたのは，法人税法に定められている税額控除制度である。このほか租税特別措置法に税額控除制度が設けられている。これらは，試験研究の促進やエネルギー対策，中小企業対策など，特別の政策目的を達成するためのものであるから，特別税額控除といわれる。その種類は，次のとおりである。

① 試験研究を行った場合（措法42の4）
② 中小企業者等が機械等を取得した場合（措法42の6）
③ 沖縄の特定地域において工業用機械等を取得した場合（措法42の9）
④ 国家戦略特別区域において機械等を取得した場合（措法42の10）
⑤ 国際戦略総合特別区域において機械等を取得した場合（措法42の11）

⑥　地域経済牽引事業促進区域内において特定事業用機械等を取得した場合（措法42の11の2）
⑦　地方活力向上地域等において特定建物等を取得した場合（措法42の11の3）
⑧　地方活力向上地域等において雇用者の数が増加した場合（措法42の12）
⑨　認定地方公共団体に寄附をした場合（措法42の12の2）
⑩　中小企業者等が特定経営力向上設備等を取得した場合（措法42の12の4）
⑪　給与等の支給額が増加した場合（措法42の12の5）
⑫　認定特定高度情報通信技術活用設備を取得した場合（措法42の12の6）
⑬　事業適応設備を取得した場合（措法42の12の7）

　これら特別税額控除は，試験研究費の額や資産の取得価額，雇用者数，寄附金，給与額を基礎に所定の控除割合を乗じた金額につき法人税額からの控除が認められる。

（注）　震災特例法においても，6種類の特別税額控除が認められている。

2．試験研究を行った場合の特別税額控除

(1) 試験研究費の意義

　青色申告法人の各事業年度において，試験研究費の額がある場合には，特別税額控除をすることができる（措法42の4）。これを研究開発税制と呼ぶ。

　この場合の「試験研究費の額」とは，次に掲げる金額の合計額（試験研究費に充てるための他の者から支払を受けるものを除く）をいう（措法42の4⑲一，措令27の4⑤～⑦）。

①　次に掲げる費用の額で損金算入されるもの
　　イ　製品の製造または技術の改良，考案もしくは発明に係る試験研究（新たな知見を得るためまたは利用可能な知見の新たな応用を考案するためのものに限る）のために要する原材料費，人件費および経費等（非試験研究用固定資産または繰延資産の償却費，除却損，譲渡損を除く）

ロ　対価を得て提供する新たな役務の開発に係る試験研究のために要する原材料費，人件費および経費等

② 上記①の試験研究費のうち，研究開発費として損金経理をした金額で非試験研究用資産（棚卸資産，固定資産，繰延資産で，事業供用時に試験研究の用に供さないもの）の取得価額に含まれるもの

(2) 一般型の試験研究費の税額控除

一般型の試験研究費の税額控除の税額控除額は，当期の試験研究費の総額に，次に掲げる区分に応じ次に掲げる割合を乗じて計算した金額である。ただし，原則として当期の法人税額の25％相当額を限度とする（措法42の4①②）。

① 試験研究費割合が10％を超えない事業年度等

　イ　増減試験研究費割合が12％超である場合… 11.5％＋(増減試験研究費割合－12％)×0.375

　ロ　増減試験研究費割合が12％以下である場合… 11.5％－(12％－増減試験研究費割合)×0.25

　ハ　設立事業年度または比較試験研究費が零である場合…8.5％

② 試験研究費割合が10％を超える事業年度

　上記①の割合＋①の割合×控除割増率｛(試験研究費割合－10％)×0.5｝

(注) 1　「試験研究費割合」とは，当期の試験研究費の額の平均売上金額（当期および当期前3期の平均額）に対する割合をいう（措法42の4⑲六，十三，措令27の4㉖㉗）。

　　 2　「増減試験研究費割合」とは，増減試験研究費の額（当期の試験研究費の額から比較試験研究費の額を減算した金額）の比較試験研究費の額に対する割合をいう（措法42の4⑲三）。

　　 3　「比較試験研究費の額」とは，適用年度前3年以内の事業年度の平均試験研究費の額をいう（措法42の4⑲五）。

　　 4　上記①②の割合が14％を超えるときは原則として14％を限度とし，①ロの割合が1％未満であるときは1％とする。

　　 5　税額控除限度額の（25％）の割合は，一定のベンチャー企業にあっては40％であり，増減試験研究費割合が4％を超える部分1％当たり法人税額の0.625％を加算し，増減試験研究費割合がマイナス4％を下回る部分1％当たり法人税額の0.625％を減算する（措法42の4③）。

(3) 中小企業者等の試験研究費の税額控除

中小企業者等である青色申告法人の各事業年度において損金算入される試験研究費の額がある場合には，その事業年度の試験研究費の額の12％相当額の税額控除をすることができる。この場合，例えば増減試験研究費割合は12％以下であるが，試験研究費割合が10％を超えるときは，税額控除額は試験研究費の額に（12％＋(12％×試験研究費割合－10％)×0.5）の割合を乗じた金額とする。ただし，税額控除額は，その事業年度の法人税額の原則として25％相当額を限度とする（措法42の4④〜⑥）。

ここで中小企業者等とは，基本的に資本金（出資金）が1億円以下の法人および農業協同組合などをいう。以下同じ（措法42の4⑲七〜九，措令27の4⑰）。

(4) 特別試験研究費の税額控除

青色申告法人の各事業年度において損金算入される特別試験研究費の額がある場合には，上記(2)(3)とは別枠で税額控除をすることができる。この場合の税額控除額は，次に掲げる金額の合計額である（措法42の4⑦，措令27の4㉓）。

① 国の試験研究機関，大学等の特別試験研究機関等との共同試験研究または委託試験研究の試験研究費の30％相当額
② 共同試験研究または委託試験研究であって革新的なものまたは国立研究開発法人等の研究成果を実用化するための試験研究費の25％相当額
③ ①②以外の試験研究費の20％相当額

ただし，税額控除額は，その事業年度の法人税額の10％相当額を限度とする（措法42の4⑦）。

ここで特別試験研究費とは，国の試験研究機関や大学などと共同して，またはこれらの者に委託して行う試験研究，その用途の対象者が少数である医薬品に関する試験研究，高度専門知識等を有する者に人件費を支出して行う試験研究などのための費用をいう（措法42の4⑲十，措令27の4㉔㉕）。

(5) 大企業の適用除外

大企業（中小企業者等以外の法人）が，平成30年4月1日から令和9年3月31日までの間に開始する事業年度において，次に掲げる要件のいずれにも該当しない場合には，上記(2)(4)の税額控除は適用できない（措法42の13⑤）。

① 継続雇用者の給与等支給額が前期の継続雇用者の給与等支給額を超えること（資本金額が10億円以上，かつ，常時従業員数が1,000人以上および前期が有所得である場合ならびに常時従業員数が2,000人を超え，前期が有所得である場合には，給与の増加割合が1％以上であること）。

② 国内設備投資額が当期償却費総額の30％（上記①のかっこ書きの法人は40％）相当額を超えること。

この適用除外は，大企業に賃上げと設備投資を促す趣旨によるものである。

（計算例）

1 当社（資本金1億円）の当期（令和6.4.1～令和7.3.31）末までの試験研究費の支出状況は，次のとおりである。

事 業 年 度	試験研究費の額
令和3.4.1～令和4.3.31	19,000,000
令和4.4.1～令和5.3.31	23,000,000
令和5.4.1～令和6.3.31	27,000,000
令和6.4.1～令和7.3.31	25,000,000

2 平均売上金額は270,000,000円である。

3 当期の法人税額は，15,190,296円である。

（計 算）

1 一般型の税額控除

(1) 試験研究費割合 $\dfrac{25,000,000円}{270,000,000円} = 0.092$

(2) 比較試験研究費の額

(27,000,000円＋23,000,000円＋19,000,000円)÷3 ＝23,000,000円

(3) 増減試験研究費割合 $\dfrac{25,000,000円 - 23,000,000円}{23,000,000円} = 0.0869$

(4)　税額控除率　11.5％－(12％－8.69％)×0.25＝10.6％
　(5)　支出基準額　25,000,000円×10.6％＝2,650,000円
　(6)　税額基準額
　　　15,190,296円×25％＋15,190,296円×{(8.69％－4％)×0.625}
　　　＝4,238,092円
　(7)　控除限度額　2,650,000円＜4,238,092円　∴　2,650,000円
2　中小企業者等の税額控除
　(1)　支出基準額　25,000,000円×12％＝3,000,000円
　(2)　税額基準額　15,190,296円×25％＝3,797,574円
　(3)　控除限度額　3,000,000円＜3,797,574円　∴　3,000,000円
3　控除限度額　　2,650,000円＜3,000,000円　∴　3,000,000円

（説　明）

　中小企業者等は，一般型の税額控除と中小企業者等の税額控除を選択適用することができる。

3．中小企業者等が機械を取得した場合の特別税額控除

　特定中小企業者等（資本金3,000万円以下）である青色申告法人が，平成10年6月1日から令和7年3月31日までの期間内に，新品の特定機械装置等を取得し，国内にある事業の用に供した場合には，その事業の用に供した事業年度において税額控除をすることができる。この場合の税額控除額は，特定機械装置等の取得価額の7％相当額である。ただし，税額控除額は，その事業年度の法人税額の20％相当額を限度とする（措法42の6②）。ここで特定機械装置等とは，所定の機械・装置，工具，ソフトウエア，車両・運搬具および船舶をいう。

　この税額控除は，現下の厳しい経済状況のもと，中小企業者の投資の促進を図ることを目的としている。

第8章 法人税額の計算

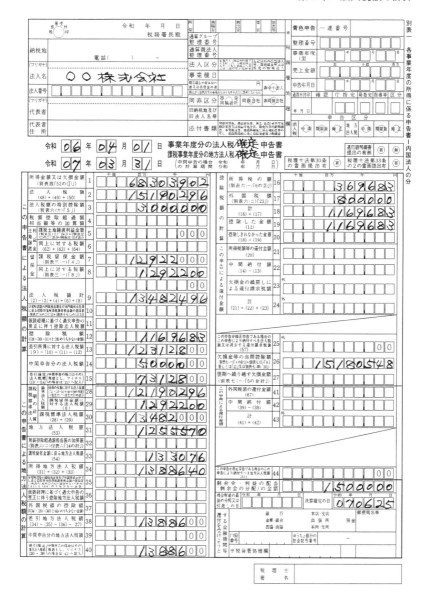

第9章

申告，納付および還付等

1 この章では，算出された課税所得および納付すべき法人税額を申告し納付する手続きを述べる。
2 法人税額は，中間申告・納付と確定申告・納付と事業年度に2回の申告と納付を行う。
3 法人の行った申告・納付が誤っていた場合，法人が自ら行う是正の方法として，修正申告と更正の請求がある。

1 総　　説

　法人税の納税義務は，各事業年度終了の時に成立する（通法15②三）。そこで法人は，事業年度が終了したら所得金額と納付すべき法人税額を確定させなければならない。

　法人税は，納付すべき税額が納税者のする申告により確定する申告納税方式を採用している（通法16）。したがって，法人みずから所得金額と法人税額を計算して所定の期限までに申告を行い，その申告により確定した法人税額を納付する。

　各事業年度の所得に対する法人税の申告および納付には，中間申告・納付と確定申告・納付とがある。これにより事業年度が1年の法人は，基本的に年2回の申告と納付を行うことになる。

　この法人税の申告にあたって，所轄税務署長の承認を受けた場合には，青色申告を行うことができる（法法121）。その青色申告を行うためには，帳簿書類等の複式簿記に従った明瞭な記録と保存が必要である。青色申告を行う法人に対しては，その見返りとして，いくつかの特典ないし特例が認められている。

　（注）　大法人（資本金額が1億円超の法人，相互会社，投資法人，特定目的会社）は，令和2年4月1日以後に開始する事業年度から電子情報処理組織により申告をしなければならない（法法75の4，75の5，平成30年改正法附則31）。

2 中間申告・納付

1．概要と趣旨

　普通法人は，事業年度が6月を超える場合には，その事業年度開始の日以後6月を経過した日から2月以内に，中間申告をしなければならない（法法71）。

この中間申告により税務署長に提出する申告書を中間申告書という。そして，中間申告書に記載した法人税額を中間申告書の提出期限までに国に納付する（法法76）。

現在の会社の事業年度はほとんどが1年であるから，その事業年度の中間で法人税の申告と納付を行うことになる。これは国の歳入を早期に確保するということであるが，法人税の滞納の防止という側面もあろう。

なお，中間申告には予定申告と仮決算による中間申告との二つがある。

2．中間申告をすべき法人

中間申告はすべての法人がしなければならないわけではない。中間申告をしなければならない法人は，普通法人に限られる（法法71①）。公益法人等，協同組合等および人格のない社団等は，中間申告を要しない。これは公益法人等などの事務手数の軽減とこれらの法人の性格上，一般的に納付すべき法人税額が多額でないことを考慮したものである。

ただし，普通法人であっても，清算中のものは中間申告をする必要はない。また，前事業年度の確定申告書に記載すべき法人税額の2分の1相当額が10万円以下である場合またはその金額がない場合には，中間申告を要しない。

さらに，普通法人の設立後最初の事業年度は，仮にその事業年度が6月を超えていても，中間申告をする必要はない。

(注) 災害等による期限の延長（通法11）により，中間申告書の提出期限とその中間申告書に係る事業年度の確定申告書の提出期限が同一日になる場合は，中間申告書の提出を要しない（法法71の2）。

3．予定申告

普通法人は，その事業年度が6月を超える場合には，その事業年度開始の日以後6月を経過した日から2月以内に，税務署長に対し，次の算式により計算

した金額およびその金額の計算の基礎その他の事項を記載した申告書を提出しなければならない（法法71①）。

$$\text{前事業年度の確定申告書に記載すべき法人税額でその事業年度開始の日以後6月を経過した日の前日までに確定したもの} \times \frac{6}{\text{前事業年度の月数}}$$

要するに，前事業年度の法人税額の2分の1相当額を中間で納付すべき法人税額として申告するということである。まったくの概算による申告であるから，一般に予定申告と呼ばれる。

これが中間申告の原則である。そこで，中間申告書を提出すべき普通法人がその中間申告書を提出期限までに提出しなかった場合には，予定申告があったものとみなされる（法法73）。したがって，中間申告には，無申告は生じない。

4．仮決算による中間申告

中間申告をすべき普通法人は，上記の予定申告に代えて，その事業年度開始の日以後6月の期間を一事業年度とみなしてその期間の所得金額または欠損金額を計算し，これに対する法人税を申告することができる（法法72）。事業年度の中間で仮決算を行い，その実績にもとづき申告するということである。これを仮決算による中間申告という。

ただし，前記2.により中間申告を要しない場合または仮決算により計算される法人税額が前事業年度の法人税額の2分の1相当額を超える場合には，仮決算による中間申告をすることはできない（法法72①）。

その事業年度を通ずる業績が前事業年度にくらべて悪化しているような場合，中間申告・納付をすると，確定申告で還付され，それに還付加算金が付されるような事態が生じるが，それに対処するための制度である。

5．中間申告による納付

　中間申告書を提出した普通法人は，その中間申告書に記載した法人税額があるときは，中間申告書の提出期限までに，その法人税額を国に納付しなければならない（法法76）。

　中間申告書を提出期限までに提出しなかった法人が，予定申告があったものとみなされた場合（法法73）も，当然中間申告書の提出期限までに，その法人税額を国に納付する。

6．中間納付額の還付

　中間申告書を提出した普通法人が後述する確定申告書を提出した場合において，中間申告により納付した法人税額でその事業年度の所得に対する法人税額から控除しきれなかった金額（控除不足額）があるときは，その控除しきれなかった金額は還付される（法法79①）。中間申告により納付した法人税は概算による予納であるから，確定申告により精算するということである。

　この中間納付額の還付金に対しては，中間納付額の納付の日の翌日からその還付のための支払決定をする日までの期間につき還付加算金が付される（法法79③）。

　なお，その事業年度の法人税の更正等により，中間納付額の控除不足額がある場合には，その控除不足額は還付される（法法134）。

3　確定申告・納付

1．概要と趣旨

　法人は，各事業年度終了の日の翌日から2月以内に，確定した決算にもとづ

き確定申告をしなければならない（法法74①）。ただし，清算中の法人の残余財産が確定した場合には，1月以内に確定申告を行う（法法74②）。この確定申告により税務署長に提出する申告書を確定申告書という。そして，確定申告書に記載した納付すべき法人税額（年税額から中間納付額を控除した金額）を確定申告書の提出期限までに国に納付する（法法77）。

　法人税の確定申告は，「確定した決算」にもとづかなければならないから，株主総会や社員総会などの承認を得た決算を基礎に課税所得と法人税額を計算して，申告・納付を行うことになる。

　なお，法人税の確定申告は，その事業年度が欠損で納付すべき法人税額がない場合であっても行わなければならない。

2．確定申告書の提出期限の延長

(1) 災害等による場合

　国税庁長官，国税局長または税務署長は，災害その他やむを得ない理由により，納税者が申告期限または納期限までに申告または納付をすることができないときは，その理由のやんだ日から2月以内に限り，これらの期限を延長する（通法11，通令3）。これは法人税に限らず，すべての国税に共通して認められる制度である。

(2) 災害等により決算が確定しない場合

　上述したとおり，法人税の確定申告は，確定した決算にもとづき，各事業年度終了の日の翌日から2月以内に行わなければならない。ただし，法人が災害その他やむを得ない理由により決算が確定しないため，確定申告書をその提出期限までに提出することができない場合には，所轄税務署長は法人の申請にもとづき，期日を指定してその提出期限を延長する（法法75①）。これは，法人税の確定申告が「確定した決算」にもとづくことを要求していることからくる措置である。

この確定申告書の提出期限の延長を受けようとする法人は，その事業年度終了の日の翌日から45日以内に，所轄税務署長に対し申請書を提出しなければならない（法法75②，法規36）。

(3) 決算日から2月以内に定時総会が招集されない場合

法人が定款等の定めにより，又は特別の事情があることにより，事業年度終了の日の翌日から2月以内に決算についての定時総会が招集されない常況にある場合には，所轄税務署長の指定を受けて，確定申告書の提出期限を1月間延長することができる（基通17-1-4の2）。ただし，次に掲げる場合には，それぞれ次に掲げる期間の延長が認められる（法法75の2，法規36の2）。

① 法人が会計監査人を置いている場合で，かつ，定款等の定めにより事業年度終了の日の翌日から3月以内に決算についての定時総会が招集されない常況にある場合（基通17-1-4の3）……その定めの内容を勘案して4月を超えない範囲内で税務署長が指定する月数の期間

② 特別の事情があることにより事業年度終了の日の翌日から3月以内に決算についての定時総会が招集されない常況にあることその他やむを得ない事情がある場合……税務署長が指定する月数の期間

ここで「特別の事情」がある法人とは，①期末から4月以内に株主総会を開催する保険株式会社，②外国法人で本社の決算確定手続が期末から2月以内に完了しないもの，③外国株主との関係で決算確定までに日数を要する合弁会社，④決算確定までに日数を要する全国組織の共済組合，協同組合連合会等をいう（基通17-1-4）。

その事業年度終了の日の翌日から2月以内に決算の承認を得る定時総会が招集されない場合には，その2月以内には決算が確定せず，確定申告ができない。この特例は，上場企業等では投資家との対話の充実を図るため，決算承認のための定時総会の開催日を柔軟に設定するものがみられるが，それに対処するものである。

なお，この確定申告書の提出期限の延長の特例を受けようとする法人は，そ

の事業年度終了の日までに，所轄税務署長に対し申請書を提出しなければならない（法法75の2③）。この確定申告書の提出期限の延長の特例は，上記(2)の提出期限の延長と異なり，一度税務署長の承認を受けておけばよく，事業年度ごとに承認を受ける必要はない。

3．期限後申告

　法人税の確定申告書は，上述した法定申告期限までに所轄税務署長に対して提出しなければならない。この期限内に提出する申告書を期限内申告書という（通法17）。

　しかし，期限内に確定申告書を提出すべきであった法人は，もしその提出期限に遅れても，後述する「決定」があるまでは，確定申告書を提出することができる（通法18）。これを期限後申告という。

　期限後申告は提出期限に遅れた申告であるから，延滞税（通法60）や無申告加算税（通法66）が賦課されるなどの制裁が科される。

　なお，法人税の中間申告には期限後申告という問題は生じない。中間申告書が提出期限までに提出されなかった場合には，予定申告があったものとみなされるからである（法法73）。

4．確定申告による納付

　確定申告書を提出した法人は，その確定申告書に記載した納付すべき法人税額があるときは，確定申告書の提出期限までに，その法人税額を国に納付しなければならない（法法77）。

　確定申告により納付すべき法人税額は，その事業年度の所得金額に対する法人税額から中間納付額を控除した金額である。中間納付額で控除しきれなかった金額は，還付されることは前述（② 6．）のとおりである（法法79①）。

　なお，決算日から2月以内に定時総会が招集されないため，確定申告書の提

出期限の延長を受けている場合には，その延長された期間の日数に応じ，所定の割合による利子税を納付しなければならない（法法75の2⑧，通法64，措法93）。

ただし，確定申告により納付すべき法人税額と見込まれる法人税額を，最近において納付すべき税額の確定することが確実であると認められる国税として（通法59①），事業年度終了の日から2月以内に予納しておけば，利子税は課されない。

5．所得税額等の還付

　法人が確定申告書を提出した場合において，所得税額等控除および外国税額控除により控除をされるべき金額でその事業年度の所得に対する法人税額から控除しきれなかった金額があるときは，その控除しきれなかった金額（控除不足額）は還付される（法法78①）。法人が納付した所得税等の額および外国税額は，法人税の前払と観念されるから，確定申告により精算するということである。

　この所得税額等の還付金に対しては，確定申告書の提出期限の翌日からその還付のための支払決定をする日までの期間につき還付加算金が付される（法法78②）。

　なお，その事業年度の法人税の更正等により，所得税額等の控除不足額が増加した場合には，その増加した控除不足額は還付される（法法133）。

（注）　災害損失金額がある中間期間につき仮決算による中間申告をした場合には，所得税額等の還付を受けることができる（法法78①）。

4　青色申告

1．概要と趣旨

　上述したように，各事業年度の所得に対する法人税の申告には中間申告と確

定申告とがある。法人は，これらの申告にあたって所轄税務署長の承認を受けた場合には，中間申告書および確定申告書を青色の申告書により提出することができる（法法121）。これを青色申告といい，その承認を受けている法人を青色申告法人という。

青色申告制度は，昭和25年当時の納税秩序が乱れた社会状況を背景に，申告納税制度の育成のため納税者の誠実な申告を期待し，反面その申告を課税庁が尊重する趣旨により設けられた。

青色申告法人は，必要な帳簿書類を備え，取引を整然とかつ明瞭に記録する義務を負う（法法126，法規53～59）。いわばその見返りとして，青色申告法人には課税上いくつかの特典ないし特例が認められている。

2．青色申告の承認申請

青色申告の承認を受けようとする法人は，青色申告を行おうとする事業年度開始の日の前日までに，その申請書を所轄税務署長に提出しなければならない。ただし，新設の普通法人または協同組合等がその設立の日の属する事業年度から青色申告を行おうとする場合には，設立の日以後3月を経過した日とその事業年度終了の日とのいずれか早い日の前日までに申請書を提出すればよい（法法122，法規52）。

法人の青色申告の承認申請に対して，青色申告を行おうとする事業年度終了の日（中間申告をすべき法人については，その事業年度開始の日以後6月を経過する日）までに，その申請につき承認または却下の処分がなかったときは，その日において承認があったものとみなされる（法法125）。これをみなし承認という。

3．青色申告法人の帳簿書類

青色申告法人は，その資産，負債および資本に影響を及ぼす一切の取引につき，複式簿記の原則に従い，整然と，かつ，明瞭に記録し，その記録にもとづ

いて決算を行わなければならない（法法126，法規53）。

また，仕訳帳，総勘定元帳その他必要な帳簿を備え，取引に関する事項を記載する必要がある（法規54，別表二十一）。そして仕訳帳には，取引の発生順に，取引の年月日，内容，勘定科目および金額を，総勘定元帳には，その勘定ごとに記載の年月日，相手方勘定科目および金額をそれぞれ記載する（法規55）。

さらに，棚卸表や貸借対照表，損益計算書を作成しなければならない（法規56，57，別表二十二）。

このようにして作成した帳簿書類および取引に関して相手方から受け取った注文書，契約書，領収書，見積書などは，7年間，納税地に保存しなければならない（法規59）。これは帳簿書類などの現物を保存するのが原則である。ただし，電子計算機による記録により保存することもできる。この場合，その保存につき税務署長等の承認を受ける必要はない（電子計算機を使用して作成する国税関係帳簿書類の保存方法等の特例に関する法律）。

4．青色申告法人に対する特典

青色申告法人に対しては，次のような特典ないし特例が認められている。

(1) 実体面に関する事項

① 欠損金の繰越しによる控除……第4章の17を参照のこと（法法57）。
② 欠損金の繰戻しによる還付……第4章の17を参照のこと（法法80）。
③ 特別税額控除の適用……第8章の9を参照のこと（措法42の4等）。
④ 特別償却費の損金算入……第4章の5を参照のこと（措法42の6等）。
⑤ 準備金積立額の損金算入……第4章の16を参照のこと（措法55等）。
⑥ 圧縮記帳の適用……第4章の15を参照のこと（措法61の3等）。

(2) 手続面に関する事項

① 帳簿書類調査後の更正

　税務署長は，法人の提出した青色申告書にかかる法人税の更正は，その法人の帳簿書類を調査し，その調査により誤りがあったときに限りすることができる（法法130①）。税務署長は，青色申告法人の帳簿書類の記載や保存を尊重するということである。

② 更正をする場合の理由付記

　税務署長は，法人の提出した青色申告書にかかる法人税の更正をする場合には，更正通知書に更正の理由を付記しなければならない（法法130②）。これを更正の理由付記という。

　青色申告法人の帳簿書類の記載や保存を否認して更正を行うのであるから，その理由を明確にし，法人に不服申立てなどに便宜を与える趣旨である。

　　（注）　国税通則法の改正により，現在ではすべての不利益処分に理由付記が行われている（通法74の14）。

③ 推計による更正・決定の禁止

　税務署長は，法人の帳簿書類の記載や保存が十分でないような場合には，その法人の財産・債務の増減の状況，収入・支出の状況または生産量，販売量その他の取扱量，従業員数その他事業の規模により課税所得を推計して，法人税の更正・決定をすることができる（法法131）。

　これを一般に推計課税というが，青色申告法人に対してはこの推計課税を行うことはできない。青色申告法人は帳簿書類の記載や保存が法令に従い十分であることが前提であるからである。

5．青色申告の承認の取消し等

　青色申告法人につき次に掲げるいずれかの事実がある場合には，所轄税務署長は，その事実があった事業年度までさかのぼって，青色申告の承認を取消す。青色申告の承認を取消されると，法人の提出した青色申告書はいわゆる白色申

第9章　申告，納付および還付等

告書とみなされる（法法127）。その結果，青色申告の特典は適用できないことになる。青色申告法人に誠実な申告の期待に反する行為があったからである。

① その事業年度の帳簿書類の備付け，記録または保存が法令の規定に従って行われていないこと。
② その事業年度の帳簿書類について税務署長の指示に従わなかったこと。
③ その事業年度の帳簿書類に取引の全部または一部を隠蔽または仮装して記載または記録し，その他記載事項の全体について真実性が疑われる相当の理由があること。
④ 確定申告書をその提出期限までに提出しなかったこと。

なお，青色申告法人がみずから青色申告を取りやめようとする場合には，その事業年度終了の日の翌日から2月以内に所轄税務署長に届出書を提出すればよい（法法128）。青色申告の取りやめをすると，その後1年間は再度青色申告の承認を申請することはできない（法法123三）。

5　グループ通算制度

1．概要と趣旨

現行法人税では，仮に特定の企業グループに属する法人であっても，個々の法人単位で所得金額と納付税額を計算し，企業グループ内で損益や欠損金の通算などはできないのが原則である。

ただし，国税庁長官の承認を受けて，企業グループ内の法人の損益や欠損金を通算して所得金額と納付税額を計算する，グループ通算制度（通算制度）の適用が認められる（法法64の5～64の14）。

通算制度の前身である，連結納税制度は，独占禁止法改正による持株会社の解禁等を契機に，企業の経営環境の変化への対応や国際競争力の維持・強化，経営形態による法人税制の中立性の確保などの観点から導入された。その趣旨

は，通算制度に引き継がれていよう。

　ところが，連結納税制度は，税額計算の煩雑さ，税務調査後の修正・更正等に手間がかかることなどの問題点が指摘され，実情に則した制度に見直すため，通算制度へ移行した。

2．適用対象法人

　通算制度の対象法人は，国税庁長官の承認を受けた，内国法人である親法人（他の内国法人による完全支配関係がある子法人を除く）とその親法人との間に完全支配関係がある子法人のすべてである（法法64の9）。

　ここで完全支配関係とは，直接・間接の持株割合が100％である親子関係をいい（法法2十二の七の六，法令4の2②），その親法人を通算親法人，子法人を通算子法人という（法法2十二の六の七，十二の七）。これら通算親法人と通算子法人を合わせて通算法人と呼ぶ（法法2十二の七の二）。

　この場合，通算親法人は普通法人または協同組合等に限られ，通算子法人は普通法人に限られる（法法64の9①）。

　なお，既に連結納税制度の承認を受けている法人は，取りやめの届け出をした場合を除き，そのまま通算制度の承認があったとみなされる。

3．納税義務者等

　通算制度は，通算法人がそれぞれ納税義務者となり，各自が所得金額と税額を計算し，申告・納付を行う。ただし，通算法人は，他の通算法人の法人税について，連帯納付義務を負う（法法152）。

　このように，通算制度は連結納税制度と異なり，通算親法人がまとめて法人税の申告・納付を行うものではないが，申告書等については，通算親法人が電子情報処理組織により一括して提出してもよい（法法150の3）。

　通算子法人の事業年度は，通算制度は通算法人の損益や欠損金を通算する関

係上，通算親法人の事業年度と同一にする（法法14③）。
　一方，通算法人の納税地は，各通算法人の本店所在地になる（法法16）。

4．所得金額の計算

(1)　基本的な考え方
　上述したように，通算法人であっても，通算親法人，通算子法人それぞれが自己の所得金額を計算する。その場合の所得金額の計算は，基本的に単体納税の場合の所得計算と同じである。すなわち，益金の額または損金の額の内容や計算方法等は，これまで述べてきたのと同様に考えればよい。
　もちろん，通算法人は通算制度を適用するのであるから，通算制度固有の損益通算や欠損金の通算その他所要の調整をする必要がある。

(2)　損 益 通 算
　通算法人に所得法人と欠損法人がある場合，欠損法人の通算前欠損金額（損益通算等をする前の欠損金額）の合計額（所得法人の所得金額合計額を限度）を，所得法人の通算前所得金額（損益通算等をする前の所得金額）の比で配分し，所得法人において損金算入する（法法64の5①②）。
　一方，この所得法人で損金算入された金額の合計額は，欠損法人の通算前欠損金額の比で配分し，欠損法人において益金算入する（法法64の5③④）。他の通算法人に配分し，既に使用した欠損金額の二重控除を防止するためである。
　これを損益通算といい，まさに通算制度の存在理由の一つである。
　この損益通算の対象にした所得法人の通算前所得金額または欠損法人の通算前欠損金額が，その後誤っていることが判明し，修正・更正があっても，その配分をやり直すことはしない（法法64の5⑤）。その誤りがあった通算法人のみで課税関係の修正を行う。他の通算法人への修正・更正による影響を遮断するということであり，通算制度への移行の大きな理由である。

(3) 欠損金の通算等

① 欠損金額の引継ぎ制限

通算開始・加入時に資産の時価評価を行う法人（下記7．時価評価法人）の，その通算開始・加入時において生じた欠損金額は，通算制度に引き継ぐことはできず，切り捨てる（法法57⑥）。

一方，資産の時価評価を行わない法人（時価評価除外法人）の欠損金額は，原則として通算制度に引き継ぐことができる。ただし，通算承認の効力発生日の5年前の日から通算親法人との間に支配関係がなく，その通算承認後に通算法人と他の通算法人とが共同事業を行わない場合等には，支配関係事業年度前に生じた欠損金額の引継ぎはできない（法法57⑧）。

② 欠損金の通算

通算法人の控除対象欠損金額(適用事業年度開始の日前10年以内に開始した事業年度に生じたもの)は，その通算法人の特定欠損金額（時価評価除外法人の所得金額のみから控除できる欠損金額）と非特定欠損金額（特定欠損金額以外の欠損金額）との合計額とする（法法64の7①二，法令131の9）。

そして，まず特定欠損金額について，各通算法人が自己の欠損控除前所得金額の範囲内で繰越控除を行う。次に，非特定欠損金額について，通算法人の非特定欠損金額の合計額を各通算法人の特定欠損金繰越控除後の損金算入限度額の比で配分し，その配分された欠損金額を控除する（法法64の7①三）。

この欠損金の通算にあっても，修正・更正による影響の遮断措置が適用される（法法64の7④⑤）。

(4) 投資簿価修正

通算法人が有する他の通算法人（通算親法人を除く）の株式等に対する評価損益およびその株式等の他の通算法人以外の通算法人に対する譲渡損益の計上はできない（法法25④，33⑤，61の11⑧）。

また，通算開始・加入をする法人（通算親法人を除く）で通算親法人との間に

完全支配関係の継続が見込まれていないものの株式等をその開始・加入時に有する法人は，その株式等について時価評価を行い，評価損益を益金または損金に算入する（法法64の11②，64の12②）。

さらに，通算離脱をする法人の株式等を有する場合の，その株式等の移動平均法による帳簿価額は，その通算離脱直前の帳簿価額に簿価純資産不足額（その帳簿価額が離脱法人の簿価純資産額に満たない部分の金額）を加算し，または簿価純資産超過額（その帳簿価額が離脱法人の簿価純資産を超える部分の金額）を減算した金額を基礎に計算した金額とする（法令119の3⑤）。

これらの調整を行うことを投資簿価修正といい，利益または損失の二重計上を防止するための措置である。

(5) 受取配当の益金不算入

関連法人株式等に係る配当等から控除される利子相当額の上限額（支払利子額の10％相当額）について，通算法人全体の支払利子額を各通算法人の関連法人株式等に係る配当等の額の比で配分した金額の10％相当額とする（法法23①，法令19②④）。

この利子相当額の控除にあっては，修正・更正による影響の遮断措置が適用される（法令19⑤）。

(6) 外国子会社配当の益金不算入

外国子会社から受ける配当の益金不算入の対象になる「外国子会社」は，通算法人全体で，その発行済株式等の25％以上を保有するかどうかを判定する（法法23の2①，法令22の4①）。

各通算法人の持株割合は25％未満であっても，通算法人全体で25％以上の持株割合があれば，その受ける配当につき益金不算入の適用をすることができる。

(7) 交際費課税

通算法人の交際費課税の適用上，中小企業者の定額控除限度額800万円は，

各中小通算法人の支出交際費等の額の比で配分した金額とする（措法61の4③）。

この場合の交際費等の額の計算については，修正・更正による影響の遮断措置が適用される（措法61の4③）。

5．法人税額の計算等

(1) 適用税率

通算法人の納付すべき法人税額は，基本的に単体納税の場合と同様に計算し，その税率は，各通算法人の適用税率による（第8章②2.参照）。

だだし，軽減税率が適用される中小法人の判定について，通算法人のいずれかの法人が中小法人に該当しないときは，通算法人のすべてが中小法人に該当しない（法法66⑥）。

また，中小法人の軽減税率の適用対象金額は，年800万円を各中小通算法人の所得金額の比で配分した金額とする（法法66⑦）。この場合の所得金額の計算については，修正・更正による影響の遮断措置が適用される（法法66⑧）。

　（注）　中小法人の判定は，貸倒引当金（法法52①一），特定同族会社の留保金課税（法法67①），欠損金の繰越控除（法法57⑪一），交際費課税（措法61の4）等の中小企業向け措置において同じである。

(2) 外国税額控除

通算法人が外国税額控除を適用する場合の控除限度額は，通算法人の納付すべき法人税額の合計額に，通算法人の所得金額の合計額のうちに占める各通算法人の国外所得金額の割合を乗じて計算した金額とする（法法69⑭，法令148）。

これは，通算法人全体の納付外国法人税額，所得金額を基礎に，各通算法人の控除限度額を計算するということである。この場合の控除額の計算については，修正・更正による影響の遮断措置が適用される（法法69⑮）。

(3) 研究開発税制

　通算法人が研究開発税制の適用を受ける場合には，通算法人を一体として計算した税額控除可能額に，通算法人の法人税額の合計額のうちに占める各通算法人の法人税額の割合を乗じて計算した金額を税額控除限度額とする（措法42の4①④⑦⑧三⑱）。

　これは，通算法人全体の税額控除可能額，納付法人税額を基礎に，各通算法人への控除限度額を配分するということである。この場合の控除額の計算についても，修正・更正による影響の遮断措置が適用される（措法42の4⑧四）。

(4) 通算税効果額の授受

　法人が他の法人との間で通算税効果額を授受する場合には，その授受する金額は，益金の額および損金の額に算入しない（法法26④，38③）。

　ここで「通算税効果額」とは，損益通算（法法64の5①）または欠損金の通算（法法64の7）その他通算法人のみに適用される規定を適用することにより減少する法人税・地方法人税額（利子税を除く）相当額として通算法人間で授受される金額をいう（法法26④）。

6．申告・納付

(1) 中間申告・納付

　通算法人の中間申告・納付は，基本的に各通算法人が単体納税の場合と同様に行う（法法71～73，76）。

　ただし，仮決算による中間申告は，通算法人のすべてが行わなければならない（法法72⑤）。通算法人間で，いわゆる予定申告（法法71）と仮決算による中間申告とを使い分けることはできない。

　また，通算法人は，資本金額にかかわらず，すべての法人が電子情報処理組織により申告する必要がある（法法75の4①②，151）。

(2) 確定申告・納付

通算法人の確定申告・納付は，基本的に各通算法人が単体納税の場合と同様に行う（法法74，75～75の3，77）。

ただし，確定申告書の提出期限の延長特例について，延長期間は原則2月とし，通算親法人に対して提出期限の延長が認められた場合には，通算子法人のすべてにつき延長があったものとされる（法法75の2⑪）。

また，通算法人は，中間申告と同様，資本金額にかかわらず，すべての法人が電子情報処理組織により申告しなければならない（法法75の4②）。

7．通算開始時等の時価評価

(1) 通算開始・加入時の時価評価

通算法人は，通算開始直前事業年度の終了時に有する時価評価資産（固定資産，土地，有価証券，金銭債権および繰越資産で帳簿価額が1,000万円以上のもの）について時価評価を行い，評価損益の額を益金の額または損金の額に算入する（法法64の11，法令131の15①）。

ただし，①いずれかの子法人との間に完全支配関係の継続が見込まれる親法人および②親法人との間に完全支配関係の継続が見込まれる子法人は，その時価評価を要しない（法法64の11①，法令131の15③④）。

また，通算加入する法人にあっても，通算加入直前事業年度の終了時に有する，所定の時価評価資産について，時価評価を行わなければならない（法法64の12，法令131の16）。

このように，通算開始・加入時に資産の時価評価を行うのは，単体納税下における課税関係を清算するという趣旨である。

(2) 通算離脱時の時価評価

通算法人が通算制度から離脱する場合において，次に掲げる要件のいずれか

に該当するときは，通算終了直前事業年度の終了時に有する時価評価資産のうち所定のものについて時価評価を行い，評価損益の額を益金の額または損金の額に算入する（法法64の13，法令131の17）。

① その通算法人の通算終了直前事業年度終了の時前に行う主要な事業が，通算法人において引き続き行われることが見込まれていないこと。
② その通算法人の株式等を有する他の通算法人において，通算終了直前事業年度終了の時後にその株式の譲渡，評価換えによる損失の発生が見込まれていること。

通算離脱時に資産の時価評価を行うのは，通算制度での課税関係を清算し，単体納税に評価損益を持ち込まないということである。

修正申告と更正の請求

1．概要と趣旨

　法人が法人税の申告・納付をした後において，その申告書に記載した所得金額または法人税額の計算に誤りのあるのが判明することは往々にしてあり得る。その場合には，あるべき正当な金額に是正しなければならない。

　法人がその誤りをみずから是正する方法は，法人が申告した所得金額または法人税額が過少であるか，過大であるかによって異なる。まず所得金額または法人税額が過少な場合の是正の方法として修正申告がある（通法19）。法人みずから修正申告を行って是正することができる。

　これに対して所得金額または法人税額が過大である場合は，法人の修正申告によって是正することはできず，税務署長に対して減額更正を行うよう請求する，更正の請求によらなければならない（通法23）。所得金額または法人税額が過大な場合に法人の申告による是正が認められていないのは，申告には納税義務の確定という公法上の法律効果が付与されるから，これのみだりな変更は適

当でないことによる。

2．修正申告

　法人税の申告書を提出した法人は，その申告書に記載した納付すべき法人税額が過少であるとき，繰越欠損金額が過大であるときまたは還付金額が過大であるときは，修正申告書を提出することができる（通法19）。
　この場合，所得金額の計算に誤りがあって所得金額が過少になっていても，納付すべき法人税額が過少でない限り，修正申告はできない。たとえば，所得金額は過少であるが，税額控除に誤りがあって納付すべき法人税額は過大であるような場合である。
　このように修正申告は，基本的に納付すべき法人税額が過少であるときに限ってすることができる。納付すべき法人税額が過大であるときは，修正申告はできない。

3．更正の請求

(1) 通常の更正の請求

　法人が申告した納付すべき法人税額が過大であるときに，することができるのが更正の請求である。すなわち，法人の提出した申告書に記載した所得金額または法人税額の計算が税法の規定に従っていなかったこともしくはその計算に誤りがあったことにより，納付すべき法人税額が過大であるとき，繰越欠損金額が過少であるときまたは還付金額が過少であるときは，税務署長に対し減額の更正をすべき旨を請求することができる（通法23①）。
　税務署長がその更正の請求に理由があると認め，減額更正が行われると，過大に納付していた法人税額は還付される。
　更正の請求は，法人税の法定申告期限から5年以内に限りすることができる。ただし，所得金額または法人税額の計算の基礎となった事実に関する訴えにつ

き判決があった場合，所得の帰属につき変更の更正・決定があった場合，取引に関する契約の解除があった場合，国税庁長官の法令の解釈が変更され，その解釈が公表された場合などには，法定申告期限から5年経過後であっても，これらの事実があった日から2月以内に更正の請求をしてよい（通法23②，通令6）。

(2) 前年度の更正に伴う更正の請求

　上述した通常の更正の請求は，国税通則法に定められた国税すべてに共通する更正の請求制度である。このほか，法人税および地方法人税固有の理由にもとづく更正の請求が認められている。

　すなわち，法人が前事業年度の法人税または地方法人税につき，修正申告書を提出し，または更正・決定を受けた場合において，これに伴いその翌事業年度以降の法人税額等が過大になるときは，その修正申告書を提出した日または更正・決定を受けた日の翌日から2月以内に更正の請求をすることができる（法法81）。

　たとえば，当年度の収益に計上した売上が前年度の売上であるとして更正されたため，当年度の法人税額が過大になるような場合である。事業年度を単位に期間所得として課税所得が計算される法人税等の特例である。

第10章

更正決定と附帯税

1　この章では，法人の行った申告・納付が誤っていた場合，税務署長が行う更正・決定の手続きやその期間制限，加算税の取扱いを述べる。
2　更正・決定は，原則として法定申告期限から5年，偽りその他不正の行為がある場合には法定申告期限から7年を経過した日以後にはすることができない。
3　申告漏れがあった場合や期限内に申告書の提出がない場合には，過少申告加算税や無申告加算税，重加算税などが課される。

1 総　　説

　法人税は法人がみずから申告・納付をすべき申告納税方式の国税であるから，まず法人の申告により納付すべき税額が確定する（通法16①一）。しかし法人の申告により納付すべき税額が確定するといっても，それは絶対的なものではない。法人のした申告の内容や金額に誤りがある場合には，当然正当なものに是正しなければならない。その是正の方法として税務署長が職権をもって行う更正と決定とがある。

　その更正または決定に際しては，法人の行った申告の誤りの内容や程度などに応じて，各種の加算税が課される。適正に申告した法人との課税の権衡を図り，納税秩序を維持するためである。

2 更正または決定

1．概要と趣旨

　上述したように，法人のした申告の内容や金額に誤りがある場合には，正当な内容や金額に是正する必要がある。その是正の方法として，法人みずから行うのが前章で述べた修正申告と更正の請求である。

　しかし，すべての法人が修正申告と更正の請求をするとはかぎらない。そこで，税務署長が行う是正の方法として，更正と決定という職権による処分が認められている。

　法人税は法人のする申告により納付すべき税額が確定するのが原則である。しかし，その申告がない場合またはその申告にかかる税額の計算が法律の規定に従っていなかった場合など，税務署長の調査したところと異なる場合には，税務署長の処分により納付すべき税額が確定することになる（通法16①一）。

2．更　　正

　税務署長は，法人から申告書の提出があった場合において，その申告書に記載された所得金額または税額の計算が法律の規定に従っていなかったとき，その他その所得金額または税額が税務署長の調査したところと異なるときは，その調査により所得金額または税額を更正する（通法24）。

　これを更正といい，所得金額または税額を増額するだけでなく，減額することもできる。所得金額または税額を増額する更正を増額更正といい，その減額をする更正を減額更正という。法人が所得金額または税額を過大に申告した場合には，修正申告により是正することはできないから，この減額更正により是正を受けることになる。

　なお，税務署長は一度更正または決定をした後，さらに所得金額または税額が過大または過少であることを知ったときは，その調査により再び更正を行う（通法26）。これを再更正という。

3．決　　定

　税務署長は，法人が申告書を提出しなかった場合には，その調査により，所得金額および税額を決定する（通法25）。これを決定という。

　法人税は申告納税方式の国税であるから，まず第一には法人から申告書の提出がなければ，納付すべき税額が確定しない。そうすると法人からの申告がなければ税額が確定しないことになり，これをそのまま放置することは著しく課税の公平を害する。そこで税務署長みずから調査を行って，所得金額および税額を決定するのである。もちろん，法人はその決定された税額を納付しなければならない（通法35②）。

　ただ，法人から申告書の提出がない場合であっても，決定により納付すべき税額および還付金が生じないときは，決定は行われない（通法25）。たとえば，その事業年度が欠損で納付すべき税額などがなければ決定を行わなくても，さ

ほど課税上の弊害はないからである。

4．更正・決定の期間制限

　上述した税務署長が行う更正（再更正）または決定については，それを行うことができる期間に制限が設けられている。すなわち更正，再更正または決定は，永久にいつまでもできるわけではない。これは課税関係をいつまでも不安定な状態にしておくことを避けるためである。

　法人税の更正または決定は，次の表に掲げる日以後においてはすることができない（通法70，71）。これを更正・決定の期間制限という。

区　　　　分		期　　間
更正	①　税額を増額させる更正（⑤に掲げる更正を除く） ②　税額を減少させる更正 ③　還付金を増加させる更正	法定申告期限から5年を経過した日
	④　欠損金額を増加または減少させる更正（偽りその他不正の行為によるものを含む）	法定申告期限から10年を経過した日
	⑤　偽りその他不正の行為により税額を免れ，または還付を受けたものについての更正（④に掲げる更正を除く）	法定申告期限から7年を経過した日
決定	⑥　無申告に対する決定 ⑦　決定後にする更正	法定申告期限から5年を経過した日
	⑧　偽りその他不正の行為にもとづく決定または決定後にする更正	法定申告期限から7年を経過した日

　（注）　移転価格税制およびイノベーションボックス税制にかかる更正・決定は，法定申告期限から7年である（措法66の4㉖㉗，59の3⑭）。

　この更正・決定の期間制限は，法律上の除斥期間であるから，法定申告期限から5年，7年または10年を経過すれば，絶対的に更正または決定はできなくなる。時効と異なり中断ということもないし，時効の援用のような，法人から利益を享受する旨を申し出る必要もない。

3 附　帯　税

1．概要と趣旨

　法人が納付すべき法人税額をその法定納期限までに納付しなかった場合には，延滞税を納付しなければならない（通法60）。一方，税務署長から納期限の延期（延納）または申告書の提出期限の延長の承認を受けている法人は，利子税を納付する必要がある（通法64）。

　法人が法人税額を過少に申告した場合には過少申告加算税が，そもそも法定申告期限までに申告をしなかった場合には無申告加算税がそれぞれ課される（通法65, 66）。その際，過少な申告または無申告が隠蔽・仮装にもとづく場合には，過少申告加算税または無申告加算税に代えて重加算税が課される（通法68）。

　延滞税，利子税，過少申告加算税，無申告加算税および重加算税を総称して附帯税という（通法2四）。延滞税と利子税は，正規の納期限内に納付した者との負担の公平を図るため，加算税は申告義務の不履行ないし義務違反に対して行政上の制裁として課されるものである。

2．延　滞　税

　延滞税は，法人が法人税を法定納期限までに完納しないときに納付しなければならない。その納付すべき延滞税の額は，法定納期限の翌日から完納する日までの期間の日数に応じ，未納税額に対し年14.6％の割合により計算される。ただし，納期限までの期間および納期限の翌日から2月を経過する日までの期間については，年7.3％の割合による（通法60）。

　延滞税は，民事でいう債務不履行に対する遅延利息，すなわち遅延損害金の性質を有する一種の行政制裁である。したがって，法人税の課税所得の計算上，損金にならない（法法55④）。

(注) 延滞税の年14.6％及び年7.3％の割合は，各年の延滞税特例基準割合（平均貸付割合に年１％を加算した割合）が年7.3％に満たない場合には，その年中においてはそれぞれ延滞税特例基準割合に7.3％及び１％を加算した割合とする（措法94①）。

3．利　子　税

　利子税は，申告書の提出期限の延長を受けている法人が納付するものである（通法64）。法人税では，すでに述べたように①災害等により決算が確定しない場合または②決算後２月以内に定時総会が招集されないことなどにより決算が確定しない場合には，確定申告書の提出期限の延長が認められている（法法75，75の２）。これら申告書の提出期限の延長を受けた法人は，その納付すべき法人税額と延長期間に応じて，年7.3％の割合により計算した利子税を納付しなければならない（法法75⑦，75の２⑧～⑩）。

　利子税は，延滞税が遅延利息であるのと異なり，債務不履行ではないから，契約に定める履行期前における約定利息の性質を有する。したがって，法人税の所得計算においては，損金になる（法法38①三）。

(注) 利子税の年7.3％の割合は，延滞税と同じく，各年の利子税特例基準割合が年7.3％に満たない場合には，その年中においてはその利子税特例基準割合とする（措法93①）。

4．過少申告加算税

(1) 意　　義

　過少申告加算税は，過少な申告について更正または修正申告書の提出があった場合に，その過少申告税額（増差税額）に対して10％（修正申告書の提出が調査があったことにより更正があるべきことを予知してされたものでないときは５％）の割合により課される。ただし，増差税額のうち期限内申告税額と50万円とのいずれか多い金額を超える部分については，15％の割合になる（通法65①②）。

このように，増差税額が多い場合に15％の割合に加重しているのは，同じ過少申告であっても，本来，申告すべき金額の大部分が申告漏れとなっている場合は，わずかしか申告漏れがない場合にくらべて，義務違反の程度が高いと考えられるからである。

過少申告加算税は，法定申告期限までに適正な申告をすべきであるという納税秩序を維持するため，その秩序違反に対して制裁として課される。したがって，法人税の課税所得の計算上，損金にならない（法法55④）。

(注)　平成6年1月1日以後に法定申告期限が到来する国税について，国税職員から提示・提出を求められた帳簿の提示・提出をしなかった場合又は提出された帳簿の重要事項の記載・記録が著しく不十分である場合には，増差税額の10％（重要事項の記載が不十分である場合は5％）相当額が加算される（通法65④）。

(2)　加算税が課されない場合
①　正当な理由がある場合等

過少申告加算税は，増差税額のうち正当な理由がある部分については課されない（通法65⑤一）。この場合，「正当な理由」とは次のような事由をいう（平成12．7．3課法2－9通達）。

イ　税法の解釈に関し，申告書提出後新たに法令解釈が明確化されたため，その法令解釈と法人の解釈とが異なることとなった場合において，法人の解釈に相当の理由があると認められること。ただし，税法の不知や誤解，事実誤認にもとづくものはこれに当たらない。

ロ　調査により引当金等の損金不算入額が法人の計算額より減少したことに伴い，その減少した金額を認容した場合に，翌事業年度においていわゆる洗替計算による引当金等の益金算入額が過少となるためこれを税務計算上否認したこと。

また，申告税額につき減額更正があった場合において，その後の修正申告または再更正による税額が申告税額に達するまでの税額については，過少申告加算税は課されない（通法65⑤二）。

② 更正を予知していない場合

更に過少申告加算税は，修正申告書の提出が，法人税についての調査があったことにより更正があるべきことを予知してされたものでない場合において，調査通知がある前に行われたものであるときは課されない（通法65⑥）。納税者からの自発的な修正申告をしょうようし，これを奨励するためである。

5．無申告加算税

(1) 意　　義

無申告加算税は，期限後申告書の提出があった場合または申告書の提出がないため決定があった場合に，納付すべき税額に対して15％（期限後申告書又は決定後の修正申告書の提出が調査があったことにより更正または決定があるべきことを予知してされたものでないときは10％）の割合により課される（通法66①）。ただし，納付すべき税額が50万円を超えるときは，その超える部分については20％の割合になる（通法66②）。

また，過去5年の間に無申告加算税または重加算税を課されたことがあるときは，上述の割合により計算した無申告加算税の額に，納付すべき税額に10％の割合により計算した金額を加算する（通法66⑥一）。

(注)　平成6年1月1日以後に法定申告期限が到来する国税については，次のような措置が適用される。

1　納付税額が300万円を超える部分に対する割合は30％（調査通知後に，かつ，その調査があることにより更正・決定の予知をする前にされた期限後申告等による場合は25％）とされる（通法66③）。

2　国税職員から提示・提出を求められた帳簿の提示・提出をしなかった場合又は提出された帳簿の重要事項の記載・記録が著しく不十分である場合には，納付税額の10％（重要事項の記載が不十分である場合は5％）相当額が加算される（通法66⑤）。

3　期限後申告書等の提出又は更正・決定に係る国税の前年度及び前々年度分について，無申告加算税若しくは重加算税が課せられたことがあるとき又はその無申

告加算税等に係る賦課決定をすべきと認めるときも，納付税額の10％相当額が加算される（通法66⑥二）。

(2) 加算税が課されない場合等

　無申告加算税が課されるのは，過少申告加算税と同じく，法定期限内の適正申告の確保という納税秩序の維持を目的とする。しかし，期限内申告がない点で期限内申告における過少申告の場合よりも義務違反の程度が高い。そこで無申告加算税の割合は過少申告加算税のそれより高くなっている。したがって，法人税の課税所得の計算上，無申告加算税は損金にならない（法法55④）。

　無申告加算税は，期限内申告書の提出がなかったことにつき正当な理由がある場合には課されない（通法66①）。災害，交通・通信の途絶など期限内に申告書を提出しなかったことに真にやむを得ない事由があるときは，正当な事由として取り扱われる。その他，「正当な理由」等は，過少申告加算税の場合と同じである。

　なお，期限後申告書または決定後の修正申告書の提出が，更正または決定を予知してされたものでない場合において，調査通知がある前に行われたときは，無申告加算税の割合は５％に軽減される（通法66⑧）。

　また，決定を予知していない期限後申告書の提出が，納付すべき税額の全部が法定納期限までに納付されている等の期限内申告書を提出する意思があったと認められ，かつ，法定申告期限から１月を経過する日までに行われた場合には，無申告加算税は課されない（通法66⑨）。

6．重加算税

　重加算税は，過少な申告について更正または修正申告書の提出があった場合において，これらによる増加した所得金額のうちに事実を隠蔽し，または仮装したものがあるときに，過少申告加算税に代えて課される。その割合は，事実の隠蔽・仮装にもとづく部分の金額に対応する税額について35％である（通法

68①)。

　また，無申告加算税を課される場合において，隠蔽・仮装の事実があるときは，無申告加算税の代わりに40％の割合による重加算税が課される（通法68②)。

　更に，過去5年の間に無申告加算税または重加算税を課されたことがあるときは，上述の割合により計算した重加算税の額に，納付すべき税額に10％の割合により計算した金額を加算する（通法68④一)。

（注）1　平成6年1月1日以後に法定申告期限が到来する国税については，期限後申告書等の提出又は更正・決定に係る国税の前年度及び前々年度分について，無申告加算税若しくは重加算税が課されたことがあるとき又はその無申告加算税等に係る賦課決定をすべきと認めるときも，納付税額の10％相当額が加算される（通法68④二)。
　　　2　令和7年1月1日以後に法定申告期限が到来する国税については，重加算税の適用対象に，隠蔽・仮装された事実にもとづき更正請求書を提出していた場合が含まれる（通法68)。

　重加算税は，事実を隠蔽・仮装してまさに税を逋脱した者に対する制裁として課されるもので，租税行政罰といえる。したがって，法人税の課税所得の計算上，損金にならない（法法55④)。

　隠蔽・仮装とは，たとえば次のような事実がある場合をいう（平成12.7.3課法2－8通達)。

① いわゆる二重帳簿を作成していること。
② 帳簿書類の破棄，隠匿，改ざん，虚偽記載，虚偽書類の作成，帳簿書類の作成・記録をせず売上の脱ろうや棚卸資産の除外等をしていること。
③ 損金算入や税額控除のための証明書類を改ざんしていること。
④ 簿外資産の利息，賃貸料収入等の果実を計上していないこと。
⑤ 簿外資金をもって役員賞与等を支出していること。
⑥ 同族会社であるにもかかわらず，架空の株主を使って非同族会社としていること。

事項索引

〔あ〕

青色欠損金の繰戻し還付等 …………220
青色申告 ……………………………363
青色申告法人 ………………………364
圧縮基礎取得価額 …………………191
圧縮記帳 ……………………………161
圧縮限度額 …………………………165
圧縮損 ………………………………162
洗替え方式 ……………………………76
暗号資産 ……………………………231

〔い〕

1単位当たりの帳簿価額の算出方法 …239
一括償却資産の均等償却……………98
一括評価金銭債権 …………………202
一括評価による貸倒引当金 ……199,202
一括評価による貸倒引当金の繰入
　限度額 …………………………204
一般社団法人等 ……………………325
一般地代 ……………………………289
移転価格税制 ………………………294
移転補償金 …………………………183
移動平均法……………………75,239
イノベーションボックス税制 ………292
隠蔽・仮装 ……………………124,154,388
隠蔽・仮装経理による役員給与の
　損金不算入 ……………………124

〔う〕

請負……………………………………37
受取配当等の益金不算入……………43
売上原価等……………………………67
売上高基準方式 ……………………210
売掛金基準方式 ……………………210
売掛債権等 …………………………202
運送による収益 ………………………41

〔え〕

営業補償金……………………………62
益金の概念……………………………31
益金の認識基準………………………33
役務の無償譲受け……………………57
延滞税 ………………………………383

〔お〕

オペレーティング・リース …………279

〔か〕

海外投資等損失準備金 ……………213
海外渡航費 …………………………225
買換資産 ……………………………190
外貨建債権・債務 …………………251
外貨建取引 ……………………249,250
外貨建有価証券 ……………………251
開業費 ………………………………105
会計期間 ………………………………9
外国為替の売買相場 ………………249
外国関係会社 ………………………307
外国源泉税等 ………………………148
外国金融子会社等 …………………309
外国子会社 ……………………49,312
外国子会社合算税制 ………………306
外国税額控除 ………………………338
外国法人 ………………………………5
外国法人税 …………………………339
外国法人税の控除限度額 …………342
会社更生による評価換え ……………53
開発費 ………………………………105
買戻特約等 …………………………209

各事業年度の所得	8	還付加算金	59
各事業年度の退職年金等積立金	8	還付金	58
確定給付企業年金の掛金等	290	管理支配基準	308
確定決算基準	17	関連法人株式等	48
確定決算主義	17		
確定した決算	17, 359	〔き〕	
確定した収益	62	企業グループ内の合併	265
確定申告	359, 360	企業グループ内の株式移転	278
確定申告書	360	企業グループ内の株式交換	276
火災未決算	170	企業グループ内の現物出資	271
加算税等	155	企業グループ内の分割	267
貸倒実績率	204	企業支配株式	113, 242
貸倒損失	157	期限後申告	362
貸倒引当金	198	期限内申告書	362
過少資本税制	301	基準所得金額	309
過少申告加算税	384	帰属主義	315
課税所得	14	寄附金	127
課税対象金額	309	寄附金課税	127
仮装経理	345, 346	期末時換算法	251
仮装経理法人税額	345	逆進税率	325
合併法人	261	旧国外リース期間定額法	90
株式移転	237, 261, 263	旧生産高比例法	90
株式移転完全親法人	263	旧定額法	89
株式移転完全子法人	263	旧定率法	90
株式交換	237, 261, 262	旧リース期間定額法	94
株式交換完全親法人	262	業績連動型報酬	122
株式交換完全子法人	262	業績連動給与	121
株式交付費	105	業績連動指標	121
株式の時価	116	キャッシュバック	60
株式分配	273	キャッシュ・ボックス	308
仮決算による中間申告	354	協同組合等	6
為替予約差額	253	共同事業を営むための株式移転	278
換算差損益	252	共同事業を営むための株式交換	277
換算方法	251	共同事業を行うための合併	266
完全子法人株式等	48	共同事業を行うための現物出資	272
完全支配関係がある法人間の合併	265	共同事業を行うための分割	268
完全支配関係がある法人間の現物出資	271	寄与度利益分割法	298
		切放し方式	76
完全支配関係がある法人間の分割	267	金銭債権	111

事項索引

均等償却法 ……………………107

〔く〕

繰延資産 ………………………104
繰延消費税額等 ………………152
繰延ヘッジ ……………………246
グループ通算制度 ……………367
グループ法人税制 ……………256
グローバル・ミニマム課税 …318

〔け〕

継続企業 …………………………9
経費補償金 ………………62,183
決算調整事項 …………………22
欠損金額 …………………66,217
欠損金の繰越控除 ……………217
欠損金の通算 …………………370
決定 ……………………………381
原価基準法 ……………………297
減額更正 ………………………381
減価償却 ………………………79
減価償却資産 …………………79
減価償却資産の時価 …………116
減価償却資産の取得価額 ……81
減価償却の要素 ………………89
原価法 ……………………74,242
研究開発税制 …………………348
現金主義 ………………………33
減損会計 ………………………110
現物出資法人 …………………262
現物分配 …………………190,262
現物分配法人 …………………262
権利金 …………………………286
権利金収入 ……………………63
権利金の認定課税 ……………286
権利金の認定見合せ …………288

〔こ〕

公益法人等 ………………………5

航海完了基準 …………………42
交換差金等 ……………………178
交換対象資産 …………………177
恒久的施設 ……………………316
恒久的施設帰属所得 …………316
公共法人 …………………………5
交互計算確定基準 ……………42
広告宣伝用資産の受贈益 ……56
交際費等 ………………………138
工事完成基準 …………………37
工事進行基準 ……………39,40
控除限度超過額 ………………339
控除対象外国法人税額 ………340
控除対象外消費税額等 ………151
控除余裕額 ……………………339
更新料 …………………………288
更正 ……………………………381
更正・決定の期間制限 ………382
更生計画認可の決定 …53,116,117
公正妥当な会計処理の基準 …17
更生手続開始の決定 …………219
更正の請求 ……………………376
更正の理由付記 ………………366
国外関連者 ………………131,295
国外支配株主等 ………………302
国外支配株主等の資本持分 …304
国外リース資産 ………………90
国際最低課税額 ……2,3,8,294,318
国内源泉所得 …………………315
国庫補助金等 …………………164
固定資産 ………………………79
個別評価金銭債権 ……………200
個別評価による貸倒引当金 …198,200
個別評価による貸倒引当金の繰入
　限度額 ……………………201
個別法 …………………………75
ゴルフクラブの入会金 ………226

391

〔さ〕

災害損失金の繰越控除 ……………218
再更正 ……………………………381
財産法………………………………14
最終仕入原価法……………………76
再生計画認可等による評価換え …54
再生計画認可の決定 ……………117
再生手続開始の決定 ……………219
再調達価額 ………………………115
再販売価格基準法 ………………297
債務確定基準………………………70
債務確定の要件……………………70
債務の株式化 ……………………219
差益割合 …………………………191
先入先出法 ………………………75
先物外国為替契約等 ……………250
三角合併 …………………………265
残価保証額 ………………………92
残存価額 …………………………87
残余利益分割法 …………………298

〔し〕

仕入割戻し ………………………61
時価 ……………………115, 233, 241
時価会計 …………………………53
時価評価資産 ………………275, 370
時価ヘッジ ………………………248
時価法 …………………………233, 241
時間基準……………………………43, 280
敷金…………………………………63
事業基準 …………………………308
事業継続要件 ……………………266
事業年度 …………………………9
事業年度独立の原則 ……………216
資金供与者等 ……………………303
資源開発事業法人 ………………214
資源開発投資法人 ………………214
試験研究費 ………………………349

資源探鉱事業法人 ………………214
資源探鉱投資法人 ………………214
自己資本の額 ……………………304
資産調整勘定 ……………………275
資産の譲渡 ………………………36
資産の販売 ………………………35
事前確定届出給与 ………………120
自然発生借地権 …………………289
実現主義……………………………33
執行役員 …………………………119
実質課税の原則……………………15
実質主義……………………………15
実質的に債権とみられない金銭債権 …204
実体基準 …………………………308
指定寄附金 ………………………132
使途秘匿金 ………………………327
使途秘匿金課税 ……………144, 145, 327
使途不明金 ………………………144
使途不明金課税 …………………144
支配関係がある法人間の合併 …265
支配関係がある法人間の現物出資 …271
支配関係がある法人間の分割 …267
支払期日基準………………………43
資本…………………………………19
資本金等の額………………………18
資本金の額…………………………19
資本的支出…………………………84
資本等取引…………………………18
借地権 ……………………………285
借地権価額の評価 ………………289
社債等の発行差損益 ……………291
社債等発行費 ……………………105
収益補償金 ………………………183
重加算税 …………………………387
従業者引継要件 …………………266
自由償却法 ………………………107
修正申告 …………………………376
修正の経理 ………………………345, 346
修繕費………………………………84

事項索引

収用等 …………………………………181
収用等の場合の特別控除 ………………186
受贈益………………………………………54
主たる事務所………………………………11
出資金の額…………………………………19
取得原価主義……………………………110
受動的所得………………………………311
準備金……………………………………197
少額繰延資産の一時償却………………108
少額減価償却資産の一時償却……………97
償還有価証券……………………………241
償却可能限度額……………………………88
償却期間…………………………………106
償却原価法………………………………241
償却限度額…………………………………96
償却超過額…………………………99, 108
償却の方法…………………………………89
償却不足額…………………………99, 108
償却保証額…………………………………91
譲渡制限付株式…………………………221
譲渡損益調整資産………………………256
譲渡損失額…………………………232, 235
譲渡利益額…………………………232, 235
使用人兼務役員…………………………119
使用人賞与の損金算入時期……………125
消費税……………………………………150
商品券等の発行収益………………………61
正味実現可能価額………………………115
剰余金の配当………………………42, 44
剰余金の分配………………………………44
所轄国税局長………………………………12
所轄税務署長………………………………12
所在地国基準……………………………309
除斥期間…………………………………382
所得控除…………………………………292
所得税額控除……………………………334
処分可能価額……………………………115
所有権移転外リース取引………92, 283
白色申告書………………………………366

仕訳帳……………………………………361
人格のない社団等………………………4, 6
申告調整事項………………………………24
申告納税方式……………………………356
人税…………………………………………2
信託財産……………………………………15
信用取引…………………………………243

〔す〕

推計課税…………………………………366
スピンオフ………………………………268
スポーツクラブの入会金…………………63

〔せ〕

制限納税義務者……………………………7
税込経理方式……………………………150
清算事務年度………………………………10
生産高比例法………………………………92
税抜経理方式……………………………150
生物…………………………………………80
税率………………………………………324
接待飲食費………………………………141
全世界所得…………………………………6

〔そ〕

増額更正…………………………………381
増加償却……………………………………97
総勘定元帳………………………………365
増減試験研究費割合……………………349
総合主義…………………………………315
相互協議…………………………………300
増差税額…………………………………384
相当の地代………………………………287
総平均法……………………………75, 239
創立費……………………………………104
組織再編成………………………………260
租税公課…………………………………146
租税負担割合……………………………313
その他価格公表有価証券………………112

393

その他の株式等 …………………………48
その他有価証券 …………………………240
損益計算書 ………………………………365
損益通算 …………………………………369
損益法 ……………………………………14
損害賠償金 …………………………64, 227
損害保険料 ………………………………224
損金経理 ……………………………17, 22
損金の概念 ………………………………67
損金の額 ……………………………30, 66
損金の認識基準 …………………………69
損失 ………………………………………68

〔た〕

対応的調整 ………………………………301
対価補償金 ………………………………183
第三分野保険 ……………………………222
貸借対照表 ………………………………365
対象会計年度 ……………………………319
対象外国関係会社 ………………………308
対象事業 …………………………………209
退職給与 …………………………………122
代替資産 …………………………………181
耐用年数 …………………………………85
耐用年数の短縮 …………………………86
多国籍企業グループ等 …………………319
タックス・ヘイブン税制 ………………306
脱税経費 …………………………………155
棚卸資産 …………………………………73
棚卸資産の取得価額 ……………………73
棚卸資産の評価方法 ……………………74
棚卸表 ……………………………………365
短期外貨建債権・債務 …………………251
短期所有株式等 …………………………46
短期売買商品 ………………………230, 231
短期売買目的 ……………………………231
短期前払費用の特例 ……………………71
単独新設分割 ……………………………268

〔ち〕

地方消費税 ………………………………150
中間申告 ……………………………356, 357
中間申告書 ………………………………353
中古資産の耐用年数の見積り …………87
中小企業者等 ……………………………350
長期外貨建債権・債務 …………………251
長期損害保険の保険料 …………………224
長期大規模工事 …………………………39
調整国外所得金額 ………………………342
調整差益 ……………………………241, 243
調整差損 ……………………………241, 243
直接外国税額控除 ………………………340

〔つ〕

通算親法人 ………………………………368
通算子法人 ………………………………368
通算税効果額 ……………………………373
通算法人 …………………………………368
積切出帆基準 ……………………………42
積立金経理 ………………………………23

〔て〕

低価法 ……………………………………76
定額控除限度額 …………………………141
定額法 ……………………………………91
定期付養老保険 …………………………223
定期同額給与 ……………………………120
定期保険 …………………………………222
ディスカウント・キャッシュ・フロー法
（ＤＣＦ法）……………………………298
定率法 ……………………………………91
適格合併 …………………………………265
適格株式移転 ……………………………277
適格株式交換 ……………………………276
適格株式分配 ……………………………273
適格現物出資 ……………………………270
適格現物分配 ……………………………273

適格分割 …………………………267
適格分社型分割 …………………269
デリバティブ取引 ………………244
店頭売買有価証券 ………………112

〔と〕

投資事業有限責任組合 ……………5
投資簿価修正 ……………………370
同時文書化対象国外関連取引 …299
同時文書化免除国外関連取引 …299
同族会社 ……………………………16
同族会社の行為計算の否認………16
特殊関係使用人 …………………124
特定外国関係会社 ………………307
特定課税対象金額 ………………312
特定株式等 ………………………214
特定株式投資信託 …………………45
特定機械装置等 …………………352
特定公益増進法人 ………………135
特定資産譲渡等損失額 …………274
特定所得の金額 …………………311
特定多国籍企業グループ等 ……319
特定適格組織再編成等 …………274
特定同族会社 ……………………326
特定同族会社の留保金課税 ……327
特定非営利活動法人（ＮＰＯ法人）……135
特定役員 …………………………266
特別勘定 …………166, 172, 173, 185, 193
特別試験研究費 …………………350
特別償却…………………………… 98
特別償却準備金……………………99
特別税額控除 ……………………347
特別な償却方法……………………93
独立価格比準法 …………………296
独立企業間価格 …………………296
土地譲渡益重課税 ………………334
土地の賃借権 ……………………285
取扱有価証券 ……………………112
取替資産 ……………………………94

取替法 ………………………………94
取引所売買有価証券 ……………112
取引単位営業利益法 ……………298

〔な〕

内国法人 ……………………………5
内部取引……………………………22

〔に〕

250％定率法 ………………………91
200％定率法 ………………………91
任意調整事項 ………………………26
認定特定非営利活動法人 ………135

〔ね〕

年会費 ……………………………227
年会費その他の費用 ……………226
年決めロッカー料 ………………227

〔の〕

納税地………………………………12
延払基準 …………………………282
のれん ……………………………275

〔は〕

売価還元法…………………………76
売買目的有価証券 ………………241
売買利益率 ………………………211
罰金，課徴金等 …………………156
発行日取引 ………………………243
発生時換算法 ……………………251
発生主義 ………………………33, 69
発売日基準 …………………………42
販売基準 ……………………………35
販売費，一般管理費その他の費用………68

〔ひ〕

非営利型法人 ………………………5
比較試験研究費の額 ……………349

比較利益分割法 …………298
被合併法人 ……………261
非関連者基準 ……………309
引当金 ………………197
非減価償却資産 …………80
被現物出資法人 …………262
被現物分配法人 …………262
被支配会社 ……………327
非支配目的株式等 …………48
非償却資産 ……………80
必須調整事項 ……………24
非適格株式交換等 …………275
費用 ………………68
評価益 ………………53, 242
評価損 ………………110, 242
費用収益対応の原則 ………67, 69
比例税率 ……………321

〔ふ〕

ファイナンス・リース ………279
複式簿記の原則 …………364
負債調整勘定 ……………275
附帯税 ………………383
普通法人 ……………6
物損等の事実 …………111, 112, 114, 115
負ののれん ……………275
部分完成基準 ……………38
部分課税対象金額 …………311
部分対象外国関係会社 ………309
部分適用対象金額 …………312
分割型分割 ……………263, 267
分割承継法人 ……………261
分割法人 ……………261
分社型分割 ……………263
粉飾決算 ……………345

〔へ〕

ペーパー・カンパニー ………308
平均負債残高 ……………304

ヘッジ手段 ……………246
ヘッジ対象 ……………246
ヘッジ対象資産等損失額 ……247
別段の定め ……………21, 24
返品調整引当金の繰入限度額 …210
返品率 ………………210

〔ほ〕

法人 ………………4
法人課税信託 ……………7
法人個人一体課税 …………44
法人個人一体課税説 …………3
法人実在説 ……………3
法人税 ………………2
法人擬制説 ……………3
法人税の性格 ……………3
法人税の納税義務 …………6
法人税の納税地 ……………11
法人税率 ……………324
法人独立課税説 ……………3
法定換算方法 ……………252
法定繰入率 ……………205
法定耐用年数 ……………85
法定評価方法 ……………76
法的整理の事実 ……………111
保険会社の評価換え …………54
保険金等 ……………169
保険差益金 ……………171
保証金 ………………63
本店 ………………11

〔ま〕

前払費用 ……………104
満期保有目的 ……………241

〔み〕

未確定の売上原価等の見積り …71
みなし外国税額控除 …………340
みなし寄附金 ……………129

事項索引

みなし決済損益 ……………244, 245
みなし事業年度………………………10
みなし承認 ……………………364
みなし配当 ………………………45
みなし役員 ………………………118
民法上の組合 ………………………5

〔む〕

無形固定資産 ……………………80
無償取引 ………………………32
無償返還方式 ……………………288
無申告加算税 ……………………386
無制限納税義務者 ………………6
無対価分割 ………………………264

〔め〕

名義書換料 ………………………226

〔も〕

持分会社 ………………………44

〔や〕

役員 ……………………………118
役員賞与 ………………………120
役員報酬 ………………………120

〔ゆ〕

有価証券 ………………………235
有価証券の空売り ………………243
有価証券の区分変更 ……………236
有価証券の取得価額 ……………237
有価証券の譲渡 ……………36, 236
有価証券の譲渡原価 ……………237
有価証券の譲渡対価 ……………236
有形固定資産 ……………………79
有限責任事業組合 ………………5
有効性の判定 ……………………248

〔よ〕

養老保険 ………………………222
預託金制ゴルフクラブの会員権 ……226
予定申告 ………………………358

〔り〕

リース期間定額法 …………………92
リース資産 ………………………92
リース譲渡 ………………………281
リース賃貸資産 …………………95
リース取引 ………………………280
リースバック取引 ………………284
リース料 ………………………280
利益積立金額 ……………………20
利益の配当 ………………………44
利益分割法 ………………………298
履行義務 ……………………33, 34
利子税 ……………………………384
利子相当額の控除 ………………48
留保金額 ………………………327
留保控除額 ……………………328

〔る〕

累進税率 ………………………325

〔れ〕

連結納税制度 ……………………368
連帯納付義務 ……………………368

〔ろ〕

ローカルファイル ………………299

〔わ〕

賄賂 ……………………………157
渡切交際費 ……………………145
割増償却 ………………………99

著者紹介

成松　洋一（なりまつ・よういち）

略　　歴　国税庁法人税課課長補佐（審理担当），菊池税務署長，東京国税局調査第一部国際調査課長，同調査審理課長，名古屋国税不服審判所部長審判官，東京国税局調査第三部長等を経て退官

現　　職　税理士

主要著書
　法人税セミナー－法人税の理論と実務の論点－（税務経理協会）
　法人税裁決例の研究－不服審査手続きとその実際－（税務経理協会）
　不良資産処理の会計と税務（税務経理協会）
　税務会計の基礎－企業会計と法人税－（共著・税務経理協会）
　新減価償却の法人税務（大蔵財務協会）
　圧縮記帳の法人税務（大蔵財務協会）
　試験研究費の法人税務（大蔵財務協会）
　消費税の経理処理と税務調整（大蔵財務協会）
　グループ法人税制の実務事例集（大蔵財務協会）
　法人税・源泉所得税・消費税の諸申請（共著・大蔵財務協会）
　法人税申告書別表四，五㈠のケース・スタディ（税務研究会）
　減価償却資産の取得費・修繕費（共著・税務研究会・第15回日税研究賞奨励賞受賞）

法人税法 －理論と計算－〔二十訂版〕

2005年7月10日	初　版　発　行	
2006年7月15日	改　訂　版　発　行	
2007年7月1日	三　訂　版　発　行	
2008年6月15日	四　訂　版　発　行	
2009年6月15日	五　訂　版　発　行	
2010年7月1日	六　訂　版　発　行	
2011年8月25日	七　訂　版　発　行	
2012年6月1日	八　訂　版　発　行	
2013年5月20日	九　訂　版　発　行	
2014年5月1日	十　訂　版　発　行	
2015年6月1日	十一訂版発行	
2016年5月20日	十二訂版発行	
2017年6月1日	十三訂版発行	
2018年6月1日	十四訂版発行	
2019年6月1日	十五訂版発行	
2020年7月1日	十六訂版発行	
2021年6月1日	十七訂版発行	
2022年6月1日	十八訂版発行	
2023年6月1日	十九訂版発行	
2024年6月1日	二十訂版発行	

著　者　　成松　洋一

発行者　　大坪　克行

発行所　　株式会社 税務経理協会
〒161-0033 東京都新宿区下落合1丁目1番3号
http://www.zeikei.co.jp
03-6304-0505

印　刷　　光栄印刷株式会社

製　本　　牧製本印刷株式会社

本書についての
ご意見・ご感想はコチラ

http://www.zeikei.co.jp/contact/

本書の無断複製は著作権法上の例外を除き禁じられています。複製される場合は、そのつど事前に、出版者著作権管理機構（電話03-5244-5088、FAX03-5244-5089、e-mail: info@jcopy.or.jp）の許諾を得てください。

 ＜出版者著作権管理機構 委託出版物＞

ISBN 978-4-419-06996-4　C3032

© 成松洋一 2024 Printed in Japan